ENTRAÎNEZ-VOUS

VOCABULAIRE

ÉTUDIANTS AVANCÉS

JEAN-MARIE CRIDLIG

JACKY GIRARDET

COLETTE GIBBE

CLE
international

27, rue de la Glacière 75013 Paris

Vente aux enseignants : 16, rue Monsieur le Prince 75006 Paris

INTRODUCTION

Négligé par les méthodologies de l'enseignement des langues qui ont prévalu ces dernières décennies, le vocabulaire a pourtant toujours été considéré par les étudiants comme un objectif prioritaire.

Certes, le temps n'est plus où les méthodes imposaient aux élèves un régime pauvre en vocabulaire et où les mots nouveaux, notés à la dérobée sur des carnets secrets, ne pouvaient être appris que dans la clandestinité. L'utilisation des documents authentiques et les approches communicatives ont mis fin à l'époque des grandes restrictions lexicales et les apprenants peuvent à nouveau satisfaire leur appétit, voire leur boulimie de mots. Par ailleurs, les techniques de créativité (remue-méninges, jeux avec les mots, etc.) suscitent une grande variété d'activités de mobilisation et de recyclage du stock lexical.

Mais, entre les activités de découverte du vocabulaire et celles qui permettent sa révision, un manque se fait sentir : celui d'un véritable travail de conceptualisation et de mémorisation, où les mots rencontrés au hasard des textes et des apports ponctuels seraient mis en relation dans des organisations, stockés et disponibles dans la mémoire de l'apprenant.

C'est ce travail d'apprentissage systématique que visent les ouvrages *Vocabulaire niveau débutant* et *Vocabulaire niveau avancé*, se complétant et s'enrichissant mutuellement.

Vocabulaire niveaux débutant et avancé se présentent comme une suite d'exercices autocorrectifs (voir Corrigés page 120).

Les exercices proposent :

• la découverte d'un ensemble lexical limité et homogène organisé autour d'un thème concret, d'une notion ou d'une idée générale, d'une structure fondamentale de la pensée, d'un acte de parole, d'un schéma situationnel, narratif, descriptif, logique, etc. Un index répertoriant les thèmes abordés dans chaque exercice (voir page 143) permet les recherches personnelles, l'enrichissement progressif et la capitalisation des connaissances.

Par ailleurs, les exercices sont présentés par thème sur une double page et regroupés en six domaines généraux :

• un travail de réflexion sémantique et culturelle qui peut, dans certains cas, déboucher sur une activité de production, mais qui a surtout pour objectif d'explorer et d'affiner le sens des mots (polysémie, synonymie, antonymie, etc.), d'initier aux systèmes de production lexicale (dérivations, mots composés, emplois figurés, etc.) et de favoriser la mémorisation de l'ensemble lexical.

Compléments utiles à toute méthode, *Vocabulaire* (*débutant et avancé*) sont des outils qui peuvent être utilisés aussi bien pour une révision systématique du lexique que pour une recherche ponctuelle (préparation à la lecture d'un texte, à une production écrite, à un jeu de rôles, etc.).

© CLE INTERNATIONAL, 1993 - ISBN 2.19.033332-6

SOMMAIRE

LA COMMUNICATION

1. Le dictionnaire 6
2. L'histoire des mots 8
3. Le sens des mots 10
4. La langue 12
5. Les niveaux de langue 14
6. Parler 16
7. Écrire 18
8. L'information 20
9. La publicité 22
10. Les images 24

PSYCHOLOGIE ET COMPORTEMENT

11. La personnalité 28
12. L'apparence 30
13. Les relations 32
14. Les sentiments 34
15. Les réactions 36
16. L'activité 38
17. Les valeurs 40
18. L'humour et l'humeur 42

LA CIVILISATION

19. Les peuples et les pays 46
20. L'histoire 48
21. Les religions et les croyances 50
22. Les vestiges du passé 52
23. L'urbanisme 54
24. L'armée et la guerre 56
25. Les coutumes et les règles 58
26. La justice 60
27. L'argent 62
28. La vie collective et sociale 64
29. Le hasard et les jeux 66

SOMMAIRE

LA PENSÉE

30. L'intelligence 70
31. L'imagination et la création 72
32. Le raisonnement 74
33. Les jugements 76
34. La totalité et les parties 78
35. L'ordre et le classement 80
36. La cause et l'effet 82
37. La ressemblance et la différence 84

LES SCIENCES

38. L'anatomie 88
39. La biologie 90
40. La physique 92
41. La chimie 94
42. L'énergie 96
43. La géographie 98
44. La nature 100
45. La zoologie 102

LES OBJETS

46. Les outils et les ustensiles 106
47. L'artisanat et le bricolage 108
48. Les machines 110
49. Les véhicules 112
50. L'objet et le mouvement 114
51. Le temps et les choses 116
52. Les sons 118

CORRIGÉS DES EXERCICES 120
INDEX DES MOTS CLÉS 143

LA COMMUNICATION

Le dictionnaire

1 LES ARTICLES DU DICTIONNAIRE

Observez l'article sur le mot «glouton» dans le *Petit Larousse* et dans le *Petit Robert*. Trouvez :

– les différents sens du mot et ses emplois
– ses différentes natures grammaticales
– sa prononciation
– ses synonymes
– ses antonymes (mots qui ont un sens contraire)
– son étymologie (origine du mot)
Cette étymologie vous permet-elle de comprendre la formation des mots :
• engloutir (avaler avidement) ?
• déglutir (faire passer la nourriture de la bouche à l'œsophage) ?

1. GLOUTON, ONNE adj. et n. (lat. *gluttus*, gosier). Qui mange beaucoup et avec avidité ; goinfre.
2. GLOUTON n.m. Mammifère carnivore voisin de la martre. (Famille des Mustélidés.)
GLOUTONNEMENT adv. D'une manière gloutonne.
GLOUTONNERIE n.f. Avidité du glouton.

Petit Larousse

GLOUTON, ONNE [glutɔ̃, ɔn]. *adj.* et *n. m.* (*Gloton*, 1080 ; bas lat. *glutto*, de *gluttire* «avaler», de *gluttus* «gosier»). ♦ 1° Qui mange avidement, excessivement, en engloutissant les morceaux. **V. Goinfre, goulu, vorace.** *Un homme, un enfant glouton.* – Par ext. *Appétit glouton.* – Subst. *Avaler comme un glouton.* ♦ 2° (1671). *N. m.* Mammifère carnivore (*Mustélidés*), appelé aussi «goulu» ou «carcajou». ▲ ANT. *Frugal, gourmet, sobre, tempérant.*
GLOUTONNEMENT [glutɔnmã]. *adv.* (XVᵉ ; de *glouton*). À la façon d'un glouton. «*Les loups mangent gloutonnement*» (LA FONT.). Fig. *Lire gloutonnement.*
GLOUTONNERIE [glutɔnʀi]. *n.f.* (*Glotonnerie*, XIIᵉ ; *glutunie*, 1119 ; de *glouton*). Avidité de glouton. *Une écœurante gloutonnerie.*▼ Fig. Appétit, avidité. «*Une folle gloutonnerie de conquêtes*» (LOTI).

Petit Robert

2 L'ÉVOLUTION DES DÉFINITIONS

Les définitions de certains mots évoluent dans le temps. Comparez les articles consacrés aux mots «femme» et «prostitué(e)» dans trois éditions du *Petit Larousse*. Montrez qu'ils évoluent selon l'histoire et les mentalités.

Édition de 1952

FEMME (*fam'*) n. f. (lat. *femina*). Compagne de l'homme ; épouse. Celle qui est ou a été mariée. *Femme de chambre*, femme attachée au service intérieur d'une personne de son sexe. *Femme de charge*, celle qui a soin du linge, de l'argenterie, etc., d'une maison. *Femme de ménage*, femme chargée du soin d'un ménage dans une famille, et qui est payée à l'heure, ou à la journée. *Bonne femme*, femme âgée ; femme sans prétentions.

PROSTITUÉE (*pros-ti-tu-é*) n.f. (de *prostituer*). Femme de mauvaise vie.
PROSTITUER (*pros-ti-tu-é*) v. t. (lat. *prostituere*). Livrer à la débauche. *Fig.* Avilir, dégrader.
PROSTITUTION (*pros-ti-tu-syon*) n. f. (de *prostituer*). Action de se prostituer. *Fig.* Action d'avilir, de dégrader : *la prostitution d'un talent.*

Édition de 1972

FEMME [fam] n. f. (lat. *femina*). Être humain du sexe féminin. ||Epouse. || Celle qui est ou a été mariée. • *Bonne femme* (Pop.), femme d'un certain âge. ||*Femme de chambre*, femme attachée au service d'une maison, d'un hôtel. ||*Femme de lettres*, écrivain. ||*Femme de ménage*, femme chargée du soin d'un ménage.

PROSTITUÉE n.f. (de prostituer). Femme qui se prostitue.
PROSTITUER [prɔstitɥe] v. t. (lat. *prostituere*, déshonorer). Livrer à la débauche contre de l'argent. ||*Fig.* Dégrader, avilir : *prostituer son talent.*
PROSTITUTION n. f. Action de se prostituer. ||*Fig.* Usage dégradant d'une chose.

Édition de 1991

FEMME [fam] n. f. (lat. *femina*). **1.** Être humain du sexe féminin (par opp. à *homme*). *La loi salique excluait les femmes de la possession de la terre.* **2.** Adulte du sexe féminin (par opp. à *fille*, à *jeune fille*). *C'est une femme maintenant.* **3.** Épouse. *Il nous a présenté sa femme.* **4.** (Qualifié). Adulte du sexe féminin considéré par rapport à ses qualités, ses défauts, ses activités, ses origines, etc. *Une brave femme. Une femme de parole. Une femme de lettres. – Femme au foyer :* femme sans profession, qui s'occupe de sa famille. **5.** *Bonne femme* → **bonhomme.** **6.** *Femme de ménage* (en Belgique *femme d'ouvrage* ou *femme à journée*) : femme employée à faire le ménage dans des appartement, des bureaux.

PROSTITUÉ, E n.Personne qui se prostitue.
PROSTITUER v. t. (lat. *prostituere*, déshonorer). **1.** Livrer à la prostitution. **2.** Avilir, dégrader en utilisant pour des tâches indignes ou à des fins vénales. *Prostituer son talent.* ♦ **se prostituer** v.pr. Se livrer à la prostitution.
PROSTITUTION n. f. **1.** Acte par lequel une personne consent à des rapports sexuels contre de l'argent. **2.** Litt. Avilissement.

3 | LES EMPLOIS DES MOTS

a) Donnez le sens de tous les emplois du mot «mot». Montrez que le poème est organisé selon les étapes de la vie. Retrouvez :

la naissance – l'école – la jeunesse – le service militaire – l'amour – la maturité et la célébrité – la mort

b) Imaginez un poème à partir d'un article du dictionnaire.

• Choisissez un mot qui ait une grande richesse d'emplois (*le jour – la chose – le bout – la fin – le point –* etc.).

• Relevez tous les emplois du mot dans un dictionnaire.

• Organisez ces différentes expressions dans une suite narrative.

QUELQUES MOTS :
Il y a le premier mot,
les mots de tous les jours,
les groupes de mots,
le mot à mot
les gros mots
et le mot de Cambronne.
Les bons mots et les jeux de mots.
Le mot d'ordre, le mot de passe
et le mot pour rire.
Il y a aussi les mots d'amour,
les mots qui touchent,
les mots qui blessent.
Puis, il y a les mots savants,
les mots clés
et les mots historiques.
Et à la fin,
il y a
le mot de la fin
qui a toujours le dernier mot.

2

L'histoire des mots

1] L'ÉTYMOLOGIE

a) Commentez l'évolution du sens des mots «rival» et «bureau» à partir de leur étymologie.

RIVAL(E)	BUREAU
Du latin «*rivalis*» : personne qui habite au bord d'une rivière et qui utilise l'eau de cette rivière (consommation, lessive, arrosage, etc.). *Sens actuels* : • Compétiteur, concurrent. «Pour avoir le poste de directeur, il doit d'abord éliminer ses rivaux.» «Pierre aime Martine et voudrait bien que cet amour soit partagé. Mais Julien sera pour lui un rival redoutable.»	De «*burel*» (XIIe siècle) : étoffe grossière. Au XIIIe siècle : tapis qui recouvre une table. Au XIVe siècle : table pour écrire. Au XVe siècle : pièce de la maison où se trouve la table pour écrire. *Sens actuels* : • Table pour écrire. • Pièce où sont installées table de travail, bibliothèque, etc. • Administration ou service (le bureau de poste). • Ensemble de personnes ayant un pouvoir de décision (le bureau de l'association sportive).

b) L'étymologie des mots est parfois surprenante. Imaginez comment les mots de la colonne A ont donné les mots de la colonne B.

A	**B**
ORIGINE	MOT FRANÇAIS ACTUEL
1. Un mot latin signifiant «un siège»	→ une cathédrale
2. Un mot latin signifiant «blanc»	→ un candidat
3. Un mot germanique signifiant «de travers»	→ gauche
4. Un mot arabe signifiant «jeu de dés»	→ le hasard
5. Un mot grec signifiant «un petit caillou»	→ un scrupule

c) Les couples de mots suivants ont la même origine. Peut-on y retrouver une trace du sens original ?

1. cardiaque } cœur
2. courageux

3. un pavillon } une tente
4. un papillon

5. un donjon } maître de maison
6. dimanche } seigneur

7. un curé } le soin
8. curieux

9. le sabbat } repos
10. samedi

11. un coucou } le cri de l'oiseau
12. un cocu } appelé «coucou»

2 | LES FAMILLES DE MOTS

a) Classez les mots suivants selon qu'ils appartiennent aux thèmes :
  • du logement,
  • des vêtements,
  • des habitudes.

habiter – s'habiller – l'habitat – une habitude – habituel – une habitation – habituellement – inhabité – l'habillage – un habitant – habitable – se déshabiller – s'habituer – l'habillement – un habit – se réhabituer – se rhabiller

b) Imaginez le mot qui est à l'origine de tous ces mots. Quel sens pouvait-il avoir ?

c) Recherchez les préfixes et les suffixes qui ont permis la formation de ces mots. Trouvez d'autres mots formés avec ces suffixes et ces préfixes.

d) Voici des mots latins ou grecs qui sont à l'origine de grandes familles de mots français. Retrouvez les différents mots qu'ils ont produits.

1. *populus* (peuple) → peuple,…

2. *hominis* (homme) → homme,…

3. *polis* (cité) → politique,…

4. *floris* (fleur) → fleur,…

3 | LES EMPRUNTS

De nombreux mots anglais sont apparus dans la langue française depuis un quart de siècle. Les puristes protestent contre cette «invasion» et proposent des équivalents.

Trouvez dans la liste une traduction possible des mots soulignés du texte.

Depuis qu'elle a gagné le jackpot au Jeu de la Fortune, Estelle a complètement changé de look. Elle s'est fait faire un lifting dans un des meilleurs salons d'esthétique, dédaigne les fast-food pour les restaurants végétariens, fait tous les matins son jogging en écoutant son walkman et part tous les week-end s'initier au surf sur les bords de l'Atlantique. Finies les overdoses de télé et les soirées passées à zapper. Un soir sur deux elle se rend au Club-forme, un must, fréquenté par des artistes et des businessmen. Grâce aux relations qu'elle s'y est faites, elle a trouvé un super-job : public-relations au Carré d'Art, une association de promotion de l'art contemporain sponsorisée par un grand constructeur automobile.

l'allure

un baladeur

changer de chaîne

la course à pied

un déridage

un emploi

la fin de semaine

la glisse

le gros lot

un homme d'affaires

impératif

une indigestion

parrainer

les relations publiques

la restauration rapide

3
Le sens des mots

1 TRADUIRE

Les ordinateurs sont-ils bons traducteurs ?

Il est certes facile pour un ordinateur de traduire des mots isolés ou des phrases courtes et simples, mais une traduction est bien autre chose qu'une simple substitution mot à mot. La plupart des langues regorgent d'ambiguïtés et de termes dont seul le contexte permet de rendre le sens. Il est rare qu'un mot ait une seule signification et la structure grammaticale d'une phrase peut être très équivoque : ainsi, la phrase «le petit Chaperon Rouge alla voir sa grand-mère avec du beurre dans un petit pot» peut abuser l'ordinateur, incapable de juger si c'est le beurre, la grand-mère ou même le petit Chaperon Rouge qui est dans un petit pot.

Les tournures idiomatiques – comme «prendre la porte» – ou les mots techniques peuvent rendre le travail de l'ordinateur encore plus difficile [...]

Les ordinateurs ont en mémoire autant de dictionnaires que de langues à traduire – jusqu'à 100 000 mots et phrases pour les systèmes les plus avancés – et vont y puiser régulièrement le terme approprié. Mais le texte qu'ils restituent doit être soigneusement revu par des traducteurs professionnels qui affirment que cette correction leur prend à peu près autant de temps que s'ils avaient fait le travail eux-mêmes.

On a pourtant développé récemment des ordinateurs qui ont un taux de réussite de 96 %. Ces machines sont capables d'établir des références croisées entre les mots : elles repèrent les énoncés ambigus et déterminent alors les termes corrects à employer.

Comment ?, Sélection du Reader's Digest, 1990.

a) Relevez les mots et les formulations qui permettent :
   • de nommer les éléments de la langue (exemple : un mot, ...) ;
   • d'exprimer les difficultés de traduction.

b) Trouvez le sens du verbe «marcher» dans chacune des phrases suivantes :

1. Ce distributeur de boisson ne marche pas.

2. Le vieil homme marche difficilement.

3. L'industriel affirme qu'en ce moment ses affaires ne marchent pas très fort.

4. «Vous prenez le métro ? – Non, je préfère marcher.»

5. «Vous êtes d'accord pour signer ce contrat ? – Non, Monsieur, je ne marche pas !»

6. «Tu vas rire. On a raconté à Marcel que Geneviève était amoureuse de lui. Eh bien, il a marché ! Il lui a téléphoné.»

accepter
aller bien
aller à pied
se déplacer
être dupe
fonctionner

c) Si vous programmiez à l'ordinateur la traduction des mots suivants dans votre langue, quels mots ou expressions choisiriez-vous ?

l'argent – voler – une pièce – une glace – porte – marcher – beau

2 LE SENS ET LES IMAGES CULTURELLES

a) Aux mots d'une langue sont associées des idées et des images qui sont souvent propres à cette langue. Dans les phrases suivantes, retrouvez les idées et les images que les Français associent au mot «lapin».

Exemple : b. ... s'est enfui comme un lapin → idée de course rapide et de peur.

1. Hier soir, nous avons mangé un excellent lapin aux olives.

2. Le petit Julien a fait une bêtise et s'est enfui comme un lapin.

3. «Tu veux que je prépare le dîner ma chérie ? – Si tu veux, mon petit lapin.»

4. Ils habitent un grand immeuble populaire. Leur appartement, c'est vraiment une cage à lapins !

5. Quand il chante sur scène, cet artiste a toujours une patte de lapin dans la poche.

6. «Voilà à peine trois ans qu'ils sont mariés et ils ont déjà trois enfants. Ma parole ! Ils vont plus vite que les lapins !»

7. «Ça fait la dixième femme que je vois avec Patrick depuis un mois. C'est vraiment un chaud lapin ce Patrick !»

b) Recherchez les idées et les images associées aux mots ci-contre en étudiant dans un dictionnaire les expressions construites avec eux.

la tête – une poule – le pain – un Turc

3 LA SIGNIFICATION

Complétez en utilisant les verbes de la liste (plusieurs possibilités).

1. Que .... ces caractères chinois ?

2. Le tremblement de ses mains et la rougeur de son visage .... sa nervosité.

3. L'écrivain Marcel Pagnol a parfaitement .... l'atmosphère de la Provence d'avant-guerre.

4. L'aiguille de la boussole .... le Nord.

5. Les Esquimaux se frottent le nez quand ils se rencontrent. Cela .... à notre serrement de mains.

correspondre à

désigner

équivaloir à

évoquer

impliquer

indiquer

marquer

révéler

signifier

suggérer

témoigner (de)

vouloir dire

4
La langue

1 LA STRUCTURE DES LANGUES

a) Comparez chaque point de cette description de l'espéranto à votre langue maternelle et à la langue française.

b) Quelles sont les qualités et les défauts de l'espéranto ?
Pensez-vous qu'il soit souhaitable et réaliste d'imposer une langue artificielle commune à tous les peuples ?

Exemple : *article*
En espéranto : un seul, défini, invariable.
En français : 3 catégories (définis, indéfinis, partitifs), variable en genre et en nombre.
En (langue maternelle) : ...

L'espéranto

Vers 1887, le Polonais L.L. Zamenhof inventait l'espéranto. Langue artificielle, l'espéranto se voulait langue internationale qui devait rapprocher les peuples et éviter les divisions.

Son vocabulaire comprend environ 10 000 mots formés à partir de racines invariables empruntées surtout aux langues romanes et germaniques ; 9 préfixes et 38 suffixes permettent de former un grand nombre de mots avec une seule racine.

Basée sur 16 règles fondamentales sans aucune exception, la grammaire de l'espéranto est d'une grande simplicité et d'une grande logique. Il n'y a qu'un seul article, défini et invariable. Chaque mot prend une marque spécifique qui indique sa catégorie grammaticale. Ainsi, le substantif se termine par -o. L'adjectif est invariable en genre et se termine toujours par -a. Le substantif et l'adjectif font leur pluriel en -j. L'adverbe se forme en ajoutant -e à la racine. Le verbe ne varie ni en personne ni en nombre. 12 terminaisons expriment toutes les nuances du passé, du présent et du futur. 6 terminaisons suffisent à construire tous les temps simples et l'infinitif. 6 autres servent pour les temps composés et le participe. La négation est exprimée dans tous les cas par un seul mot et chaque préposition a un sens bien précis.

2 L'EUPHÉMISME ET LA LITOTE

Le langage falsifié

En ces temps où la langue de bois (la langue embois ou emboisée, diront les puristes) semble devoir renvoyer le «parler-vrai» à ses chères études théoriques, l'art de la litote connaît une vogue rarement atteinte. À titre de curiosité, nous nous sommes aventuré à collecter quelques perles exemplaires d'un usage devenu courant :

Ainsi, quand il s'agit d'évoquer l'implosion de notre société en mal de repères, il est de bon ton de noyer le bébé sous l'expression infiniment moins explosive de «problème des banlieues».

De même, lorsqu'une bande de marginaux ou de désœuvrés se défoule en attaquant un supermarché, il se révèle aussi prudent qu'abusif de ranger ces malheureux laissés-pour-compte de la civilisation de consommation sous le vocable générique de «jeunes».

Enfin (et bien que la litanie de la langue biaisée soit loin d'être finie), la formule «hystérie sécuritaire» est de plus en plus employée pour signifier le réflexe de défense d'une population de moins en moins rassurée.

Pourtant, le danger est là : dans ce refus d'appeler un chat un chat, pour feindre de le qualifier de «petit mammifère carnassier généralement domestique», au risque de discréditer un peu plus le discours politique aux yeux (et aux oreilles) d'une opinion confrontée au concret et habituée à nommer les choses par leur nom. Que l'on sache, une question fondamentale n'a jamais trouvé sa réponse dans la falsification du langage.

La Montagne, 4.10.1991.

a) Lisez l'article ci-contre «Le langage falsifié».

   • Relevez les mots et expressions qui décrivent ou caractérisent le langage.

   • Quelles réalités cachent les expressions «problème de banlieues», «jeunes» et «hystérie sécuritaire» ?

   • Quel phénomène linguistique est évoqué dans cet article ? Pour quelles raisons arrive-t-il que l'on emploie des euphémismes ou des litotes ?

b) Voici des phrases prononcées par des gens qui refusent d'«appeler un chat un chat». Imaginez quel peut-être le véritable sens des mots soulignés.

• Conversation au salon

«Bon, c'est vrai, Sylvie est un peu ronde mais elle a un visage sympathique.»

Exemple : Elle est un peu ronde → elle est peut-être seulement «enveloppée», mais aussi franchement «grosse» voire «obèse».

«Les Martin nous ont reçu très simplement.»
«Oh ! Elle a fait un beau mariage, vous savez !»

• Dans les journaux

Les problèmes de malnutrition. Les pays les plus démunis. 35 disparus dans l'accident de l'Airbus A320. L'agresseur était un individu de type méditerranéen.

• Dans la bouche d'un homme politique

«Le congrès du parti s'est bien déroulé malgré quelques fausses notes.»
«Dans les prochains mois, le gouvernement prendra des mesures d'encouragement en faveur des jeunes agriculteurs.»
«Je suis à l'écoute de tous les Français !»
Nous refusons un système de sécurité sociale à deux vitesses.

• Dans la bouche d'un acteur de cinéma

«"Tire-toi de là" était, je crois, un bon film. Dommage ! Il n'a pas su trouver son public.»
«En ce moment, on ne me propose pas de sujets intéressants. Et puis, j'ai envie de prendre un peu de recul.»

5
Les niveaux de langue

1 LES STYLES COURANT/FAMILIER/ SOUTENU/ETC.

Il y a souvent plusieurs mots pour une même idée ou une même chose.
Le choix du mot dépend de la situation et de l'intention de celui qui parle.

a) Dans toutes les phrases suivantes, il est question d'une voiture.
Imaginez la situation de communication et caractérisez le style
du vocabulaire.

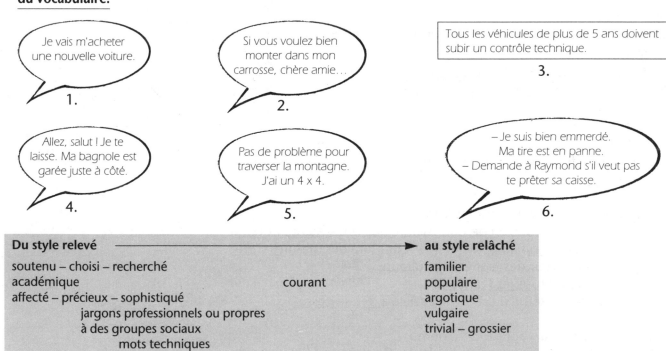

Je vais m'acheter une nouvelle voiture.

1.

Si vous voulez bien monter dans mon carrosse, chère amie…

2.

Tous les véhicules de plus de 5 ans doivent subir un contrôle technique.

3.

Allez, salut ! Je te laisse. Ma bagnole est garée juste à côté.

4.

Pas de problème pour traverser la montagne. J'ai un 4 x 4.

5.

– Je suis bien emmerdé. Ma tire est en panne.
– Demande à Raymond s'il veut pas te prêter sa caisse.

6.

Du style relevé ————————————➤		au style relâché
soutenu – choisi – recherché		familier
académique	courant	populaire
affecté – précieux – sophistiqué		argotique
jargons professionnels ou propres		vulgaire
à des groupes sociaux		trivial – grossier
mots techniques		

b) Dans chacun des groupes suivants les trois mots ont le même sens.
Indiquez à quel style ils appartiennent en notant :

F : familier ou populaire   *C : courant*   *S : soutenu ou spécialisé*

1	les effets ....S	3	le boulot	5	se cacher	7	voler ....
	les fringues		le travail		se dissimuler		piquer ....
	les vêtements		l'emploi		se planquer		dérober ....

2	une prise de bec	4	se lasser	6	quel bruit !	8	une piaule ....
	une dispute		s'ennuyer		quel boucan !		un appartement ....
	une querelle		s'enquiquiner		quel vacarme		une habitation ....

2 | LA LANGUE FAMILIÈRE ET RELÂCHÉE

En vous aidant du contexte, trouvez le sens des mots soulignés.

Marcel, un jeune homme de condition modeste, a décidé de quitter la France au début des années 70 pour voyager en Inde et au Népal. Comme beaucoup de jeunes de son âge, il fuyait la société de consommation et la morale bourgeoise. Il pensait pouvoir réaliser à Katmandou son idéal de vie libertaire. Quelques années plus tard, il a perdu ses illusions et confie ses déceptions à la narratrice.

Foutre le camp, me dit-il, faut pas oublier que ça n'est pas la solution. Il faut pouvoir rentrer un jour et que tout soit normal, que tu te sentes peinard, chez toi ; l'exotisme et le folklore, ça ne compte pas vraiment. Ça n'est pas parce que tu te colles un anneau dans le nez à l'indienne que tout est dit.

Ils me font bien rigoler tous ces fils à papa flippés qui ont pourri toute la route. Maintenant on est à la mode. Tous ceux qui voyagent. Mais je pense au retour, et je crois que je suis assez fort pour replonger dans la merde des villes, la fumée, le métro, les petites annonces. J'en ai vu tellement que j'ai envie d'être un bourgeois ; à force de bourlinguer j'ai les pattes usées et le riz me rend malade. Un vrai nostalgique des boulevards je suis. Quand je pense que des tas de cons traînent leurs savates à Montparnasse sans connaître leur bonheur j'ai envie de leur tirer dessus. Mais je vais rentrer bientôt , dans un mois ou deux. Tellement marre de voir ces cinglés foncer dans les ashrams[1] pour faire «aum» tous en chœur, et baiser les doigts de pieds d'un petit con de dix ans[2] qui se fait gaver de boustifaille et encenser à tous les coins de rue en se prétendant guru. Maharaji. Maharaji mon cul. Et les paumés d'Auroville. Moutons. Veaux. Encore plus cons que les mecs qui travaillent à la chaîne en France. Quand j'y pense, je ne suis vraiment à mon aise que là-bas. Avec des choses usagées, du soleil pas trop fort, le bonhomme bien au tiède, bien au frais, il n'a pas mal aux yeux à force de regarder les corbeaux passer comme au télescope tellement le ciel est grand. À Bamiyan, en Afghanistan, j'ai compris que tout ça était trop dur pour nous.

Muriel Cerf, *L'Antivoyage*, Mercure de France, 1974.

(1) Ashram : lieu de prière où les adeptes répètent des mots en chœur.
(2) Lorsque le chef spirituel du Tibet meurt, religieux et astrologues lui choisissent un enfant comme successeur. un enfant de 10 ans peut alors être honoré comme un «guru» (chef spirituel).

3 | LES MODES LANGAGIÈRES ET LE LANGAGE BRANCHÉ

Par euphémismes, litotes (voir unité 4), goût du changement, désir de frapper l'attention, de valoriser, etc., la société modifie le nom des choses. Ces nouvelles formulations peuvent être passagères ou s'inscrire durablement dans la langue.

• **Trouvez dans les colonnes de droite les formulations «branchées» des mots ou expressions des colonnes de gauche.**

Dans les médias

1. un chômeur	a. un gardien d'immeuble
2. un vagabond	b. un agriculteur
3. un paysan	c. un sans-domicile fixe
4. un concierge	d. un demandeur d'emploi
5. un aveugle	e. être délocalisé
6. un infirme (paralysé, etc.)	f. un non-voyant
7. être muté en province	g. un handicapé

Chez les jeunes

1. grand	a. un pote
2. beaucoup	b. on s'est éclaté
3. dans le coup, à la mode	c. une pêche (d'enfer)
4. c'est génial	d. branché
5. on s'est amusé	e. méga
6. j'ai la grande forme	f. un max
7. un copain	g. c'est super, c'est giga

6
Parler

1 | LES TYPES DE DISCOURS

Classez dans le tableau les types de discours suivants.
Indiquez chaque fois un lieu où ces discours pourraient être produits.

Idée d'apport d'information (sans échange)	Idée d'échange sans conflit	Idée d'échange conflictuel
une annonce (dans les médias, au cours d'une réunion, etc.)		

une annonce – une causette – une causerie – une chicane – une conférence – une controverse – un cours – une conversation – une déclaration – un débat – un dialogue – une discussion – une dispute – un discours – un entretien – une entrevue – un exposé – une intervention – une interview – un litige – un message – une plaidoirie – une polémique – des pourparlers – une négociation – une prédication – une querelle – un sermon – un témoignage – un tête-à-tête

2 | LES VERBES DE PAROLES

Gaspard (dit «le Zèbre») et Camille sont mariés depuis 15 ans. Ils sont toujours restés fidèles l'un à l'autre mais Gaspard trouve que leur couple s'étiole et il décide de «reconquérir» sa femme. Peu de temps après, Camille reçoit des lettres de déclaration d'amour d'un inconnu. Deux personnes peuvent en être l'auteur : Gaspard (travestissant son écriture) et Benjamin, un jeune homme qu'elle côtoie sur son lieu de travail. Dans les lignes qui précèdent l'extrait suivant, Gaspard a longuement et lourdement commenté un fait divers lu dans le journal au cours duquel un mari jaloux a tué sa femme qui le trompait. Ces remarques éveillent les craintes de Camille.

– La salope, répéta Gaspard avec une animosité sourde dans laquelle Camille voulut voir une confirmation de ses craintes, et donc de ses désirs.

La fureur du Zèbre était à ses yeux la preuve qu'il avait déniché des lettres où s'étalait l'amour d'un autre. Un sentiment mélangé animait Camille : elle jubilait de savoir que l'Inconnu était bien Benjamin et redoutait la réaction de Gaspard.

Comme il s'obstinait à faire semblant de lire son journal, Camille se retourna et, les poings sur les hanches, se planta devant lui.

– Allez, sors-les !

– Quoi ? répondit Gaspard interloqué.

Frappée de stupeur, Camille comprit alors que le Zèbre ne détenait pas les lettres. Dans son emportement, elle avait failli lui révéler l'existence de sa coupable correspondance.

– Je suis sûre que c'est toi qui as caché les salières, lança-t-elle avec aplomb, pour se rétablir.

– Non, rétorqua-t-il, mais j'ai trouvé ça dans notre chambre.

Sans se départir de son flegme, il sortit de l'une de ses poches le paquet ventru contenant les dix-huit lettres de l'Inconnu. Cet ultime retournement ébranla Camille. Pour ne pas vaciller sur ses bases, elle s'agrippa au buffet de la cuisine.

– Pardonne-moi, murmura le Zèbre.

– De quoi ? lâcha-t-elle, étonnée.

– J'aurais dû réagir depuis des années. Je ne t'en veux pas d'avoir pris quelqu'un. C'est de ma faute...

Alexandre Jardin, *Le Zèbre*, Gallimard, 1988.

a) **Faites le relevé des sentiments éprouvés par les personnages, des causes (probables) de ces sentiments et du comportement provoqué par ces sentiments.**

Exemple : *Gaspard* : animosité, fureur. *Causes* : lecture de l'article (peut-être en relation avec la découverte des lettres). *Comportement* : voix sourde, etc.

b) **Relevez les verbes qui introduisent ou commentent les paroles des personnages.**

c) **À quel sentiment ou état peut-on relier chacun des verbes de la liste ci-contre ?**

Exemple : attitude agressive : accuser, apostropher, etc.

1. une attitude agressive
2. la colère rentrée (froide, refoulée)
3. la colère avec perte de contrôle
4. le désir de séduire
5. l'esprit de conciliation
6. l'aveu et la confidence
7. la communication de l'enthousiasme
8. la timidité
9. l'humilité
10. la honte
11. l'orgueil
12. la méchanceté
13. l'humour
14. l'esprit de répartie
15. la confusion des idées
16. la gâtisme, l'égarement

> accuser – accoucher – apostropher – attaquer – badiner – balbutier – bafouiller – baragouiner – blaguer – bégayer – bredouiller – charmer – chuchoter – couper la parole – confesser – crier – exhorter – grommeler – gueuler – hurler – intercéder – invectiver – jargonner – marmonner – médire – murmurer – pérorer – rabâcher – radoter – répliquer – se répéter – rétorquer – se vanter – vider son sac

d) **Trouvez le synonyme de «dire» qui introduit en général les mots suivants :**

Exemple : annoncer (donner) une bonne nouvelle

– .... une bonne nouvelle
– .... des vœux
– .... un poème
– .... une injustice
– .... un discours
– .... un problème d'actualité
– .... une conférence

– .... la guerre
– .... un secret
– .... un doute
– .... ses fautes
– .... une rumeur
– .... un cours

> annoncer – avouer – confier – déclarer – dénoncer – développer – dévoiler – donner – émettre – exposer – faire – formuler – prononcer – propager – réciter

Écrire

1 | LA LETTRE

Retrouvez dans la lettre les éléments ci-contre.

```
ÉDITIONS PLUS
75, rue Carrier-Belleuse
75015 Paris


                        Paris, le 15 avril 1992
                        Monsieur Jean Porpora
                        Écrivain
                        34, Avenue de la Mer
                        13 000 MARSEILLE


    Monsieur,
    J'ai le plaisir d'acuser réception de vvotre
manuscrit «La Terre tremble». Nous feront diligence
pour qu'il soit présenté dans les prochains jours au
comité de lecture.
    En souhaitant que votre ouvrage soit retenu, je
vous prie d'agréer, Monsieur, l'expression de mes
sentiments les meilleurs.


                        Directeur
                        Jacques Legras
```

le destinataire

l'expéditeur

l'en-tête

la formule d'appelation

la formule d'introduction

la formule de politesse

la signature

le corps de la lettre

le tampon

une faute d'orthographe d'usage

une faute de grammaire

une faute de frappe

la marge

un interligne

un retrait

un espacement

une lettre majuscule

une lettre minuscule

un caractère en romain
                        en italique

les signes de ponctuation : un point, une virgule

2 | L'ÉDITION

Remettez dans l'ordre les différentes étapes de la production d'un livre.

1. L'auteur dactylographie son manuscrit.

2. Le livre sort avec un tirage de 5 000 exemplaires.

3. Un éditeur accepte de publier l'ouvrage.

4. L'auteur recherche la documentation utile.

5. L'auteur conçoit le sujet de son livre. Il griffonne des notes sur un carnet et fait le plan de l'ouvrage.

6. L'éditeur décide une réimpression.

7. Le livre obtient un prix littéraire.

8. L'auteur rédige un premier jet de son texte.

9. Les libraires organisent des séances de signature où l'auteur rédige des dédicaces.

10. L'auteur met au point son brouillon, rature, supprime, ajoute, améliore son style.

11. Un correcteur corrige les épreuves imprimées.

3 | LES SUPPORTS ET LES INSTRUMENTS D'ÉCRITURE

Reconstituez l'histoire de l'écriture en faisant correspondre les objets et les époques.

Époques	Supports d'écriture	Instruments d'écriture	Produits
	un écran	l'imprimerie	une disquette
Antiquité		une machine à écrire	
	un papyrus	une plume d'oie	un journal
Moyen Âge		une plume en acier	
	un parchemin	un pinceau	un livre calligraphié
Renaissance		un crayon	
XVIIᵉ et XVIIIᵉ siècles	du papier	un stylo (crayon) à bille	un livre imprimé
		un stylo feutre	
	une tablette d'argile	un stylo à encre	un rouleau
XIXᵉ siècle		un stylet	
Début du XXᵉ siècle		un roseau	une affiche
		un traitement de texte	
			une tablette
Fin du XXᵉ siècle			

4 | LES STYLES DE L'ÉCRIT

a) **Relevez dans la liste ci-contre tous les mots qui peuvent caractériser un mauvais style.**

b) **Certains de ces défauts peuvent-ils dans certains cas devenir des qualités ?**

Exemple : l'emphase peut être efficace dans un discours d'exhortation militaire ou politique.

c) **Quelles qualités de style doivent avoir :**

1. une lettre administrative ?

2. une lettre envoyée à un ami pendant les vacances ?

3. un poème ?

4. un article de presse ?

5. un rapport scientifique ?

6. un tract ou une affiche ?

La clarté – la concision – les longueurs – la platitude – la lourdeur – l'originalité – la précision – le flou – la prolixité – la variété – le verbiage – l'emphase – le maniérisme – l'humour
la présence/l'absence, la qualité : d'images – d'exemples – de remarques frappantes – de rimes – de vers – de rythme – de formules académiques – d'illustrations – de mots appartenant au jargon – de clichés

8
L'information

1 | LES MOYENS D'INFORMATION

a) Recherchez les moyens d'information que vous utiliseriez dans les situations suivantes :

Recherche d'informations

1. Vous préparez une thèse sur le Moyen Âge.

2. Vous cherchez un numéro de téléphone.

3. Vous devez faire un article sur un artiste connu.

4. Chef d'entreprise, vous cherchez à recueillir les suggestions de votre personnel.

5. Vous voulez vous procurer la liste de toutes les entreprises qui travaillent dans votre secteur.

6. Vous voulez vous procurer les plans d'une invention technologique.

7. Vous cherchez à en savoir plus sur vos voisins.

8. Vous voulez vous tenir au courant de l'actualité.

9. Vous voulez rester dans le coup auprès des jeunes.

Transmission d'informations

10. Vous voulez donner des directives à votre personnel.

11. Vous voulez vous souvenir de tous les achats que vous devez faire.

12. Vous voulez calomnier votre pire ennemi.

13. Vous voulez informer le public du scandale des suppressions d'emploi dans l'entreprise où vous travaillez.

b) Caractérisez chacun de ces moyens.

une affiche
un annuaire
les archives
une banque de données
un bruit
une boîte à idées
une bibliothèque
un bulletin (un flash) d'informations
un clip
une conférence
un dictionnaire
une encyclopédie
un espion
un indicateur
un informateur
une interview
un journal
une lettre anonyme
un magazine
un minitel
les on-dit
une note de service
un pense-bête
un stage
un séminaire
une thèse
un tract, etc.

fiable/non fiable – objectif/subjectif – impartial/partial – précis/vague – accessible/difficilement accessible – riche/pauvre – etc.

2 | INFORMER

Complétez avec un synonyme d'«informer».

1. Le directeur .... à Jacques qu'il ne pouvait plus le garder dans son entreprise. Il lui .... demain son licenciement par lettre recommandée.

2. Un touriste m'a demandé où était le musée Rodin. Je le ....

3. Marie-Paule nous a enfin écrit. Elle nous .... qu'elle s'était mariée il y a six mois.

4. Philippe ne comprenait pas pourquoi il avait échoué au bac. Il a téléphoné au rectorat qui lui .... ses notes. C'est un 2 en histoire qui l'a perdu. Je l'avais pourtant .... qu'il devait bûcher son histoire.

5. Nous avions pourtant décidé de partir en vacances ensemble. Mais, il est parti en Grèce sans me .... Je lui .... de ma déception.

apprendre
avertir
notifier
communiquer
faire part de
faire savoir
prévenir
renseigner

3 | LA PRESSE

a) Observez le sommaire du magazine *Le Point* du 23 mai 1992.

LE POINT NUMÉRO 1027 – 23 MAI 1992

SOMMAIRE

8 l'éditorial de Claude Imbert

LASER

11	La lettre	32	Economie
17	Nation	39	Société
21	La cote	41	Savoir
23	Jacques Faizant	43	Futurs
26	Monde		

NATION

46 Tapie-Tranchant : les dessous de l'affaire
50 Opposition : les jeunes vieux entre désir et impuissance
52 Baromètre Ipsos-LePoint : droite – Maastricht ou la Berizina
54 Bac de français : la révolte d'un professeur
55 Révélations : déportés – la SNCF avait ses factures
56 Où vit-on le mieux en France ? (2e partie)

MONDE

80 Etats-Unis : l'incroyable Monsieur Perot
84 Stratégie : le chaos européen
88 Le commentaire de Jean-François Revel
89 Europe : le « coucou » suisse
90 Thaïlande : épreuve de force

ÉCONOMIE

92 Renault : changement de pilote
94 Transport : TGV texan – course de fonds

VILLE – ENVIRONNEMENT

96 Centrales nucléaires : les vrais risques de l'Est

EN COUVERTURE

102 Faut-il briser le secret médical ?

SOCIÉTÉ

110 Tennis : court des grands
111 Paris-Dreux

DOCUMENT

112 Art : Laurent le Magnifique

CULTURE

120 Cinéma : la nouvelle garde
122 Essai : BHL et ses peintres
123 Art : à un détail près
125 Portrait : Topor dans tous ses états

126	Livres	138	Télévision
129	Arts	140	Jeux
130	Cinéma	141	Cercle Le Point
132	Spectacles	142	Courrier
134	Tables	144	Points de mire
136	Vogues		

b) Relevez le nom des rubriques. Quel type d'informations donne ce magazine ? À quel public s'adresse-t-il ?

c) Quelles sont les différentes rubriques que vous choisiriez si vous deviez concevoir un magazine pour :

1. les jeunes (15 à 18 ans) ?

2. l'actualité artistique et culturelle de votre région ?

3. votre passe-temps favori ?

4. votre école (ou votre entreprise) ?

d) Composez des titres d'articles pour l'un des magazines que vous avez conçus.
Variez la construction de ces titres.

9
La publicité

1 | LA CAMPAGNE PUBLICITAIRE

Aujourd'hui la publicité vend non seulement des objets mais aussi des hommes, des idées, des images qui sont considérés comme des produits. En vous aidant des phrases suivantes, construisez un déroulement de campagne publicitaire :

a) pour lancer sur le marché une nouvelle friandise,

b) pour modifier l'image de marque d'un homme politique dont la cote de popularité a baissé.

1. Distribuer des autocollants, des affichettes, des pin's.

2. Organiser des meetings.

3. Trouver un nom au produit.

4. Concevoir une affiche.

5. Modifier l'aspect physique (vêtements, etc.) et le comportement (ton de la voix, etc.).

6. Recueillir critiques et suggestions.

7. Identifier les attentes, les besoins, les motivations du public (consommateurs).

8. Choisir des arguments frappants, des mots-chocs, des «petites phrases».

9. Participer à une foire exposition.

10. Inventer un slogan publicitaire.

11. Étudier la présentation du produit.

12. Concevoir le nouveau produit.

13. Faire un sondage d'opinion

14. Réaliser un film publicitaire.

15. Mettre des encarts dans la presse.

16. Réaliser un programme de mesures.

17. Écrire des articles dans la presse et organiser des interviews.

18. Attaquer directement les concurrents.

2 | L'INFLUENCE

Complétez avec l'expression qui convient.

Dans les années 30, Monsieur X occupait au gouvernement un poste de conseiller aux Affaires Étrangères. Il était très écouté par la plupart des ministres. C'était un homme d'.......................... . Quand il parlait, il possédait l'art de .... son auditoire. Il savait habilement .... des modifications aux projets de lois et son point de vue .... très lourd sur les décisions finales. Sa vision du monde a considérablement .... sur la politique française de l'époque et a .... la plupart des dirigeants. Les mauvaises langues disaient que son .... était tel qu'il pouvait .... au gouvernement.

avoir de l'ascendant, de l'emprise sur...
avoir le bras long
le charisme
charmer
endoctriner
l'influence
influencer
influer (sur)
se faire mener par le bout du nez
faire la pluie et le beau temps
peser (sur)
suggérer

Son attitude pendant la guerre n'a pas été très propre. Il a même été emprisonné quelques jours à la Libération. Mais comme il ...., il a été rapidement relâché.

Revers de la médaille, à la maison, c'est sa femme qui prenait les décisions. Il se faisait même .... C'est elle qui s'occupait de l'éducation des enfants et elle avait énormément d'......................... sur eux. Elle les avait placés dans une organisation de jeunesse dont un des buts était d'......................... les enfants.

3 | LES RESSORTS DE LA PUBLICITÉ

a) **Faites la liste des interdits moraux qui sont utilisés comme ressorts publicitaires dans le texte ci-contre. Complétez la liste ébauchée dans l'article en étudiant les publicités présentées dans votre pays.**

b) **La publicité ne s'appuie pas seulement sur des interdits moraux. Recherchez et classez tous les ressorts publicitaires exploités dans votre pays.**

qualités ⎫ physiques		l'alimentation
défauts ⎬ moraux		les transports
goûts	dans	les vêtements
idées		les parfums et les bijoux
fantasmes et rêves		les loisirs
etc.		etc.

Exemple : Pour l'alimentation → fraîcheur – goût du naturel – facilité de préparation (paresse) – peu calorique (minceur–santé), etc.

happy few : cercle restreint de privilégiés (qui auront la chance d'utiliser le produit).

Lutti : marque de bonbons.

Don Patillo : allusion à une publicité pour une marque de pâtes qui met en scène un prêtre.

4 | L'ÉVOCATION

Certains logos de marques ou d'entreprises sont particulièrement suggestifs. Analysez les logos suivants et faites la liste des mots que chacun d'eux évoque pour vous.

Exemple : le logo de MacDonald rappelle la première lettre de la marque. Il évoque aussi la maison et traduit le bien-être du foyer. La lettre M peut aussi faire penser au verbe manger, etc.

Kodak : appareils-
photos – films

La poste et les télé-
communications

Voyagiste

Fini le temps des réclames qui vendaient, jadis, rêves et bons sentiments. En pub, aujourd'hui, on fait dans «la transgression de l'interdit», comme diraient les psy. Orgueil, avarice, gourmandise, envie, colère, luxure, paresse : les «créatifs» transforment à longueur de slogans la liste des sept péchés capitaux en panégyrique des vertus des happy few.

L'orgueil est flatté à longueur de spots. Dans les pubs pour automobiles, par exemple, qui exacerbent la plupart du temps le sens de l'élitisme et du privilège.

Curiosité typiquement française, l'immoralité s'attaque particulièrement au rayon alimentaire. Les créatifs rivalisent là d'ingéniosité pour faire de l'avarice un précepte. La règle est de ne jamais partager ses bonbons : *«Un Lutti de donné, c'est un Lutti de perdu»*, enseignait récemment un petit garçon sur les affiches du métro parisien. La gourmandise va jusqu'à damner l'âme des curés (don Patillo). Et mieux vaut tuer son prochain que partager son camembert. En témoignent les nombreuses émules de la pub Caprice des dieux : un récent spot TV montrait un couple éjectant d'un téléphérique tous les empêcheurs de festoyer en rond. Son slogan : *«Un fromage si doux, si tendre qu'on ne veut le partager qu'à deux.»*
Le Point, 23/07/90, n° 931.

10 Les images

1 LES IMAGES

a) Trouvez dans la colonne de droite un exemple possible d'utilisation des types d'images de la colonne de gauche.

b) Imaginez deux autres exemples pour chaque type d'image (au sens propre ou au sens figuré).

Exemple : un paysage… de montagne, de Constable, le paysage politique.

1. un plan ....   a. de robe dans un journal de mode
2. une esquisse ....   b. de projet
3. un mirage ....   c. du système digestif
4. une caricature ....   d. de la courbe des prix
5. un croquis ....   e. dans le désert
6. un graphique ....   f. d'homme politique
7. un tableau ....   g. de maison
8. une radiographie ....   h. de livre de contes
9. un schéma ....   i. de maître
10. une illustration ....   j. des poumons

2 LES FORMES

a) Trouvez dans ce tableau les formes géométriques suivantes :

un carré – un rectangle – un cube – un cercle –
une sphère – un triangle – une colonne (tronquée) –
un cône – une spirale – un serpentin – une étoile –
une roue – un cylindre

b) Faites la liste des éléments concrets identifiables.

une main (ou un gant), etc.

c) Mettez en relation le contenu du tableau et son titre.

«Le serpentin évoque la fête, etc.»

Joan Miró, *Le Carnaval d'Arlequin*, 1924-1925,
Albright Knox Gallery, Buffalo.

3 LES COULEURS (emplois figurés)

a) Reformulez les expressions en italique dans une langue non figurée.
Aidez-vous des mots placés après l'accolade.

1. *Travailler au noir* — écrire
2. *Voir les choses en noir* — non officiel
3. Rémi est *la bête noire* de Paul — pessimiste
4. *Le marché noir* — ennemi
5. Il fait *nuit noire* — clandestin
6. Mettre ses idées *noir sur blanc* — sans étoiles

15. *Une cartouche à blanc* — un espace
16. Il m'a insulté *de but en blanc* — innocent
17. Laissez *un blanc* entre les mots — liberté
18. Il a une voix *blanche* — non chargée
19. Il m'a donné *carte blanche* — directement
20. Dans cette affaire, *il est blanc comme neige* — sans timbre

7. Les sportifs se sont *mis au vert* — ordre de commencer
8. Donner *le feu vert* — gaillard, en forme
9. Un vieillard toujours *vert* — pas mûr
10. Un fruit *vert* — à la campagne

21. Faites travailler votre *matière grise* — maussade
22. Il est un peu *gris* — saoul
23. *Il fait grise mine* — sans en avoir
24. *Il rit jaune* — envie / intelligence

11. C'est *un cordon bleu* — saignant
12. Un bifteck *bleu* — bon cuisinier
13. *Il n'y a vu que du bleu* — ecchymose
14. En tombant, il s'est fait *un bleu* — ne s'apercevoir de rien

25. *Il a vu rouge* — communiste
26. Boire *un coup de rouge* — en colère
27. *Il vote rouge* — vin

b) Faites la liste des idées qui sont associées à chaque couleur.

Exemple : Travailler au noir → travailler dans la clandestinité (idée de «caché», d'«invisible»).

4 LA REPRÉSENTATION (emplois figurés)

Donnez le sens des mots soulignés.

a) Dans le texte (cherchez un équivalent dans la colonne).

b) Dans le contexte de la peinture ou de la photographie.

Le Premier ministre a présenté hier les <u>objectifs</u> du nouveau gouvernement. Après avoir fait, dans une introduction <u>teintée</u> d'humour, une <u>peinture</u> plutôt sombre de la situation dont il héritait, il a affirmé que de grandes <u>perspectives</u> d'avenir s'ouvraient devant nous. Il a notamment <u>esquissé</u> différents projets dans le domaine éducatif. Pour ce qui est du chômage, il a fait remarquer qu'entre «aider» et «assister» il y avait une <u>nuance</u> mais il est resté assez <u>flou</u> sur les mesures à prendre. Il a conclu en souhaitant une transformation du <u>paysage</u> politique français.

aborder
un but
une description
une différence
imprécis
le monde
un projet
quelque peu + adjectif

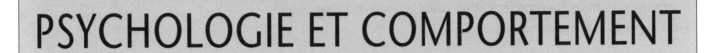

PSYCHOLOGIE ET COMPORTEMENT

11
La personnalité

1 LES TRAITS DE PERSONNALITÉ

Regroupez les traits de caractère et les comportements suivants selon les six grandes tendances du schéma.

le sens pratique	l'esprit d'aventure	l'esprit concret	le goût du risque
le goût de la poésie	la lucidité	l'intuition	le bon sens
l'attachement aux traditions	le goût des utopies	le manque de souplesse	la curiosité
le besoin d'évasion	le souci du détail	l'idéalisme	le sens de l'efficacité
le regret du passé	la rigueur morale	l'esprit d'entreprise	la fermeture d'esprit
la disponibilité	l'ouverture d'esprit	le réalisme	la vision à long terme
l'esprit mystique	le sens de l'adaptation	l'esprit de synthèse	le sens de l'observation
le besoin de racines	le goût de l'abstraction	la ténacité	la recherche du paradis perdu

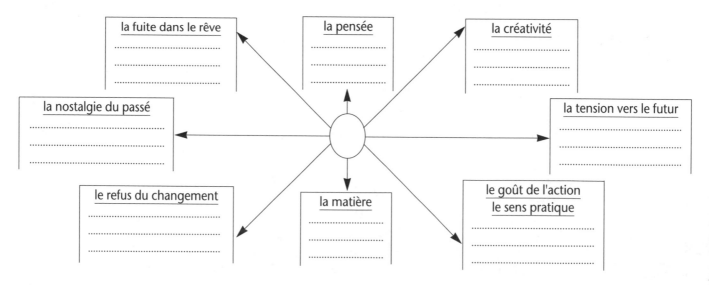

la fuite dans le rêve

la pensée

la créativité

la nostalgie du passé

la tension vers le futur

le refus du changement

la matière

le goût de l'action
le sens pratique

2 LES TRAITS DE CARACTÈRE

Vue sous un angle négatif une qualité peut devenir un défaut. Quel adjectif emploieriez-vous pour caractériser négativement les comportements suivants ?

– Michel est très <u>scrupuleux</u> dans son travail.

– Elle va facilement à la rencontre des gens. Elle est très <u>sociable</u>.

envahissant

exalté

indélicat

indolent

maniaque

simpliste

– Je l'ai trouvé très <u>enthousiaste</u> pour ce projet.

– C'est un jeune homme très <u>calme</u>.

– Elle a été très <u>franche</u>. Elle nous a dit que la décoration de notre appartement ne lui plaisait pas.

– Le conférencier a donné une explication très <u>simple</u> du problème.

• **Décrivez le comportement de Thierry avec sa voiture,**

• **celui de Philippe dans une réception,**

• **celui de Michel au travail,**

• **celui d'Arnaud avec les filles.**

3 UN TEST DE PERSONNALITÉ : LE TEST DE L'ARBRE

Pour connaître la personnalité de quelqu'un : donnez-lui une feuille de papier, un crayon, une gomme. Donnez-lui comme seule consigne : «Dessine un arbre ! Ce que tu veux sauf un sapin.» Ne répondez à aucune question. Analysez le dessin à l'aide des indications suivantes : Vous pouvez aussi tirer parti des éléments suivants :

• Symbolique des parties de l'arbre : le tronc (expression de la stabilité du moi), le branchage (capacité et potentiel intellectuel), les racines (soumission aux pulsions profondes).

• Forme du tracé : symétrie, régularité du trait, ratures, utilisation fréquente de la gomme, trait léger ou appuyé, etc.

Il suffit de partager en quatre la feuille sur laquelle est dessiné l'arbre pour constater que le dessin s'inscrit plus ou moins dans chacune de ces quatre parties.

Brièvement, on peut dire que les deux zones du haut symbolisent la part intellectuelle et spirituelle de l'individu, son potentiel d'épanouissement et de communication avec le monde environnant et la société.

Les deux zones du bas exprimeraient quant à elles le matérialisme, les pulsions érotico-sexuelles du sujet testé, son attachement aux instincts primaires, originels.

Au centre serait le moi, l'expression d'une vie consciente d'elle-même où les sentiments et l'intellectualité sont en harmonie.

La zone du bas à gauche symbolise la régression, la fixation du sujet à un stade primitif.

La zone du bas à droite les conflits, les instincts, les pulsions, l'entêtement, l'obstination du sujet.

La zone du haut à droite représente l'affrontement actif avec la vie, la capacité du sujet à entreprendre, à «mordre» dans le réel.

La zone du haut à gauche représente la capacité à se suffire à soi-même, le sujet est alors un contemplatif, plus un spectateur qu'un acteur.

Le rapport entre le haut et le bas de l'arbre témoigne de l'échange entre le conscient et l'inconscient, d'un équilibre ou d'une disproportion.

J.-M. Varennes, *La Vraie Vie des tests*,
M.A. Éditions

12 *L'apparence*

1 LES CARICATURES

a) Commentez la caricature de cet homme politique en utilisant les éléments ci-contre :

Michel Rocard (ancien Premier ministre)
Caricature de Cabu

l'aspect – l'apparence
la figure – le visage
les traits – l'air
la physionomie
l'allure

la transformation : Le caricaturiste lui donne…
Il en fait…
Il caricature… Il exagère…
Il accentue/atténue, déforme, souligne,
épaissit, agrandit/réduit, etc.

b) Si vous deviez caricaturer le personnage ci-dessus, quels détails exagèreriez-vous ? Que transformeriez-vous ? Comment le présenteriez-vous (vêtements, accessoires, position, etc.) ?

c) Jouez à deviner le nom d'un personnage d'après sa caricature orale. Utilisez le vocabulaire de la ressemblance.

Il a un nez comme…
Il ressemble à…
Il a l'air de…
Il paraît…
Il semble…

Il donne l'impression…
Il rappelle…
Il évoque…
On dirait…
Il fait penser à…
Il suggère…

2 | L'APPARENT ET LE CACHÉ

a) Lisez ce document. Relevez les mots associés aux idées suivantes :

1. <u>dissimuler</u>   2. <u>tromper</u>   3. <u>faire connaître</u>

APPRENEZ À CONNAITRE
LES AUTRES
APPRENEZ À VOUS CONNAITRE
PAR LA GRAPHOLOGIE

Dans notre société les hommes avancent masqués. Un visage peut tromper. Une voix peut mentir. Un habile mystificateur peut feindre la sympathie ou l'amour mais son âme peut receler les desseins les plus noirs.

L'écriture nous révèle les secrets de la personnalité, les sentiments les plus cachés, tout ce que chacun cherche consciemment ou inconsciemment à déguiser. La graphologie découvrira aussi vos qualités véritables. Elle dévoilera vos potentialités étouffées. Elle fera apparaître les aspects méconnus de votre personnalité.

Commandez dès aujourd'hui *Les Secrets de l'écriture.*

b) Utilisez ce vocabulaire dans un court texte publicitaire pour :

- un astrologue,

- la promotion d'un voyage de découverte d'un pays peu connu.

3 | LES POSES

Dans son livre autobiographique *Les Mots,* Jean-Paul Sartre fait le portrait de son grand-père.

> À la vérité, il forçait un peu sur le sublime : c'était un homme du XIXᵉ siècle qui se prenait, comme tant d'autres, comme Victor Hugo lui-même, pour Victor Hugo. Je tiens ce bel homme à barbe de fleuve, toujours entre deux coups de théâtre, comme l'alcoolique entre deux vins, pour la victime de deux techniques récemment découvertes : l'art du photographe et l'art d'être grand-père. Il avait la chance et le malheur d'être photogénique ; ses photos remplissaient la maison : comme on ne pratiquait pas l'instantané, il y avait gagné le goût des poses et des tableaux vivants ; tout lui était prétexte à suspendre ses gestes, à se figer dans une belle attitude, à se pétrifier ; il raffolait de ces courts instants d'éternité où il devenait sa propre statue. Je n'ai gardé de lui – en raison de son goût pour les tableaux vivants – que des images raides de lanterne magique.
>
> J.-P. Sartre, *Les Mots,*
> Gallimard, 1964

a) Relevez tout le vocabulaire appartenant au thème de la photographie.

b) De quels traits de personnalité Sartre veut-il se moquer ?

13 Les relations

1 LES TYPES DE RELATIONS

Voici des formes de relations entre deux personnes. Recherchez :

dans la liste A, l'origine de chaque type de relation,

dans la liste B, les sentiments que doivent partager les deux personnes

pour que cette relation soit bonne.

Relation	A. Origine de la relation
deux amis	1. une affinité
deux alliés	2. un passé commun
deux complices	3. un événement partagé
le disciple/son maître	4. la défense d'un intérêt commun
deux associés	5. un contrat d'entreprise commun
deux conjoints	6. la découverte d'une pensée, d'une philosophie
l'amant/sa maîtresse	7. l'émotion ressentie lors d'un spectacle
le subordonné/son supérieur	8. un milieu social, professionnel, culturel identique
le fan/la vedette	9. un mariage
deux copains (deux potes)	10. une passion amoureuse
deux partenaires	11. la hiérarchie professionnelle
deux collègues	

B. Sentiments

a) l'amitié – b) l'attachement – c) l'admiration (inconditionnelle) – d) l'amour – e) la confiance – f) la complicité – g) la connivence – h) la déférence – i) la fidélité – j) la fascination – k) le respect – l) la sympathie – m) la solidarité – n) la tendresse

Exemple : deux amis : A → passé commun, affinités B → amitié, attachement, sympathie, etc.

2 LES DISPUTES ET LES RÉCONCILIATIONS

Quelque chose les oppose. Ils vont se disputer. Leur dispute va dégénérer. Peut-être qu'elle finira mal. Peut-être qu'ils se réconcilieront. Imaginez ce qui va se passer en utilisant le vocabulaire du tableau.

a. Jean-Pierre et Marie Legal veulent acheter une voiture. Jean-Pierre veut une Peugeot. Marie tient à ce que ce soit une Fiat…

b. Jacques Badaroux possède un hectare de terrain derrière sa maison. Un jour, en rentrant de vacances, il s'aperçoit que le fermier qui est son voisin a installé une clôture en lui prenant une partie de son terrain.

c. André est garagiste. Au cours d'un repas de famille, sa belle-sœur déclare : «Tous les garagistes sont des voleurs.»

d. Vous pouvez imaginer une autre situation de dispute.

Les causes	Le conflit	Les actes	La réconciliation
s'opposer (à quelqu'un, sur quelque chose) – être en désaccord – ne pas s'entendre – en vouloir à	une discussion – une dispute (se disputer) – une querelle – une altercation – un litige – une scène de ménage – une prise de bec (fam) – une brouille (se brouiller) – bouder – être en froid	tenir à distance – éviter – ignorer – insulter (une insulte) – injurier (un juron) – engueuler (une engueulade) (fam) – gifler – se battre (une bagarre) – frapper – donner un coup	se rapprocher – se réconcilier – faire la paix – faire le premier pas – se mettre d'accord – s'entendre

3 | LES GÊNEURS

Voici quelques types de personnes qu'il n'est pas toujours agréable d'avoir dans son entourage :

• **Le ronchon.** C'est un perpétuel insatisfait, un esprit chagrin qui est en permanence de mauvaise humeur, critique tout, et vous casse le moral.

• **Le faux-jeton.** Hypocrite, sournois, fourbe, on ne sait jamais ce qu'il pense ni les traîtrises qu'il prépare. Il fait ses coups en douce et on ne peut jamais compter sur lui.

• **Le provocateur.** Prompt à la querelle et aux remarques désobligeantes, il entretient autour de lui une atmosphère d'agressivité. Toujours prêt à rentrer dans le chou du plus faible.

• **Le prétentieux.** Arrogant, orgueilleux et poseur, il sait tout et a tout fait mieux que les autres. Comme il a besoin d'un public, il se cramponne à celui qui veut l'écouter, le saoule de ses discours et l'écrase de sa vanité.

• **Le médisant.** Naturellement bavard, méchant et imaginatif, son plaisir est de colporter des ragots. Il faut se méfier de ce calomniateur qui peut vous démolir facilement une solide amitié.

• **L'emmerdeur.** C'est un importun et un fâcheux qui a toujours quelque chose à vous demander, qui débarque chez vous à l'improviste, vous accable de conseils et vous rase avec le récit de sa vie quotidienne minable. De plus, il est collant et vous n'arrivez pas à lui faire comprendre qu'il vous embête. Bref, c'est un casse-pieds.

a) Classez toutes les formes qualificatives selon qu'elles appartiennent aux registres courant, familier ou populaire, soutenu.

b) Imaginez le comportement (attitudes, gestes, paroles) de chacun de ces gêneurs :

– dans un club de vacances,

– dans une soirée,

– lorsque vous les rencontrez dans la rue et que vous leur dites : «Bonjour… Comment ça va ? Beau temps aujourd'hui !»

14
Les sentiments

1 │ LE BONHEUR ET LE MALHEUR

a) Trouvez les adjectifs ou les expressions qualificatives qui correspondent aux états psychologiques énumérés dans la liste tramée ci-dessous.

b) Trouvez dans cette liste les sentiments que l'on peut éprouver dans les circonstances suivantes :

1. Il a obtenu une augmentation de salaire.

2. Son chat est mort.

3. Elle vient d'assister à un magnifique ballet.

4. Provincial timide, il vient de s'installer dans un studio à Paris pour continuer ses études.

5. Il lui avait déclaré son amour. Elle vient de lui dire qu'elle l'aime.

6. Il est au chômage depuis trois ans.

7. Son mari vient de décéder à l'âge de 35 ans.

8. Elle qui ne boit jamais d'alcool vient de vider trois coupes de champagne avec des amis.

9. Son fils vient d'échouer au bac pour la troisième fois.

10. Il vient de réaliser son rêve : monter au sommet du mont Blanc. Il contemple le paysage.

11. Vous avez passé une excellente soirée chez vos amis Durand et vous avez bien ri.

> l'affliction – la béatitude – le bien-être – le bonheur – le cafard – le chagrin – le contentement – la dépression – le désespoir – la détresse – la douleur – l'enchantement – être au septième ciel – l'euphorie – l'extase – la gaieté – la joie – la jouissance – l'insatisfaction – le malheur – le mécontentement – la peine – le plaisir – le ravissement – la satisfaction – la tristesse

c) Classez tous les mots de la liste dans un tableau en distinguant les sentiments agréables et les sentiments désagréables. Commencez par les sentiments les plus faibles (superficiels) et continuez jusqu'aux plus forts (profonds).

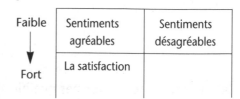

Faible ↓ Fort	Sentiments agréables	Sentiments désagréables
	La satisfaction	

2 │ L'AMOUR – LA JALOUSIE – LA HAINE

La stratégie de la séduction au XVIIIᵉ siècle

Pour les libertins du XVIIIᵉ siècle, séduire (et se laisser séduire) était un art. Philip Stewart en retrace les principales étapes.

a) **Nommez les étapes successives du jeu de la séduction.**

b) **Énumérez les règles de ce jeu.**

c) **Relevez le vocabulaire appartenant aux thèmes :**
   - **de l'amour,**
   - **de la stratégie.**

Il faut dire qu'on aime, soit ; mais ce n'est pas tout encore : la décence veut qu'on diffère au moins un peu, aussi y a-t-il forcément des péripéties, c'est-à-dire d'autres formalités à remplir. La déclaration commence d'ailleurs ordinairement par l'indirect : on parle d'un ancien amant de la femme actuellement visée, et de là à dire : «Il vous a mal aimé, à sa place j'aurais été fidèle.» Même en passant au mode direct, il y a une astuce importante qui consiste à réinventer le passé afin d'enlever à la déclaration présente ce qu'elle a de trop instantané, parce que, selon les formes, la femme ne doit pas se rendre à un caprice mais à une passion. Alors, on dit peu à peu : «Je vous aime depuis longtemps, vous savez, et jamais je n'osais vous le dire car vous paraissiez occupée ; il est vrai sans doute que je suis passé dans d'autres bras, mais ce ne fut que par distraction passagère ; je n'ai jamais aimé que vous.» La dame répond en même monnaie : «Je vous ai toujours estimé ; j'aurais peut-être été sensible ; que ne vous présentiez-vous ?» Elle en vient insensiblement à l'aveu qu'elle l'aime ; encore n'est-ce pas l'étape finale car elle ajoute : «Je n'aurais pas dû vous le dire, mais je saurai ne pas porter plus loin ma faiblesse.» Nouveau jeu, cette fois sur la nécessité de «preuves». Il n'est que trop évident que tout cela est un échafaudage de prétextes. On fait l'amour par passion parce qu'on ne peut résister, tout le monde le sait, à ce qu'on aime passionnément. On s'aime depuis longtemps ; si on semblait jadis ne s'intéresser nullement à l'autre, c'est parce qu'en fait on se fuyait ; et ainsi de suite. La recréation artificieuse du passé en fonction d'un dessein présent dote le goût présent d'un passé convenable et justifie la satisfaction abrupte du désir : pas besoin de languir parce qu'on l'a déjà fait, on a assez patienté et il est grand temps d'en venir aux «preuves». Ne fût-ce que l'affaire d'une nuit, elle aura ainsi un cadre décent : le tableau ne sera pas graveleux, ce sera au contraire une œuvre d'art.

Philip Stewart, *Le Jeu de l'amour*, dans *Le Jeu au XVIIIᵉ siècle*,
© C.Y. Chaudoreille, Édisud, Aix-en-Provence, 1976

d) **En utilisant le vocabulaire des encadrés, imaginez les étapes de quatre histoires d'amour mettant en scène les personnages suivants :**

– **pour un roman photo :** Stéphanie, 18 ans, étudiante ; Olivier, 19 ans, étudiant

– **pour un film dramatique :** Hélène, 25 ans, violoniste, célibataire ; Gérard, 45 ans, grand patron d'un service hospitalier, marié.

– **pour un film comique :** Jeanne, 40 ans, bibliothécaire, célibataire ; Henri, 40 ans, célibataire endurci, garagiste.

– **pour un film «à l'eau de rose» :** Mariane, 16 ans, orpheline, servante. Prince Ladislas Gédéon des Ecrins, 30 ans, célibataire, héritier du royaume de Silurie.

• **Le couple :** s'entendre avec... – être uni... – se séparer (une séparation) – rompre (une rupture) – divorcer (un divorce) – laisser tomber quelqu'un (fam) – plaquer (fam).

• **L'indifférence et la haine :** l'indifférence – le détachement – l'insensibilité – éprouver de l'animosité, de la répulsion, de la haine envers... – mépriser, détester, exécrer, haïr – la vengeance, se venger.

• **L'amour :** aimer bien – avoir un penchant pour... – tomber amoureux de... – s'éprendre de... – aimer – adorer – être épris de... – être attaché à... – éprouver une passion – un flirt – une amourette – un attachement – un grand amour – une passion – un amour platonique, charnel – un coup de foudre.

• **La séduction :** séduire – un(e) séducteur(trice) – fasciner – subjuguer – faire tourner la tête – taper dans l'œil (fam) – faire la cour – déclarer son amour – sortir avec quelqu'un (implique au moins un baiser) – embrasser – faire l'amour.

• **La jalousie :** être jaloux – méfiant – se méfier de – soupçonner – être fidèle/infidèle – avoir un amant/une maîtresse – une relation adultère – tromper quelqu'un.

15
Les réactions

1 LES INTERJECTIONS

L'interjection est un petit mot qui traduit un sentiment ou une réaction.
Reliez l'interjection, la phrase dont elle fait partie et la réaction qu'elle
exprime.

– Bah !...   1. ... Ces films d'épouvante, c'est toujours la même
                         chose.
– Ouf !...   2. ... J'ai pas envie de manger ces escargots.
– Chic !...   3. ... Ils ont gagné.
– Bof !...   4. ... Ce n'est pas grave.
– Ça alors !...   5. ... Marie nous invite au restaurant.
– Zut!   6. Nous aurions pu sortir... Il pleut.
– Chiche !   7. ... Nous sommes enfin arrivés au sommet.
– Beurk !   8. ... On la jette à l'eau tout habillée.
– Hélas !   9. ... Je ne pensais pas qu'il réussirait.
– Hourra !   10. ... Le rôti a brûlé.

> le contentement
> le dépit, la contrariété
> la surprise, l'étonnement
> le soulagement
> le regret
> l'indifférence
> l'enthousiasme
> l'insouciance
> le dégoût
> le défi

2 LES SENTIMENTS

Voici plusieurs manières d'exprimer huit sentiments. Indiquez pour
chaque expression si elle appartient au registre courant (C),
familier (F), soutenu (S).

l'ennui
c'est ennuyeux (C)
c'est lassant
c'est barbant

la surprise
c'est épatant
c'est surprenant
c'est déconcertant

la déception
je suis déçu
je suis désenchanté
je suis blasé

l'admiration
c'est admirable
c'est merveilleux
c'est époustouflant

le désespoir
il est désespéré
il est accablé
il est catastrophé

le souci
elle est préoccupée
elle est soucieuse
elle est embêtée

la colère
il est exaspéré
il est en rogne
il est en colère

l'indifférence
ça m'est égal
ça m'indiffère
je m'en fiche

3 | LES RÉACTIONS

Quels sentiments éprouvez-vous dans les situation suivantes ?

1. On vous a volé votre voiture ou votre moto.

2. Vous apprenez que votre meilleur ami se drogue.

3. Une des personnes avec qui vous vivez (époux, épouse, frère, sœur, etc.) n'est pas rentrée à la maison et n'a pas téléphoné.

4. Votre voisin a gagné le gros lot à la loterie.

5. Vous avez remporté une médaille d'or aux Jeux Olympiques.

Imaginez l'évolution de vos sentiments :
– au moment de l'événement
– quelques heures après
– plus tard

4 | LA PEUR

Quelle sorte de peur éprouve-t-on dans les situations suivantes ?

1. L'entrée en scène d'un artiste.

2. Sous un régime politique tyrannique.

3. En apercevant un fantôme dans son grenier.

4. En entendant un cri soudain et imprévu.

5. En voyant qu'il n'y a pas de sortie de secours dans un cinéma qui prend feu.

6. En voyant les victimes d'une famine.

7. En attendant les résultats d'un examen médical.

8. En faisant un affreux cauchemar.

9. Quand on a des ennuis d'argent.

10. En apercevant les gendarmes alors qu'on roule à 150 km/h.

l'affolement
l'angoisse
l'appréhension
l'anxiété
la crainte
l'épouvante
une frayeur
l'horreur
l'inquiétude
la panique
les soucis
la terreur
le trac

b) Classez ces types de peur en fonction du degré croissant de leurs manifestations physiques.

Exemple : 1. la crainte : pas de manifestation
2. l'appréhension : légère accélération des battements du cœur

c) Trouvez les verbes ou formes verbales liés à ces sentiments.

• Causer le sentiment   Exemple : affolement → affoler quelqu'un

• Éprouver le sentiment   Exemple : affolement → s'affoler

16
L'activité

1] L'ACTIVITÉ ET LA PASSIVITÉ

Le directeur d'une entreprise discute avec son chef du personnel des qualités professionnelles de ses employés. Trouvez dans le tableau les mots qui caractérisent chaque employé.

«Arnaud fait scrupuleusement tout ce qu'on lui demande et même davantage. Il est ....

Bertrand, c'est le contraire, il a mis trois jours pour me classer le dossier Durand ....

Carel, c'est spécial, son ordinateur est en panne. Il n'a rien à faire ....

Daron trouve toujours une solution à tous les problèmes ....

Erbin, c'est un jeune cadre aux dents longues. Il est passionné. Il ira loin ....

Flandin, premier arrivé le matin, dernier à partir le soir et toujours en forme ....

Giraud déplace beaucoup d'air, parle beaucoup mais son efficacité est réduite ....

Hernaud, lui, n'a pas envie de travailler, c'est visible ....

Imard est intelligent, il a des idées mais dans les réunions, il ne prend jamais la parole ....»

> **Les actifs :**
> actif – affairé – dégourdi – infatigable – laborieux – occupé – travailleur – zélé – efficace – inventif
> s'activer – s'agiter – se démener – se dépenser – se donner de la peine – avoir le feu sacré
>
> **Les inactifs :**
> apathique – désœuvré – indolent – mou – oisif – paresseux – flemmard (fam) – inefficace – bavard – loquace
> paresser – traîner – se reposer – avoir un poil dans la main (fam)

2] EXPRIMER SA VOLONTÉ – OBÉIR

Complétez avec les mots de la liste (plusieurs possibilités).

1. Les enfants doivent .... à leurs parents.
2. Le général .... l'armée qui doit .... ses ordres.
3. Devant la force de l'armée ennemie qui le .... à reculer, le général en chef .... la retraite.
4. Les locataires de l'immeuble doivent .... au règlement intérieur.
5. Le dictateur .... sa loi.
6. Je .... (à ce) que vous arriviez impérativement à 8 heures.
7. Pour devenir un champion sportif, il faut .... à une discipline rigoureuse.
8. Si l'on veut rester en bonne santé, il faut .... quelques règles simples d'hygiène physique et alimentaire.
9. Le bruit de la rue m'......................... de dormir.

> (s')astreindre à
>
> commander
>
> contraindre
>
> empêcher
>
> exécuter
>
> exiger
>
> (s')imposer
>
> obéir
>
> obliger
>
> ordonner
>
> (se) soumettre (à)
>
> tenir à

3 | LE POUVOIR

TEST : LE POUVOIR ET VOUS

Êtes-vous un homme ou une femme de pouvoir ?

Avez-vous une âme de chef ? Seriez-vous capable d'occuper un poste de direction ?

Pour le savoir répondez aux questions suivantes :

oui = 2 points   **plus ou moins** = 1 point   **non** = 0

	Vos points
Vous reconnaissez facilement vos erreurs et appréciez les critiques intelligentes.	....
Vous n'aimez pas les rapports de forces. Vous préférez les relations détendues.	....
Vous affirmez toujours vos opinions avec force et franchise.	....
Vous n'aimez pas les responsabilités. Votre rêve : être fonctionnaire.	....
Quand il y a de la bagarre, vous prenez la fuite.	....
Vous détestez affronter un supérieur hiérarchique, même pour défendre vos droits.	....
Dans un couple, l'un des deux doit dominer l'autre.	....
Vous vous sentez capable de prendre la tête d'un mouvement contestataire.	....
Vous respectez l'autorité des gens intelligents et compétents.	....
Vous êtes allergique à toute forme de pouvoir.	....
Enfant, vous étiez souvent la victime des tracasseries de vos camarades.	....
Vous admirez les hommes d'États puissants qui ont influencé l'Histoire.	....
Total	....

Imaginez et rédigez un test sur un sujet psychologique

• Avez-vous l'esprit bourgeois ?

• Êtes-vous un homme (une femme) d'action ?

• Quel type de séducteur (séductrice) êtes-vous ?

■ **Résultats**

de 0 à 6 – Vous obéissez au doigt et à l'œil. On risque de vous transformer en mouton. Affirmez-vous davantage ! Ne vous laissez pas marcher sur les pieds !

de 6 à 12 – Vous êtes conciliant et modeste. Méfiez-vous ! On risque de prendre votre douceur et votre humilité pour de la faiblesse. Conservez votre indépendance !

de 12 à 18 – Vous avez des qualités de chef. Attention de ne pas vous laisser aveugler par le pouvoir et la gloire.

de 18 à 24 – Vous êtes l'incarnation du type autoritaire. En vous sommeille peut-être un tyran !

4 | L'ÉNERGIE ET LE COURAGE

Voici des mots qui peuvent caractériser l'homme d'action.

Classez-les selon qu'ils comportent :

1. l'idée de danger ou d'obstacle

2. l'idée de durée

3. l'idée de force

4. l'idée de but ou d'objectif

l'audace – l'ardeur – la constance – l'esprit de décision – la détermination – le dynamisme – l'endurance – l'entêtement – la hardiesse – l'inconscience – l'obstination – la persévérance – la puissance de travail – la résolution – le ressort – la témérité – la vigueur – la vitalité

17
Les valeurs

1 L'HONNEUR

Complétez en utilisant le vocabulaire de l'honneur.

1. Mon directeur est compétent et humain. J'ai beaucoup de
.... pour lui.

2. Cet officier a fait preuve d'un grand courage pendant la guerre. Il
s'est couvert de ....

3. Aujourd'hui, nous fêtons la promotion de Jacques. C'est lui qui est
....

4. Je vous rembourserai l'argent que je vous dois. Je vous en donne
....

5. Ils n'ont pas les mêmes idées politiques mais ils s'entendent bien.
Cette entente est fondée sur .... réciproque.

6. N'acceptez pas ces propositions malhonnêtes. Ce n'est pas votre
genre. Vous allez y perdre votre ....

7. Je vous promets que je réussirai. J'en fais.......................... .

8. Ce savant a reçu le prix Nobel. C'est un homme de grand
.........................., sa .... dépasse largement nos frontières.

> la considération
> la dignité
> l'estime
> être à l'honneur
> la gloire
> la parole d'honneur
> un point d'honneur
> le renom
> la réputation

2 LE DÉSHONNEUR ET LA HONTE

a) Qu'éprouvez-vous dans les situations suivantes ?

1. Vous avez amené un ami dans votre famille. Au cours du repas, il se
saoule.
2. On vous accuse (à tort) d'avoir volé de l'argent dans votre entreprise.
3. Vous êtes la nouvelle secrétaire du patron. Il vous demande de lui
cirer ses chaussures.

b) Jugez ces situations.

1. Des journaux étalent complaisamment les détails intimes de la vie
privée de certaines personnes publiques.
2. Dans certains pays touristiques la prostitution des enfants se développe.
3. Le directeur d'une association humanitaire a détourné une partie de
l'argent à son profit personnel.

> honteux (avoir honte – faire honte
> à...)
> déshonorant (se déshonorer –
> déshonorer)
> humiliant (être humilié – humilier)
> avilissant (être avili – avilir)
> indigne ⎫ être dans une
> dégradant ⎪ situation indigne, ...
> scandaleux ⎬ faire quelque chose
> ignoble ⎭ d'indigne, ...

3] LES VALEURS ACTUELLES

a) Recherchez les valeurs propres à ces quatre familles sociales françaises.
D'après le portrait qui est ébauché, déduisez d'autres valeurs et d'autres comportements.

b) À quelles idées, à quel comportement chaque famille associe-t-elle les mots suivants ?

émigration – argent – égalité – passé – éducation – armée – gouvernement – égoïsme

Exemple : *Émigration* : Pour les idéalistes : accueil, intégration. Pour les traditionalistes : méfiance, rejet. Pour les pragmatiques : main-d'œuvre bon marché. Donc intégration ou mal nécessaire. Pour les hédonistes : intégration, compréhension des cultures.

QUATRE FAMILLES DE FRANÇAIS ?

LES HÉDONISTES

Le plaisir et la convivialité sont l'apanage des jeunes de moins de 35 ans. Mais ces valeurs touchent aussi l'ensemble des salariés, des ouvriers aux cadres supérieurs, à des degrés divers. En fait, ce sont surtout les jeunes salariés qui sont concernés alors que leurs aînés pencheront plutôt vers l'insatisfaction et la demande sociale. Les préférences politiques vont clairement à gauche, mais c'est sans doute le discours écologiste qui traduit le mieux ces valeurs (de là au passage à l'acte électoral, il reste encore quelques distances).

LES IDÉALISTES

Ils demandent une société plus juste et plus libre. C'est en particulier le cas des actifs âgés de 35 à 49 ans : à peu près la génération du baby-boom. Ils appartiennent plutôt aux classes moyennes de la société et sont presque exclusivement salariés. Leur niveau d'instruction est plus élevé que la moyenne. Leur cœur penche à gauche, mais ils sont quelque peu les «déçus du socialisme» et peuvent se réfugier dans le désenchantement ou l'indifférence.

LES TRADITIONALISTES

Les valeurs traditionnelles sont naturellement davantage partagées par les personnes plus âgées, et donc par les retraités. Leur niveau d'instruction est plus faible mais c'est surtout un effet de génération (l'enseignement secondaire généralisé ne date en fait que des années 1950). Politiquement, ils penchent clairement à droite : ce sont des conservateurs affirmés.

LES PRAGMATIQUES

Sensibles à l'efficacité économique, il s'agit presque essentiellement de travailleurs indépendants : agriculteurs, artisans, commerçants, patrons. Ils sont quasiment les seuls à défendre l'esprit d'entreprise et la compétitivité, ce qui pourra paraître inquiétant à l'orée du Marché unique européen… Même si la politique leur paraît secondaire, ils préfèrent la droite, c'est-à-dire, pour eux, le libéralisme économique.

France Almanach,
1992, Hors Série. D. R.

18
L'humour et l'humeur

1 LE RIRE

a) Dans le texte ci-dessous recherchez le vocabulaire relatif au comique
et au rire. Classez les mots et expressions dans le tableau.

Ce qui fait rire	Faire rire	Manières de rire

b) Faites la liste des différents domaines humoristiques propres à votre
pays. Dans chaque domaine, recherchez ce qui fait rire et caractérisez
la manière de rire.

CE QUI FAIT RIRE LES FRANÇAIS

Les films comiques. Les grands classiques comme *La Grande Vadrouille* suscitent toujours les éclats de rire en mêlant les plaisanteries loufoques aux farces les plus grosses. Les spectateurs sont aussi très sensibles à une nouvelle veine où se succèdent les situations cocasses, les gags et les scènes drôles et tendres (*La Cage aux folles, Trois Hommes et un couffin*).

Le théâtre de boulevard perpétue la tradition du vaudeville illustrée au début du siècle par *Feydeau* et *Courteline.* Les quiproquo et les effets de surprise déclenchent toujours le fou rire.

Le Bebête show à la télévision et certaines émissions de radio comme *Rien à cirer.* Les Français en raffolent et ricanent doucement en voyant les hommes politiques et les personnalités des médias tournés en ridicule. Ceux-ci sont pris à tour de rôle comme tête de Turc et on se moque de leurs défauts, de leurs tics de langage et de leurs querelles absurdes.

Les humoristes ont chacun leur spécialité. Les imitateurs ironisent sur les personnalités connues. *Les Inconnus* font rire avec leurs amusantes parodies d'émissions de télévision. *Guy Bedos* et *Sylvie Joly* se livrent à une vive satire des types sociaux et on s'esclaffe toujours en revoyant les sketches caustiques de *Coluche,* grand bouffon national qui aura marqué les années quatre-vingt par son esprit gouailleur et son sens de la caricature.

Les Français pratiquent aussi **l'humour au quotidien**. Au café ou dans les repas entre amis, certains sont capables de dérider les plus sérieux grâce à un stock toujours renouvelé de blagues et d'histoires grivoises. D'autres sont spécialisés dans les jeux de mots ou les anecdotes drôles qui font sourire.

Un Français, dit-on, adore taquiner ses compatriotes, rire aux dépens de ses voisins belges et peut faire de l'humour à propos de tout… sauf de lui-même.

2 | L'HUMEUR

De quelle humeur sont-ils dans les situations suivantes ? (Utilisez le vocabulaire de la liste ci-contre.) Imaginez comment se manifeste cette humeur. (Il sourit, pleure, tape des pieds, etc.)

1. C'est les vacances. Monique se réveille. Il fait une belle journée d'été.

2. Patrick a 40 ans. Pour la première fois, il revoit les lieux où il a passé son enfance.

3. Le bébé se réveille. Il est seul. Il a faim.

4. Céline n'a vraiment commencé à travailler que deux mois avant son concours. Elle met les bouchées doubles, ne dort que quatre heures par nuit. La date de l'examen approche.

5. Il pleut. Didier a un rendez-vous très important dans une heure. Sa voiture est tombée en panne sur une route peu fréquentée.

6. Antoine a mis toutes ses économies de l'année sur le 18, au jeu de la roulette. C'est le 17 qui sort.

> être... se sentir en forme, bien dans sa peau, de bonne humeur.
> être d'humeur gaie, joyeuse, rêveuse, mélancolique.
> être de mauvaise humeur – être d'humeur morose, maussade, triste.
> être irrité, en colère – râler (fam) – être fatigué, épuisé, tendu, angoissé, stressé.
> ça le met de bonne humeur – ça le rend triste.

3 | LES HUMEURS ET LES ÉTATS
(emploi figuré du vocabulaire de la destruction)

Relevez les emplois figurés. Donnez leur sens propre et leur sens dans le texte

Exemple : crevée → crever = percer (un pneu crevé)
              → dans le texte : très fatiguée

Deux amies, secrétaires dans des entreprises différentes, se retrouvent à l'heure du déjeuner.
Arlette : Écoute, je suis crevée. Je me sens vidée. Ce travail est tuant. Le chef de service n'arrête pas de me casser les pieds et pourtant je t'assure, ces temps-ci, je me défonce. Hier, je suis restée jusqu'à 10 heures du soir pour finir un rapport de vingt pages. Et bien, ce matin, il m'a annoncé qu'il fallait le réduire de dix pages. Les bras m'en sont tombés. Ça m'a sciée. Je l'aurais bouffé ce type… Si ça continue, je crois que je vais disjoncter.
Agnès : Mais Arlette, je me tue à te le dire, ne reste pas dans cette boîte ! C'est clair, ils veulent ta peau.
Arlette : Je vais te dire. En juin, je me casse et je quitte Paris. J'irai m'enterrer quelque part à la campagne et pendant un an je ne veux plus entendre parler de boulot. Je referai de la peinture, je me baladerai, bref, je pourrai enfin m'éclater.

LA CIVILISATION

19
Les peuples et les pays

1 | LES GROUPES HUMAINS

Voici des mots qui servent à nommer des groupes humains. Sur quel(s) critère(s) chaque groupe est-il constitué (critère politique, historique, géographique, biologique et anatomique, culturel, familial, etc.) ?

Exemple : *le peuple corse* → critères historique, géographique et culturel.

1. le peuple corse
2. la république d'Italie
3. une tribu bororo
4. les habitants du terroir
5. une peuplade africaine
6. le royaume du Danemark
7. la nation française
8. l'État allemand
9. la quatrième puissance mondiale
10. la société du Moyen Âge
11. l'ethnie slave
12. la lignée des Capétiens

2 | L'ÉMIGRATION ET L'IMMIGRATION

Complétez avec le vocabulaire de la liste.

a) Au XVIIᵉ siècle les persécutions de Louis XIV à l'encontre des protestants ont entraîné leur .... massif. Ils .... dans les pays qui toléraient la religion réformée. D'autre part, des aventuriers ou des gens .... par le pouvoir sont allés .... les territoires conquis en Amérique.
Sous la révolution de 1789, 300 000 fidèles à la monarchie absolue .... vers les pays frontaliers. Ceux qui tentèrent de revenir jusqu'en 1795 furent exécutés ou .... et reconduits à la frontière. En 1852, un décret de Napoléon III .... Victor Hugo du territoire français. L'écrivain .... sur l'île de Jersey.

b) Officiellement la France n'accepte plus d'........................ depuis 1974 mais leur nombre n'a cessé de croître à cause des regroupements familiaux, des .... qui passent la frontière à l'insu de la police, des étrangers qui obtiennent leur .... et des .... politiques.
La France comptait en 1990, 4,5 millions d'étrangers en situation régulière. Près d'un million et demi de Français ont choisi de .... et de vivre à l'étranger.

un clandestin
un émigré
un exode
une naturalisation
un réfugié
banni
proscrit
coloniser
émigrer
expulser
se réfugier
s'exiler
s'expatrier

3 | L'HISTOIRE DES PEUPLES ET DES ÉTATS ·

Utilisez le vocabulaire de l'encadré ci-dessous pour rechercher les causes :

a) de la naissance d'un état

b) de son développement

c) de sa décadence

d) d'une révolution

e) d'une guerre civile

f) d'une guerre entre états

g) d'une guerre coloniale

h) d'une vague d'immigration

Donnez si possible des exemples précis en vous appuyant sur l'histoire des pays que vous connaissez.

• *Les frontières* : l'expansion territoriale – la colonisation – une invasion – une occupation – une annexion – une modification du tracé des frontières.

• *Le territoire* : l'équilibre/le déséquilibre entre les régions – la régionalisation – les revendications autonomistes – l'autonomie – l'indépendance – l'unité territoriale – l'union.

• *La stabilité politique* : l'autorité, la représentativité du gouvernement – le régime (république – monarchie – dictature – oligarchie – etc.) – etc.

• *La population* : l'augmentation/la chute de la démographie – l'émigration – l'immigration – la fuite des cerveaux.

• *L'économie* : les richesses naturelles – le potentiel économique – l'équilibre entre les importations et les exportations – la pauvreté/la richesse des régions.

• *L'équilibre social :* les classes sociales (classes dirigeantes – noblesse – bourgeoisie – classes populaires – etc.) – la richesse, l'aisance/la pauvreté – les tensions internes – la paix sociale, etc.

---

4 | LES HABITANTS

Dans quelle ville ou quelle région habitent les personnes suivantes ?
Dans quel pays de la Communauté européenne se trouve cette ville ou cette région ?

un Andalou ....

un Amstellodamois ....

un Athénien ....

un Bruxellois ....

un Barcelonais ....

un Breton ....

un Berlinois ....

un Bavarois ....

un Catalan ....

un Copenhaguais ....

un Dublinois ....

un Ecossais ....

un Gallois ....

un Hambourgeois ....

un Lisbonnin ....

un Londonien ....

un Lyonnais ....

un Madrilène ....

un Macédonien ....

un Marseillais ....

un Milanais ....

un Normand ....

un Parisien ....

un Romain ....

un Réunionais ....

un Sicilien ....

un Toscan ....

20
L'Histoire

1 | LES ACTEURS DE L'HISTOIRE

À quelle époque de l'histoire peut-on trouver les acteurs de la liste ?

a) L'Antiquité

b) La féodalité (pendant le Moyen Âge)

c) La monarchie absolue (en France, aux XVIIe et XVIIIe siècles)

d) La république (en France, à partir de 1871)

Exemple : *Le baron* : titre important au Moyen Âge (les barons de Charlemagne). Le titre existe toujours sans qu'aucun privilège ne lui soit attaché.

> un baron – un bourgeois – un chevalier – un comte – une confrérie – un courtisan – un croisé – un conseiller municipal – un consul – le dauphin – un député – un duc – un empereur – un esclave – un fermier général – un gouverneur de province – un échevin – un légionnaire – un marquis – un maire – un ouvrier – un préfet – un pharaon – un président de la République – un roi – une reine – un régent – un seigneur – un syndicaliste – un scribe – un suzerain – un serf – un trouvère – un troubadour

2 | LA RÉVOLUTION

Remettez dans l'ordre ces douze épisodes de la révolution de 1848 (21 au 25 février) qui fait passer la France d'un régime monarchique (roi Louis-Philippe) à la IIe République.

Déroulement (seule la première phrase est à la place qui convient).

1. Interdiction du banquet de la Garde nationale (police).

2. L'armée pactise avec les insurgés.

3. Les insurgés occupent l'Hôtel de Ville et constituent un gouvernement provisoire.

4. Le banquet a lieu malgré l'interdiction. Grande manifestation place de la Concorde. Premières émeutes. La Garde nationale rallie les émeutiers.

5. Paris se couvre de barricades.

6. Le Premier ministre Guizot envoie l'armée contre les émeutiers : 16 émeutiers tués.

7. Le roi renvoie Guizot et le remplace par Thiers.

8. Le roi Louis-Philippe s'enfuit en Angleterre. Ses fils se soumettent à la République.

9. Les républicains promènent les 16 tués dans Paris sur une charrette et appellent partout à l'insurrection.

10. Les deux gouvernements fusionnent et proclament la République.

11. D'autres insurgés envahissent la Chambre des députés et forment un autre gouvernement provisoire.

12. Les insurgés jouent «au chat et à la souris» avec l'armée. Dès que l'armée s'approche d'une barricade, ils s'enfuient et vont en reformer une autre ailleurs.

Causes : Crises économique et financière – Immobilisme de la politique de Louis-Philippe – Scandales politiques et financiers – Importance du parti républicain qui cherche à prendre le pouvoir – Le roi a interdit les réunions mais a autorisé les banquets (qui sont devenus de véritables réunions politiques).

3 | LES VERBES INTRODUISANT LES ÉVÉNEMENTS

Pour signaler l'événement arriver – se passer – avoir lieu – se produire – advenir – survenir – intervenir – se situer	*Pour signaler le début de l'événement* commencer – débuter – prendre naissance – trouver sa source, son origine (voir aussi les verbes exprimant la cause et l'origine)
Pour exprimer le déroulement se dérouler – se développer – (se) succéder – se poursuivre – progresser – prospérer – s'amplifier – s'étendre – s'accroître – connaître un essor – être à son apogée	*Pour exprimer le déclin et la fin* diminuer – s'atténuer – décliner (le déclin) – finir (mettre fin à...) – (se) terminer (mettre un terme à...) – (s')achever – cesser – disparaître – mourir – expirer

a) Complétez en utilisant les verbes de la liste ci-dessus.

1. La fondation de la ville de Rome .... dans la légende de Romulus.

2. La conquête de la péninsule italienne par les habitants de Rome .... au Vᵉ siècle av. J.-C. Cette conquête .... jusqu'au IIIᵉ siècle av. J.-C. La république romaine est alors maîtresse de toute l'Italie.

3. Les Romains .... alors la conquête du bassin méditerranéen. Les victoires .... aux victoires. Le territoire de Rome .... progressivement.

4. En 52 av. J.-C. .... la bataille d'Alésia qui marque la domination de Rome sur toute la Gaule.

5. Mais des troubles et des révoltes .... à Rome. Jules César prend le pouvoir et se proclame empereur.

6. Au début du Iᵉʳ siècle de notre ère, l'empereur Auguste règne sur tout le bassin méditerranéen. C'est l'apogée de l'empire romain. Le commerce, l'urbanisme et les arts .... considérablement.

7. Mais peu à peu, en raison des tensions politiques internes et des révoltes dans les territoires, la puissance de Rome va ....

21
Les religions et les croyances

1 LES RITES RELIGIEUX

a) Trouvez à quelle religion appartient chacun des rites suivants :

1. On jeûne pendant un mois du lever au coucher du soleil.
2. À la fin de la messe, les fidèles communient en mangeant une hostie.
3. On fait brûler des bâtonnets d'encens.
4. Les hommes croyants portent une calotte sur la tête.
5. Les prêtres se font raser le crâne et les joues.
6. Les textes sacrés sont calligraphiés sur des rouleaux de parchemin.
7. Les fidèles confessent leurs péchés à un prêtre.
8. Les fidèles doivent dire leurs prières cinq fois par jour.
9. Les croyants recherchent la béatitude absolue.
10. Une fois dans sa vie, le croyant doit faire un pélerinage à La Mecque.

b) Faites correspondre les termes des deux colonnes.

On se rend…	*pour prier avec…*
1. à la pagode	a. le rabin
2. à la synagogue	b. le bonze
3. à l'église	c. l'imam
4. à la mosquée	d. le curé

c) Complétez avec d'autres rites ou croyances que vous connaissez.

le bouddhisme	le catholicisme	l'islam	le judaïsme

2 LA FOI, LE PÉCHÉ, LE PARDON

Complétez en utilisant certains mots du tableau.

La .... **de Marie l'Egyptienne (IIIe siècle après J.-C.).**

Jeune, Marie l'Egyptienne n'observait ni les rites ni la morale chrétienne. Elle n'était pas .... À Alexandrie, elle vivait dans la ....

en se prostituant et en se livrant à la .... Un jour qu'elle avait accompagné un groupe de jeunes gens à Jérusalem, elle voulut pénétrer dans la basilique. Mais devant la porte, elle se sentie clouée au sol. Elle pensa que c'était les .... qu'elle avait commis qui l'empêchaient d'entrer. Alors, voyant une image de la Vierge elle lui .... ses fautes.

«Mère du Christ, je .... de mes faiblesses passées. Je voudrais, moi aussi, avoir .... et trouver la paix.

La Vierge lui répondit de traverser le Jourdain et de marcher pendant vingt jours. Vingt jours après, elle se trouvait au milieu du désert. Elle y resta quarante-sept ans se nourrissant de racines et de feuilles. Elle passait ses jours en .... faisant .... pour que ses fautes passées lui soient .... Plusieurs fois elle eut la .... de partir mais elle n'y .... pas.

> la foi – croire (en Dieu) – être croyant – prier (la prière) – se convertir (à une religion) – la conversion – commettre un péché, une faute – les péchés : le mensonge, la luxure, la débauche, etc. – être tenté – succomber à la tentation – confesser, avouer ses fautes – se confesser (la confession) – pardonner (le pardon) – absoudre (l'absolution) – se repentir (de) – regretter – faire pénitence

3 | LES SUPERSTITIONS ET LA SORCELLERIE

Les sorciers du Berry

Les sorciers sont partout. Plusieurs dictons sont attachés à des lieux réputés maléfiques : en Brenne, Paulnay, Saulnay, Rosnay, Villiers ; en Sancerrois, quatre paroisses de sorciers : Verdigny, Menetou-Ratel, Sens-Beaujeu et Bué ne sont guère plus fréquentables. Les sorciers ont le terrible pouvoir de jeter des sorts sur les hommes et sur les bêtes. Leur redoutable besogne, fondée sur la connaissance des secrets de la nature et inspirée par le diable, met très souvent en scène des animaux maudits comme les crapauds, les chouettes et les loups. Ainsi pour faire périr le bétail, le sorcier met dans un pot un gros crapaud salé qu'il enterre pendant sept heures, puis le cloue à un arbre du pacage ; attiré par le goût du sel, le bétail lèche et s'empoisonne. On connaît aussi l'histoire d'une servante qui, pour prendre la place de la maîtresse de maison, lui fit absorber un bouillon mortel de crapaud.

Une birette est un individu, homme ou femme, qui s'est vendu au diable et porte un signe distinctif : une peau de loup ou de sanglier. De là vient sans doute la légende des loups-garous qui terrorisaient les campagnes. Le «meneu de loups» est un personnage différent : il conduit des troupeaux de loups au son de la cornemuse et les fait danser au clair de lune ; à condition de ne pas s'attaquer à lui, il n'est pas dangereux.

Au sorcier s'oppose le «contre-sorcier» qui est le prêtre ; sa connaissance des livres lui permet de chasser les maléfices. De même l'eau bénite possède de grands pouvoirs et, jadis, on en faisait une grande consommation. Pour se défendre des sorcières, le meilleur moyen était encore de se signer et de répéter trois fois «j'te doute sorcière».

La ville elle-même n'est pas épargnée par l'épidémie de sorcellerie et de magie. Bourges est la capitale des alchimistes, en raison des symboles figurant sur les édifices construits par Jacques Lallemant et Jacques Cœur. Ce dernier n'aurait-il pas été en possession de la «pierre au blanc» qui lui aurait permis de transformer le métal en argent ?

Michelin, d'après guide *Berry-Limousin*, 2e édition 1990. Autorisation n° 93-647

a) Dans le texte ci-dessus relevez le vocabulaire relatif :
   – aux personnes, animaux ou objets ayant un pouvoir surnaturel et indiquez si ce pouvoir est bénéfique(B) ou maléfique (M) ;
   – aux croyances ;
   – aux pratiques de sorcellerie.

b) Faites la liste des pratiques ou des croyances superstitieuses qui restent encore vivantes dans votre pays.

Exemple : En France, renverser du sel sur la table peut porter malheur. Pour conjurer ce mauvais sort, il faut jeter une pincée de sel par-dessus son épaule.

22
Les vestiges du passé

1 LES CHÂTEAUX

Dans le texte suivant, Alfred de Vigny fait une description très
subjective du célèbre château de Chambord (château de la Loire).
Relevez :
a) toutes les indications objectives qui pourraient figurer
dans un guide touristique ;
b) toutes les notations subjectives (comparaisons, identifications,
évocations, etc.). À quels thèmes appartiennent ces notations ?
Quelle impression Vigny veut-il donner ?

Le Primatice : peintre et décorateur italien que François Ier fit venir en France.

François Ier : roi de France qui fit construire le château de Chambord à partir de 1519.

La salamandre : sorte de lézard noir taché de jaune, emblème de François Ier. Les Anciens la croyaient capable de vivre dans le feu sans être consumée. Manifestation vivante du feu.

Diane de Poitiers : maîtresse du roi Henri II, successeur de François Ier. Le croissant de lune est l'emblème de la déesse Diane.

À quatre lieues de Blois, à une heure de la Loire, dans une petite vallée fort basse, entre les marais fangeux et un bois de grands chênes, loin de toutes les routes, on rencontre tout à coup un château royal, ou plutôt magique. On dirait que, contraint par quelque lampe merveilleuse, un génie de l'Orient l'a enlevé pendant une des mille nuits et l'a dérobé au pays du Soleil, pour le cacher dans ceux du brouillard avec les amours d'un beau prince. Ce palais est enfoui comme un trésor ; mais à ses dômes, à ses élégants minarets, arrondis sur de larges murs ou élancés dans l'air, à ses longues terrasses qui dominent les bois, à ses flèches légères que le vent balance, à ses croissants entrelacés partout sur les colonnades, on se croirait dans le royaume de Bagdad ou de Cachemire, si les murs noircis, leurs tapis de mousse ou de lierre, et la couleur pâle et mélancolique du ciel, n'attestaient un pays pluvieux. Ce fut bien un génie qui éleva ces bâtiments, mais il vint d'Italie et se nomma le Primatice ; ce fut bien un beau prince dont les amours s'y cachèrent ; mais il était roi et se nommait François Ier. Sa salamandre y jette ses flammes partout ; elle étincelle mille fois sur les voûtes, et y multiplie ses flammes comme les étoiles d'un ciel ; elle soutient les chapiteaux avec sa couronne ardente ; elle colore les vitraux de ses feux ; elle serpente avec les escaliers secrets et, partout, semble dévorer de ses regards flamboyants les triples croissants d'une Diane mystérieuse, cette Diane de Poitiers, deux fois déesse et deux fois adorée dans ces bois voluptueux.

Mais la base de cet étrange monument est comme lui pleine d'élégance et de mystère : c'est un double escalier qui s'élève en deux spirales entrelacées depuis les fondements les plus lointains de l'édifice jusqu'au-dessus des plus hauts clochers, et se termine par une lanterne ou cabinet à jour, couronnée d'une fleur de lys colossale perçue de bien loin ; deux hommes peuvent y monter en même temps sans se voir.

Cet escalier lui seul semble un petit temple isolé, comme nos églises. Il est soutenu et protégé par les arcades de ses ailes minces, transparentes et, pour ainsi dire, brodées à jour.

Alfred de Vigny, *Cinq-Mars*, 1826

2 L'ARCHITECTURE

Retrouvez dans chaque rubrique les formulations qui permettent de caractériser chacun des quatre monuments.

• *Forme générale*

1. amphithéâtre elliptique

2. pyramide à degrés surmontée d'un petit temple

3. base rectangulaire

4. colonnade qui supportait le toit

5. superposition d'arcades

6. seule, la façade est apparente

7. escalier extérieur

• *Matériaux utilisés*

1. taillé dans le roc

2. petites pierres carrées

3. pierres et briques

4. gros blocs de pierre et de marbre

• *Détails et décoration*

1. trois étages d'arcades

2. colonnes cannelées et chapiteaux doriques

3. niches monumentales

4. vestiges de décoration sur le faîte

5. fronton triangulaire

6. statues colossales en pied

7. frise sculptée

• *Fonction*

1. temple dédié à la déesse Athéna

2. tombeau et temple

3. cirque pour jeux, courses de chars et combats de gladiateurs

4. temple dédié à la reine-déesse

Le Temple d'Hathor (Abou Simbel, Egypte)

Le Parthénon (Athènes, Grèce)

Le Colisée (Rome, Italie)

Le Temple des Inscriptions (Palenque, Mexique)

23
L'urbanisme

1 LES CONDITIONS DE LOGEMENT

Pierre et Michel viennent de s'installer dans deux villes différentes. Pierre
a toujours de la chance. Michel n'en a jamais. Voici la lettre que Michel
écrit à Pierre pour lui décrire ses nouvelles conditions de vie.

**Imaginez (en employant le contraire des expressions soulignées)
la lettre que Pierre écrit à Michel au même moment.**

```
    Mon cher Pierre,

    Je n'ai pas eu de chance. Très occupé par mon
travail, je n'ai pas eu de temps pour chercher un
logement. Il faut dire qu'ici la demande est très
supérieure à l'offre. Lignac est une petite ville
industrielle en plein développement et les chômeurs
affluent.
    J'habite le centre historique. Joli mais très
populaire. J'y ai trouvé un minuscule deux pièces
au premier étage d'une vieille maison dans un état
avancé de délabrement. Elle est située dans une
étroite ruelle qui ne voit que très rarement le
soleil ce qui ne l'empêche pas d'être très passante
car elle est remplie de cafés, de petits
restaurants et de boutiques de mode. Ici, c'est
l'animation continue et le soir le bruit est
insupportable. Quant aux odeurs des poubelles qui
traînent le matin, je ne t'en parle pas. Côté
pratique, ce n'est pas plus réussi. Je suis éloigné
des grands commerces d'alimentation et comme c'est
un quartier piétonnier, je dois laisser ma voiture
dans un parking à 300 m de chez moi.
```

« Mon cher Michel
J'ai eu vraiment beaucoup de chance. Figure-toi que, comme
je n'ai pas encore commencé à travailler… »

2 | L'URBANISME

Le conseil municipal examine les problèmes d'aménagement et d'urbanisme qui se posent à la ville. En utilisant le vocabulaire du tableau, proposez des solutions pour chacun de ces problèmes.

1. Centre ville

– Rues encombrées et stationnement sauvage.

– Embouteillages sur les boulevards.

– Le matin, poubelles renversées sur les trottoirs.

– Manque de végétation.

– Vétusté de l'école primaire.

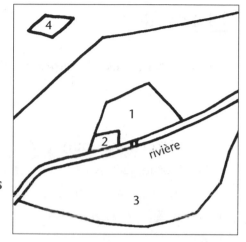

2. Vieille ville

– Quartier insalubre. Immeubles délabrés et occupés par des locataires clandestins (squatters).

3. Quartier résidentiel Sud

– Tags sur les murs.

– Insécurité, délinquance.

– Solitude des personnes âgées.

4. ZUP Nord (Zone à urbaniser en priorité)

– Dix immeubles gigantesques abritent près de 10 000 personnes de milieu social défavorisé.

– Isolement par rapport au centre ville (à 4 km). Ghetto.

– Pauvreté, désœuvrement, délinquance.

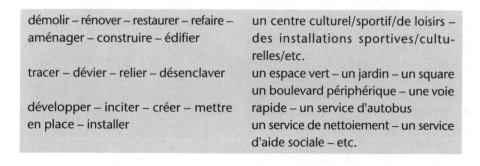

démolir – rénover – restaurer – refaire – aménager – construire – édifier	un centre culturel/sportif/de loisirs – des installations sportives/culturelles/etc.
tracer – dévier – relier – désenclaver	un espace vert – un jardin – un square un boulevard périphérique – une voie rapide – un service d'autobus
développer – inciter – créer – mettre en place – installer	un service de nettoiement – un service d'aide sociale – etc.

24
L'armée et la guerre

1 | LES ARMES

a) Trouvez dans la liste les armes utilisées par les personnages suivants.

1. James Bond
2. David (contre Goliath)
3. Guillaume Tell
4. Un héros de western
5. Ivanhoë (chevalier du Moyen Âge)
6. Rambo
7. Robin des Bois
8. Surcouf (corsaire du XVIIIe siècle)
9. Tarzan
10. Un terroriste
11. Zorro
12. Un général de guerre de l'an 2000

une arbalète	une flèche
un arc	un fusil
une auto-mitrailleuse	une grenade
un avion de chasse	une hache
une armure	une lance
un blindé	un lance-roquette
une bombe	un missile
un bouclier	une mitrailleuse
un canon	un pistolet (mitrailleur)
un casque	un poignard
un char (un tank)	un sabre
une épée	un sous-marin
un fouet	un revolver
une fronde	

b) Dans la liste ci-dessus, trouvez quelques mots qui peuvent s'employer avec les verbes suivants :

1. donner un coup de…2. épauler… 3. lancer… 4. planter… 5. pointer… 6. tirer… 7. viser…

> Le principe de dissuasion
>
> De nos jours, les conséquences d'un conflit armé généralisé seraient telles qu'aucune personnalité dirigeante n'oserait prendre la responsabilité d'un affrontement militaire. Nous assistons à ce véritable paradoxe : plus les moyens offensifs seront puissants et destructeurs, moins leurs possesseurs se risqueront à les utiliser. D'où l'apparition, dans le domaine de la pensée militaire, du principe de dissuasion.
>
> Cette théorie révolutionnaire exige, non seulement la possession de l'ensemble des armes adéquates, mais aussi, et surtout, une formation psychologique de la population concernée et de l'adversaire potentiel. Ce dernier doit être convaincu que toute agression de sa part entraînerait automatiquement sa propre destruction et que les avantages qu'il pourrait éventuellement retirer de son opération ne compenseraient jamais ses pertes. Placé devant cette alternative, il se voit dans l'impossibilité morale de passer à l'exécution de ses desseins. Un tel scénario est valable pour les deux camps.
>
> *Encyclo- Bordas*, p. 83, 1990.

2 | LA DÉFENSE

a) D'après le texte de la p. 56, quels sont les arguments favorables au principe de dissuasion pour assurer la défense d'un pays ? Quels sont d'après vous les arguments défavorables ?

b) Voici des moyens de prévention des guerres. Dites en quoi ils peuvent être efficaces ou inefficaces.

un affrontement – une attaque – un armistice – une bataille – un conflit – une défaite – une déroute – une invasion – une mobilisation – les négociations – l'occupation – la paix – une provocation – une retraite – la reprise des combats – la riposte – un traité – une trève – une victoire

1. La diplomatie

2. Le retranchement et la construction de fortifications

3. L'espionnage

4. L'attaque préventive

5. La recherche de frontières naturelles

6. La démilitarisation

7. L'aide économique

3 | LA GUERRE

Voici des mots qui servent à nommer les péripéties d'une guerre.

a) Trouvez des verbes ou des expressions verbales que vous pouvez associer à chacun de ces mots.

Exemple :
un affrontement → affronter l'ennemi – les deux armées s'affrontent – entrer en conflit
une attaque → attaquer – tirer – bombarder

b) Classez ces mots selon l'ordre du déroulement d'une guerre.

c) Utilisez cette suite de mots pour raconter les péripéties d'une guerre entre deux pays imaginaires

Exemple : le pays des chauves mangeurs de viande contre celui des chevelus végétariens…

4 | LES EMPLOIS FIGURÉS

Relevez les emplois figurés des mots ou expresssions appartenant au thème de la guerre. Trouvez un équivalent de ces mots.

Négociations
Jacques Lemercier, direteur de la société SOPEX, entre dans la salle de réunion. Il sait que pour faire adopter son projet la bataille sera rude. L'annonce d'une prochaine alliance avec l'entreprise japonaise MORI va faire l'effet d'une bombe. Certes, la veille, il a mis au point avec ses fidèles lieutenants une stratégie offensive qui devrait lui permettre de vaincre toute résistance. De plus, il dispose d'un allié puissant : le groupe P.L.E. Mais certains gros actionnaires ne rendront pas les armes facilement.

25
Les coutumes et les règles

1 | L'OBLIGATION ET L'INTERDICTION

En 1962, dans *Le Jacassin*, Pierre Daninos s'est moqué des règles et des interdits de la société.

a) Lisez les règles que la bonne société s'imposait en 1962.
Sont-elles toujours valables aujourd'hui ?

Il fallait :
– Être en règle.
– Se méfier des courants d'air.
– Être un homme.
– Savoir ses départements.
– Donner à l'Armée du Salut.
– Céder le haut du trottoir aux dames.
– Être assis dans le sens de la marche[1].
– Avoir son bachot[2].
– Avoir fait son service militaire.
– Vérifier son addition.
– Avoir ses pauvres.
– Fermer ses persiennes le 1er Mai.
– Avoir un lopin de terre.
– Épouser quelqu'un de son milieu.
– Savoir nager.
– Voter.
– Se méfier des romanichels[3].
– Avoir la Légion d'honneur[4].
– Toujours avoir un peu d'or.
– Aller à la messe.
– Avoir le respect du drapeau.
– Surveiller son foie.

Il ne fallait pas :
– Montrer du doigt.
– Prendre le wagon de tête.
– Téléphoner pendant un orage.
– Être (ou épouser un) réformé[5].
– Avaler la fumée.
– Se fier à la Méditerranée.
– Abuser des bonnes choses.
– Passer en conseil de guerre.
– Se baigner moins de deux heures après les repas.
– Être mal avec sa concierge.
– Vivre au-dessus de ses moyens.
– Fumer à jeun (ou dans la rue si l'on était une dame).
– Prendre le wagon de queue.

Pierre Daninos, *Le Jacassin*, Hachette, 1962

(1) lors d'un voyage en train
(2) baccalauréat
(3) nomades qui avaient la réputation d'être voleurs
(4) la plus haute décoration honorifique en France
(5) qui n'a pas été admis à faire son service militaire

b) Réactualisez la liste de Pierre Daninos. Quelles sont les obligations
et les interdits «lieux communs» de notre société actuelle ?
Présentez chaque règle en utilisant le vocabulaire ci-dessous.

– devoir – il faut
c'est nécessaire de – indispensable
(s')obliger à – (se) forcer à
(s')imposer de – (se) contraindre à –
(s')astreindre à

– C'est/il est interdit de… (interdire)
défendu (défendre) – prohibé
(prohiber) – ne pas avoir le droit
de… – censurer – être illégal –
tabou

2 | LES HABITUDES ET LES RÈGLES

Le comportement des individus est conditionné soit par des habitudes (ensemble de coutumes non écrites et que l'on peut éventuellement transgresser) soit par des règles précises (et souvent écrites).

Classez dans le tableau, les mots de la liste A selon que ces mots relèvent des habitudes ou des règles.
Trouvez un exemple d'emploi de ces mots dans la liste B.

A

les bienséances – le code – les convenances – la coutume – la discipline – la législation – la ligne – la loi – les mœurs – le précepte – la prescription – le protocole – la règle – le règlement – le rite – la routine – les statuts – les traditions

– un jeu
– une région
– la messe
– à table
– à l'école
– un régime alimentaire
– la conduite automobile
– une tribu amazonienne
– la grammaire

B

– une réception entre chefs d'État
– une première rencontre
– la philosophie de la vie
– la politique d'un parti
– la gestion d'une entreprise
– l'organisation d'un pays
– une association, une société
– le travail à la chaîne
– le comportement d'un peuple

Habitudes	Lois – Règles
bienséances (à table)	code

3 | LES COUTUMES

a) **Relevez les différences de comportement entre l'Angleterre et la France dans le domaine alimentaire. Connaissez-vous d'autres différences dans d'autres domaines ?**

b) **Faites la liste des différences d'habitudes :**
   • **entre votre pays et la France,**
   • **entre votre pays et un autre pays que vous connaissez.**

c) **En utilisant le vocabulaire de l'exercice précédant et celui qui est donné ci-dessous, présentez les habitudes d'un pays ou d'un peuple original.**

• L'habitude
avoir l'habitude de
habituel – fréquent – coutumier
courant – traditionnel
d'habitude – en général – généralement
normalement – couramment

• La règle
fixer, préconiser, donner des règles –
observer, suivre les règles – transgresser la loi
• S'habituer
prendre/perdre l'habitude de
s'accoutumer à – s'adapter à
s'acclimater à – se faire à
se mettre au courant de – s'initier à
se familiariser avec

France-Angleterre : la règle des contraires

Des siècles de guerres et d'hostilité entre la France et l'Angleterre ont laissé quelques traces dans les coutumes respectives, dont beaucoup sont opposées. À table, lorsqu'ils ne mangent pas, les Français laissent leurs mains sur la table, tandis les Anglais les gardent sous la table, l'une d'entre elles au moins étant posée sur les genoux.

Contrairement aux Français, les couverts anglais sont posés pointe en l'air (les cuillers ont la partie concave vers le haut), car c'est de ce côté qu'étaient visibles les armoiries gravées. La cuiller à soupe anglaise doit être portée à la bouche sur le côté et non de face, à la française. Les Anglais coupent le gigot parallèlement à l'os, les Français perpendiculairement.

Les maîtres de maison anglais président chacun à un bout de table, alors qu'en France, ils se placent face à face, au milieu du plus grand côté de la table. Les Anglais mangent la peau des pommes de terre bouillies, tandis que les Français l'épluchent. Le fromage est servi en Grande-Bretagne après le dessert, alors qu'il le précède en France.

Gérard Mermet, *Euroscopie*, Larousse, 1991.

26 La justice

1 LES CRIMES ET LES DÉLITS

Charlie Bauer
FRACTURES D'UNE VIE

SEUIL

Fractures d'une vie

Une enfance turbulente, une adolescence de petit casseur à main armée. La note sera dure : ces vingt ans de liberté dans les quartiers les plus pauvres de Marseille seront payés par vingt ans de détention dans les quartiers disciplinaires les plus durs de toutes les prisons de France.

Marginal durant la vie à l'air libre, Charlie Bauer deviendra insoumis derrière les barreaux. Il lutte par tous les moyens : fait de la gymnastique, entreprend des études, passe deux licences, vit un amour partagé avec une femme, se révolte contre chaque oppression, tente de s'évader à chaque occasion.

Après quatorze ans de réclusion, il obtient enfin une libération conditionnelle et peu retrouver sa compagne. Toujours réfractaire pourtant, il milite contre les QHS[1], devient l'ami de Mesrine[2], organise des évasions et passe dans la clandestinité.

Repris après l'exécution de l'«ennemi public n°1», il replonge pour dix ans et ne sortira qu'en 1988.

Au-delà de la vie rebelle, un témoignage exceptionnel sur la vie carcérale.

Charlie Bauer, *Fracture d'une vie*, Seuil, 1991.

(1) QHS : quartier de haute sécurité. Partie de la prison (aujourd'hui supprimée) où étaient enfermés les prisonniers dangereux.
(2) Mesrine : truand célèbre qui réussit plusieurs évasions spectaculaires. Mort dans une fusillade avec la police en 1979.

Lisez la présentation du livre des mémoires de Charlie Bauer.

a) Retrouvez les principales étapes de sa vie.

b) Relevez le vocabulaire en relation avec les thèmes :
   • **de la prison,**
   • **du délinquant.**

	noms	adjectifs	verbes
prison			
délinquant			

c) Complétez le tableau avec des mots que vous connaissez.

2 LES PREUVES ET LES VÉRIFICATIONS

Complétez avec les mots de la liste.

L'inspecteur Finœil chargé de l'enquête sur le meurtre d'Arlette Gibert, une prostituée, interroge Lambert son souteneur.

Finœil : J'ai la .... que vous avez tué Arlette Gibert.

Lambert : Mais c'est .... vous savez bien qu'à l'heure du crime j'étais au bar «Joker» à l'autre bout de Paris. J'ai des .... qui peuvent .... que j'y étais. Monsieur l'inspecteur, vous n'avez aucune .... contre moi.

Finœil : Lambert, une demi-heure avant le crime, on vous a vu rue Saint-Denis, à côté du studio d'Arlette. Dix personnes nous l'ont .... Vous ne .... pas cela ?

Lambert : Non, mais qu'est-ce que ça prouve ?

Finœil : Et bien, le jour du crime, le métro était en grève. Il y avait un embouteillage monstre dans Paris. Nous avons .... qu'il fallait au moins deux heures pour aller de la rue Saint-Denis au «Joker». Il est .... que vous ayez pu y être à midi. J'ai la .... que vos soi-disant témoins du «Joker» nous ont .... Je vous .... de les avoir .... Ça va leur coûter cher ce .... !

abuser
confirmer
contester
prouver
soudoyer
soupçonner
vérifier
une certitude
une conviction
une preuve
un témoin
un faux témoignage
inconcevable
invraisemblable

3 L'INSTRUCTION ET LE PROCÈS

a) Reconstituez les étapes d'une instruction et d'un procès selon la loi française. La phrase «1» est à la bonne place. Le procès décrit ci-dessous est un procès en cour d'assise (qui juge les crimes).

b) Relevez le nom des différents acteurs du procès et leur fonction.

c) Comparez avec le déroulement d'un procès dans votre pays ou aux États-Unis (d'après les séries télévisées).

1. Le parquet (le ministère public) est saisi de l'affaire. Il ordonne que le suspect soit présenté par la police au juge d'instruction.

2. L'avocat général prononce son réquisitoire et fixe la peine demandée.

3. L'avocat de la défense prononce sa plaidoirie.

4. Le jour du procès, le président de la cour (tribunal) s'assure de l'identité de l'accusé et présente les faits.

5. Le juge d'instruction réunit les éléments de culpabilité ou d'innocence concernant l'inculpé avec l'aide de la police.

6. Les débats sont clos.

7. Le jury et le président retournent dans la salle d'audience. Le président prononce la sentence.

8. L'accusé prend la parole le dernier.

9. Le président entend les experts (médecins, psychiatres par exemple).

10. Le président donne la parole aux avocats de la partie civile (avocats des victimes).

11. La cour (président et magistrats) et le jury (9 personnes) se retirent pour délibérer.

12. Le président appelle un par un les témoins et les interroge. Les avocats peuvent aussi les interroger par l'intermédiaire du président.

13. La chambre d'accusation examine le dossier établi par le juge d'instruction. Si elle estime les charges suffisantes, elle décide de renvoyer (faire passer) l'accusé devant la cour d'assise.

14. Si les preuves retenues par le juge d'instruction lui semblent suffisantes, il transmet le dossier à la chambre d'accusation (magistrats indépendants qui contrôlent le travail du juge d'instruction).

27
L'argent

1 LA BANQUE

Utilisez le vocabulaire du tableau pour dire ce que vous feriez dans les situations suivantes :

1. Votre compte courant est à découvert.

2. Vous voulez acheter une belle voiture mais vous n'avez pas assez d'argent.

3. Un samedi matin, vous vous apercevez que vous n'avez que 40 F d'argent liquide.

4. Dans 8 ans, vous voudriez pouvoir acheter une maison ou un appartement.

5. Vous venez de gagner un million de francs au loto.

6. Vous devez envoyer une importante somme d'argent à un ami et vous avez peur que le chèque se perde.

7. Vous ne savez plus combien il reste sur votre compte.

un compte courant – ouvrir/fermer un compte – créditer/débiter un compte – approvisionner un compte à découvert – un chèque sans provision – déposer/retirer de l'argent – un relevé de compte
un chèque – signer – endosser – déposer – encaisser
faire un virement – envoyer un mandat (par la poste) – une carte de crédit
un placement (placer) – une action – une obligation – un plan d'épargne logement – un livret de caisse d'épargne – économiser – épargner
un crédit – une traite – emprunter/rembourser

2 LES RENTRÉES ET LES SORTIES D'ARGENT

a) Voici des mots que l'on entend souvent quand les Français parlent de leur budget. De quoi s'agit-il dans chaque cas ? Est-ce une rentrée d'argent ou une dépense ?

1. allocations familiales

2. allocations logement

3. cotisation sécurité sociale

4. cotisation retraite

5. assurance voiture

6. assurance logement

7. assurance complémentaire

8. facture de téléphone

9. facture EDF–GDF

10. facture pour l'eau

11. indemnité de chômage

12. impôt sur le revenu

13. impôt foncier

14. indemnité de sinistre

15. loyer

16. prime

17. redevance télévision

18. retraite (pension)

19. revenu minimun d'insertion (RMI)

20. salaire (traitement, honoraires, cachets, etc.)

21. taxe d'habitation

22. traites (crédit)

23. tiers provisionnel

b) Quelles sont les rentrées d'argent et les dépenses :
  • d'un couple de retraités propriétaires de leur logement ?
  • d'un couple (avec un enfant) qui n'est pas propriétaire ?
  • d'une personnes sans ressources ?

3 | LA DÉBROUILLARDISE ET LA RESQUILLE

a) Lisez l'article ci-contre. En puisant dans les adjectifs de la liste
  ci-dessous, caractérisez :
  • l'attitude des jeunes face à l'argent,
  • l'attitude de leurs parents.

**Vous reconnaissez-vous dans ce portrait des jeunes Français (ou, si vous
êtes plus âgé, vous comportiez-vous de cette manière à leur âge) ?**

> généreux/égoïste – dépenser – prodigue/avare – économe
> léger – inconséquent – désinvolte – sans-gêne/responsable – sérieux
> scrupuleux/peu scrupuleux – (des)intéressé – (in)corruptible – profiteur,
> resquilleur/honnête, intègre
> laxiste/autoritaire
> malin – astucieux – rusé – combinard

b) Faites la liste des moyens utilisés par les jeunes pour «se faire de
  l'argent». En connaissez-vous d'autres ?

c) Faites (en groupe) la liste de tous les trucs (combines, ruses,
  stratagèmes) qui permettent :
  • de vivre avec un très petit budget,
  • de resquiller (nourriture, loisirs, etc.).

4 | LES EXPRESSIONS FAMILIÈRES

Le vocabulaire de l'argent est riche en mots et en expresssions
familières. Dans l'histoire suivante, trouvez le sens des mots
soulignés.

Un type a l'habitude de taper tous ses copains. Ceux-ci ont beau se
méfier, ils font chaque fois les frais des ruses qu'il emploie. Un jour, il
sonne à l'improviste chez l'un deux.
« Je te parie cent balles que tu ne devineras pas pourquoi je suis venu
te voir.
L'autre, qui n'a pas envie d'y être encore une fois de sa poche, répond :
– T'es venu pour me demander du fric.
– Et bien t'as perdu ! Je suis venu pour t'inviter. Alors, file-moi les cent balles

---

Les jeunes Français et l'argent

[…] les jeunes sont devenus riches ou, ce qui revient au même pour les commerçants, ils dépensent autant que s'ils l'étaient. «Il est presque impossible d'identifier l'origine sociale d'un jeune à travers sa consommation», confirme Joël Le Bigot, qui dirige l'Institut de l'enfant.

Et quand on sait que les jeunes sont aujourd'hui leaders d'opinion et qu'à ce titre ils influencent 43% de la consommation familiale, soit 400 milliards de francs, on mesure mieux leur importance…

Chouchoutée, la génération cocooning vit encore aux trois quarts chez ses parents, logée, nourrie, blanchie jusqu'à l'âge de 25 ans. L'argent dont elle dispose, elle le consacre donc d'abord à son plaisir : généralement des sorties pour aller entre copains au cinéma, au concert, au théâtre, au restaurant, ou même discuter le coup au café du coin.

Le budget varie selon l'âge et l'activité : en moyenne 150 F d'argent de poche par mois pour les 15-18 ans, de 500 à 1 000 F entre 18 et 25 ans si on est encore étudiant, de 1 000 à 8 000 F si on travaille déjà. Mais «quand les jeunes ont 10 F, ils en dépensent 30», commente Joël Le Bigot. Explication : les petits boulots au noir, les courses faites pour papa sur lesquelles on n'a pas rendu la monnaie, les cadeaux de grand-mère ou de la tante de passage à la maison, voire quelques larcins par-ci, par-là si les temps sont vraiment trop durs. Bref, l'ado dépense sans trop compter, pour sortir et s'amuser.

L'Evénement du Jeudi, 6 au 12 juin 1991.

28
La vie collective et sociale

1 LES ASSOCIATIONS ET LES GROUPEMENTS

a) **Complétez avec les verbes de la liste.**

b) **Soulignez dans les phrases tous les noms synonymes d'«association»**
   et de «groupement».

1. En France, de nombreux syndicats d'enseignants sont ....
au sein de la très puissante Fédération de l'Éducation nationale.

2. Alain est très .... à gauche. À une époque, il a même
.... à la Ligue révolutionnaire. Puis, il s'en est .... et
a rendu sa carte. Il .... maintenant aux réunions du Parti socia-
liste.

3. Si elles veulent remporter les élections, les deux principales forma-
tions politiques de droite doivent ....

4. Le groupe de construction automobile Peugeot et la société Citroën
ont .... en 1976.

5. Pour leur assurance maladie, les étudiants doivent .... à la
Mutuelle nationale des étudiants de France (MNEF).

6. Bien qu'elle soit à la retraite, Mme Ferrier est très active. Elle
.... de plusieurs associations : le club du troisième âge, le
cercle de bridge, l'amicale des amateurs d'art lyrique, le comité de
défense de son quartier. Elle est également souvent .... aux
actions d'un mouvement local de défense de l'environnement qui
.... avec l'association internationale Greenpeace.

> (s')associer – coopérer – fusionner –
> (se) grouper – (se) regrouper – (s')unir
> – adhérer – s'afficher – être engagé
> (s'engager) – faire partie (de) – parti-
> ciper – se séparer (de)

2 S'ASSURER, SE PROTÉGER

a) **Regarder le document p. 65. Quel est le rôle de l'organisme**
   «Fnac conseil» ?

b) **Donnez dix exemples précis de cas où il peut intervenir.**

c) **Relevez :**
   • **le vocabulaire appartenant au thème de l'aide et de la protection,**
   • **le vocabulaire juridique,**
   • **le vocabulaire indiquant le mauvais fonctionnement.**

CONSEIL
vous propose :

La Protection Juridique du Consommateur

Pour votre tranquilité et votre sécurité, une assistance
et une prise en charge complète de vos litiges de consommateur de biens
et de services pour seulement 120 F par an !

Nous intervenons pour :

• vos achats :
Hifi, électroménager, alarmes,
cuisines équipées…
service après-vente, garantie non
respectée relative à un produit,
publicité mensongère…

• votre habitation :
travaux intérieurs mal effectués :
plomberie, électricité,
aménagements divers…

• votre santé :
erreur médicale d'un chirurgien,
négligence hospitalière…

• votre voiture :
factures abusives,
réparations mal faites,
vices cachés, tromperie sur
véhicule d'occasion,
refus de garantie…

• votre argent :
banque, assurance :
pénalités injustifiées,
indemnisation insuffisante.

• vos loisirs :
défaillance d'une compagnie
de charters,
location de vacances…

Nous prenons même en charge les petits litiges puisque nous intervenons dès lors que le montant du préjudice atteint 1 000 F.

Comment nous intervenons :

1 – un examen approfondi de votre litige : nous mettons à votre disposition un juriste compétent qui sera
votre interlocuteur pour gérer tous les aspects de votre dossier.
2 – la recherche d'une solution amiable : le sérieux de nos juristes permet ainsi de régler plus de 75% des litiges dans un bref délai.
3 – Si cela est nécessaire, nous engageons avec votre accord la procédure la mieux adaptée et prenons en charge les frais de justice
(honoraires d'avocat, d'huissier, d'expert), dans le cadre de nos obligations contractuelles.

3 | LES PRÉFIXES *PRO-, ANTI-, CONTRE-, NON-*

Pro- signifie «en faveur de» : un parti *progouvernemental* (favorable au
gouvernement).
Anti-, contre-, non- indiquent l'opposition : *anticonstitutionnel* (contraire
à la constitution), *un contrepoids* (objet qui s'oppose à la force exercée
par un poids), *la non-intervention* (doctrine qui préconise la passivité).

Trouvez les mots correspondant aux définitions suivantes :

1. Hostile aux idées capitalistes.

2. Hostile à la violence.

3. Défenseur et admirateur des Anglais.

4. Favorable aux thèses communistes.

5. Hostile au racisme.

6. Hostile à la religion.

7. Personne qui s'oppose par la force aux partisans d'une révolution.

8. Produit ajouté à l'eau du radiateur d'une voiture pour éviter le gel.

9. Mouvement d'une armée pour riposter à l'offensive ennemie.

10. Service de lutte contre l'espionnage.

11. Erreur d'interprétation d'une phrase ou d'une idée.

12. Personne qui ne se conforme pas aux usages et aux coutumes.

29
Le hasard et les jeux

1 | LES JEUX

a) Classez les jeux énumérés dans la liste ci-contre selon les 10 types suivants :

1. Jeux de cartes...
2. Jeux de stratégies...
3. Jeux de lettres...
4. Jeux de hasard...
5. Jeux de connaissance...
6. Jeux de dés...
7. Jeux de rôles...
8. Jeux de casino...
9. Jeux d'adresse...
10. Jeux de construction...

la ballon – le baby-foot – le billard – les billes – la belote – le bridge – les chiffres et les lettres – les dames – Donjons et dragons – les échecs – le flipper – le go – un jeu de construction – le jeu de l'oie – le jeu des petits chevaux – le loto – une machine à sous – les modèles réduits – le Monopoly – les mots croisés – une panoplie – une planche à roulette – le poker – la poupée – un puzzle – la roulette – le Scrabble – le tarot – le tiercé – le Trivial Poursuit – les jeux vidéo

b) Trouvez un jeu qui permet de développer chacune des facultés suivantes :

l'attention – la mémoire – la réflexion – le raisonnement et l'intelligence stratégique – l'intelligence pratique – l'imagination – la précision verbale – l'adresse physique – le goût du hasard.

2 | LE HASARD ET LA CHANCE

a) Complétez avec les mots de la liste p. 67.

Deux copains parlent de Philippe, un de leurs amis, qui a particulière-ment bien réussi dans la vie.
– Philippe, c'est un gars qui a toujours eu .... Quand on était enfant, on était ensemble à l'internat. Eh bien, si on .... aux cartes, c'était lui qui avait la meilleure .... Quand il y avait un chahut en classe et que le pion désignait .... trois élèves pour être puni, ça ne .... jamais sur lui. Quand on .... celui qui serait de corvée de balayage, il était toujours ....
Tu vois, ce type, la .... est toujours avec lui.

– C'est comme son mariage. Il épouse la fille unique d'un petit épicier veuf qui fait deux mois après un héritage colossal et meurt l'année suivante. Là vraiment il a ....

– Oui, mais c'est tout à son honneur. Cet héritage était totalement .... Ça a été un .... quant à la mort de l'épicier, elle est purement .... Il s'est tué en voiture. Non, Philippe ne doit rien à personne. Il a un .... considérable : il est entreprenant, aventurier, il a de l'intuition et il n'a pas peur de .... gros. Tiens, l'année du bicentenaire de la Révolution, il avait........................... la moitié de sa fortune sur des actions de sociétés qui fabriquent des feux d'artifice. Elles ont triplé en quelques mois !

– Là il a fait ....

– C'est comme quand il a débuté à la fin des années 70. Il a tout de suite compris les .... considérables du futur marché des jeux vidéo. Il s'est lancé là-dedans et il a gagné le ....

---

jouer – un jeu – une donne – un atout – miser (la mise) – parier (un pari) – un enjeu – tirer au sort
gagner/perdre – tomber sur – tirer le bon numéro – gagner le gros lot – faire un joli coup imprévu – inattendu – fortuit – aléatoire – accidentel
le hasard (au hasard – par hasard) – la chance (tenter sa chance – avoir de la chance – un coup de chance) – le destin – le sort (tirer au sort)

b) Êtes-vous superstitieux ? Faites la liste des objets et des actions qui portent bonheur ou qui portent malheur. Indiquez aussi vos objets fétiches (ceux qui vous portent chance).

– Porte bonheur (en France : le chiffre 13, une coccinelle, un fer à cheval, une patte de lapin).

– Porte malheur (en France) : un chat noir, renverser le sel sur la table, passer sous une échelle, etc.

3 | LES EMPLOIS MÉTAPHORIQUES

Utilisation du vocabulaire des jeux de hasard. Reformulez les phrases suivantes en utilisant le vocabulaire des jeux de hasard.

1. Le choix de la grande salle de Bercy pour le spectacle d'Etienne Daho était risqué. Mais l'acteur a parfaitement réussi.

2. La négociation peut avoir d'énormes conséquences.

3. Pour résoudre le chômage, le gouvernement pense que la meilleure solution est la relance économique.

4. Cette réunion n'est pas préparée. Comment va-t-elle se dérouler ? Qui va parler en premier ? Il faut un peu d'organisation.

LA PENSÉE

30
L'intelligence

1 LA CONNAISSANCE ET L'IGNORANCE

Trouvez des emplois possibles aux verbes suivants :

– elle sait

– elle connaît

– elle est au courant (de)

– elle est informée (de)

– elle est dans le coup

– elle a conscience (de)

– elle ignore

– elle méconnaît

– le récent mariage de Jacques qui a eu lieu dans l'intimité

– tous les détails de l'affaire

– l'Égypte

– skier

– au sujet du cadeau que l'on doit faire à Paul à l'occasion de son départ

– le nom du maire

– le maire

– la valeur de son collaborateur

2 LES MODES DE PENSÉE

Les deux parties de notre cerveau fonctionnent de façon différente. Chacune développe des aptitudes particulières. Chez la plupart d'entre nous, une des deux parties domine et nous impose certaines compétences.

Quelle dominance (cerveau droit ou cerveau gauche) sera favorable pour exercer les professions suivantes ?

– artiste peintre

– comptable

– chercheur scientifique

– commissaire de police

– conducteur d'autobus

– médecin

– assistante sociale

– journaliste

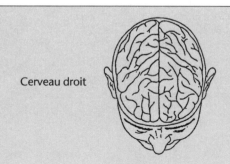

Cerveau droit   Cerveau gauche

Mode de pensée

Cerveau droit
Il est conscient des choses mais ne les nomme pas nécessairement – il a souvent recours aux gestes et aux images.
Il a l'esprit de synthèse, c'est-à-dire qu'il réunit les parties pour former un tout.
Il voit les choses telles qu'elles sont.

Il procède par analogies et perçoit les similitudes.
Il n'a pas la notion du temps.
Il se fie à l'intuition et à l'instinct.
Il n'a pas la notion des chiffres.
Il a une bonne notion des relations dans l'espace.
Il est intuitif.
Son mode de pensée est intégral – il voit des modèles qui relient les idées entre elles pour former un tout.

Cerveau gauche
Il traite les idées verbales et utilise des mots pour décrire le monde.

Il analyse, c'est-à-dire décompose les choses en parties constitutives.
Il utilise des symboles pour représenter les choses.

Il isole les informations importantes de l'ensemble.
Il a une bonne notion du temps.
Il se fie aux faits et au raisonnement.
Il a une bonne notion des chiffres.
Il a du mal à appréhender les relations dans l'espace.
Il est logique.
Son mode de pensée est linéaire – les idées se suivent.

Qui êtes-vous ?
Marabout. Groupe Diagram

N.B. : Nuancez vos réponses. Par exemple, un vendeur devra être cerveau gauche dominant (capacité verbale, compétence en calcul, etc.) mais il devra aussi faire preuve d'intuition (cerveau droit).

3 LA RECHERCHE ET LA DÉCOUVERTE

a) La recherche. Voici des verbes synonymes de «chercher».

  • **Trouvez les noms formés avec ces verbes.**

  • **Utilisez ces noms et ces verbes pour décrire les activités :**

– d'un archéologue

– d'un inspecteur de police

– d'un médecin

– d'un chevalier du Graal

(Vous pouvez également utiliser les synonymes de «trouver».)

chercher
enquêter
examiner
explorer
fouiller
fureter
investiguer
rechercher
se mettre en quête (de)

b) La découverte. Complétez avec les synonymes de «trouver». Donnez les noms correspondant à ces verbes.

1. En furetant chez les antiquaires j'ai .... une jolie petite table Louis XVI. Il ne me reste plus qu'à me .... deux fauteuils. Ce sera superbe dans un coin du salon.

2. L'inspecteur de police n'a pas encore .... le crime de la rue Féréol. Mais il a cru .... chez un suspect des signes d'inquiétude et de nervosité. C'est peut-être lui le coupable.

3. Avec des appareils spéciaux, les archéologues ont .... la présence d'objets en métal dans le sous-sol de cette colline. En fouillant, ils ont .... un site antique dont on n'a pas encore .... la mystérieuse origine.

4. «Tu ne .... jamais qui j'ai rencontré cet après-midi ! Benoît de Grenoble, tu sais, mon copain de régiment ! Je suis .... sur lui par hasard sur le boulevard Saint-Michel. Il est ingénieur dans l'électroménager et il vient de .... un procédé révolutionnaire pour faire les mayonnaises sans les rater.»

déceler
découvrir
dénicher
détecter
deviner
élucider
mettre à jour
percer
se procurer
tomber sur

31
L'imagination et la création

1 LA PERSONNE CRÉATIVE

L'esprit de créativité n'est pas une qualité que doivent posséder seulement les artistes. Il est aujourd'hui requis pour exercer de nombreuses professions (publicitaire, animateur, commercial, gestionnaire, etc.).

a) Parmi les 30 traits de caractère énumérés ci-contre, 15 sont considérés par les psychologues comme favorables à la créativité, les 15 autres sont défavorables. Essayez de retrouver lesquels en composant deux listes.

b) Lisez l'article ci-dessous. En quoi Béatrice est-elle :

excentrique – imaginative – hardie – réaliste – astucieuse – traditiona- liste – humoriste ?

Imaginez un moyen original

– de déclarer votre amour à l'élu(e) de votre cœur ;
– d'obtenir un poste dans une entreprise ;
– d'attirer l'attention de quelqu'un qui vous plaît ;
– de faire un grand voyage «à l'œil» (sans rien payer).

aisance – agressivité – amour de l'argent – ambition – antipathie – crainte du ridicule – critique systématique – curiosité – désir de plaire – goût du risque – habileté manuelle – hyper-spécialisation – joie de vivre – mauvaise écoute des autres – narcissisme – passivité – pessimisme – peur et appréhension – respect de l'autorité – rêve – routine – orgueil – rigidité de vue – sens de la beauté – sens de l'humour – sens de la communication – sensibilité – timidité ou modestie excessive – volonté et persévérance – volonté de gagner

Une déclaration d'amour sponsorisée

Quand on est amoureux, on a envie de le dire à l'élu de son cœur, mais aussi au monde entier. C'est ce qu'a fait Béatrice, une jeune Parisienne. Pour répondre à la demande en mariage de son amou- reux, elle n'a pas hésité à louer le grand panneau d'affichage qui fait face à son immeuble. Ainsi, lorsque son fiancé, Bernard a ouvert ses volets, il a découvert une affiche de quatre mètres sur trois, illustrée de deux cœurs entrelacés avec cette déclara- tion : «Béatrice dit oui à Bernard.» Pour réaliser son entreprise, la jeune femme a vraiment fait preuve d'un bel esprit d'initiative. Ses moyens finan- ciers ne lui permettant pas d'assumer le coût plutôt élevé de l'affichage (5 000 francs pour sept jours), elle a cherché des «sponsors». Elle a pris contact avec la boutique mariage des Galeries Lafayette qui a accepté de prendre en charge l'opération. Une bonne affaire pour tout le monde !

Femme actuelle, n° 379, 30.12.91

2 | DE L'IDÉE À LA RÉALISATION

Recherchez dans le tableau les mots nécessaires aux discours suivants :

a. Un grand couturier présente à un journaliste les différents ateliers de sa maison de couture depuis les bureaux où l'on conçoit les modèles jusqu'aux salons de présentation.

b. Un écrivain raconte les étapes de la réalisation d'un roman.

c. Un futur propriétaire se fait expliquer par le maître d'œuvre de la maison qu'il a commandée les étapes de la construction.

«Très vite nous devons voir un architecte pour .... Dans un mois nous pourrons commencer les ....»

Le projet	La réalisation	Les retouches	Les finitions
concevoir – avoir l'idée de… imaginer faire un projet (projeter), un plan, une maquette, un brouillon, une ébauche, un croquis, une esquisse, un patron, un modèle	faire – fabriquer – réaliser – produire – composer – construire confectionner – monter préparer – élaborer	retoucher raturer rajouter reprendre améliorer refaire	finir (les finitions) achever (l'achèvement) terminer mettre une dernière main à… parfaire

3 | L'AMÉLIORATION

Des experts ont évalué le fonctionnement de l'entreprise Coloria qui commercialise des vêtements pour jeunes. Voici la liste des points faibles de l'entreprise.
En utilisant les verbes ci-contre, faites la liste des 10 conseils que les experts vont donner au directeur de Coloria.

L'équipe dirigeante est trop nombreuse.
Exemple : a → «Réduire l'équipe dirigeante.»

1. Le directeur n'a aucune relation avec le personnel.

2. Certains services n'utilisent pas les technologies nouvelles.

3. On ne tient pas compte des suggestions faites par le personnel.

4. Les techniciens créatifs ne sont jamais récompensés.

5. Les concurrents proposent des produits moins chers.

6. Les salaires n'ont pas bougé depuis trois ans.

7. Certaines collections ne correspondent pas au goût du public.

8. De nombreuses dépenses sont inutiles.

9. Beaucoup de vêtements comportant des défauts sont commercialisés.

adapter…
améliorer…
augmenter…
diminuer…
être à l'écoute de…
intéresser… à…
moderniser…
réduire…
supprimer…
vérifier…

32
Le raisonnement

1 LA DÉDUCTION

a) Comparez les méthodes de travail de ces deux policiers célèbres. Sur quelles facultés intellectuelles comptent-ils pour découvrir la vérité ? Comment se déroule leur enquête ?

Le commissaire Maigret, héros des romans de Georges Simenon souvent adaptés au cinéma et à la télévision.

Sherlock Holmes, héros des romans de Conan Doyle.

Maigret laisse toujours transparaître l'homme derrière le policier. La cinquantaine assez lourde, un peu «pachyderme», précise l'auteur, ce Français moyen que ses missions arrachent au confort douillet de son appartement du boulevard Richard-Lenoir, a conservé de ses origines bourbonnaises (son père était régisseur d'un château près de Moulins) un bon sens et des allures plébéiennes. [Il] se fie davantage à son flair, son intuition et à sa connaissance des hommes. Traînant sa silhouette massive à travers l'atmosphère enfumée des bistrots et des paysages brumeux, ne quittant sa pipe que pour absorber de la bière, sa boisson favorite, le commissaire plonge dans le milieu où le crime s'est produit, se met à l'écoute des êtres et des choses, s'en imprègne, accumule patiemment les données et informations, essaie toujours de comprendre de l'intérieur plutôt que de juger les personnes. Aussi n'éprouve-t-il guère de joie à porter l'estocade finale : ses enquêtes s'achèvent sur une note d'amertume, dans un climat de fatigue et de dépression. «Policier de l'âme», disait de lui R. Kemp – la formule est valable dans tous les sens – Maigret sait que si la recherche criminelle est une tâche difficile, «le métier d'homme» l'est encore davantage.

Détective amateur, mélomane et toxicomane, le héros de Conan Doyle s'ennuie dans son appartement douillet du 221, Baker Street, mais l'intrusion du mystère ou l'appel au secours d'une personne terrorisée le précipitent sur les chemins de l'aventure. Homme d'action (au contraire de Dupin[1] qui résolvait les problèmes les plus ardus sans sortir de sa chambre) et de réflexion, Holmes, toujours flanqué de son fidèle ami, le débonnaire Watson, s'emploie à démêler les fils les plus embrouillés. Relevant minutieusement les détails en apparence insignifiants, mais qui sont en réalité autant d'indices précieux dont le sens se dégage dès qu'il les replace dans l'ordre logique des faits, il en tire des conséquences prodigieuses et reconstitue habilement l'histoire. Une fois le coupable ainsi identifié, il n'a plus qu'à lui livrer combat, lui tendre des pièges et expliquer, *in fine*, le processus implacable qu'a suivi sa merveilleuse machine cérébrale : «Élémentaire, mon cher Watson…». [Il] représente l'archétype de l'enquêteur perspicace dont l'intelligence abstraite et l'esprit de déduction permettent de relier, d'une manière fulgurante, les causes et les effets et de dénouer les rébus policiers complexes.

(1) Dupin : héros de nouvelles policières d'Edgar Poe

Aziza, Olivieri, Sctrick, *Dictionnaire des figures et des personnages*, Garnier, 1981.

b) Faites la même recherche pour d'autres policiers célèbres (romans, cinéma, télévision).

2 | LA RÉFLEXION

Que font-ils ? Quel est le déroulement de leur pensée dans les circonstances suivantes ? Utilisez le vocabulaire de la liste.

1. Claudine est au chômage. On vient de lui proposer deux postes loin de sa ville.

2. André est en train d'écouter la conférence d'un célèbre philosophe qui bouleverse ses conceptions de la vie.

3. Au cours d'un cocktail où vous connaissiez la plupart des gens, on vous a volé votre portefeuille.

4. Annie doit faire un mémoire sur un sujet qu'elle ne connaît pas.

5. Votre voiture est en panne. Vous essayez de la réparer.

analyser	faire une synthèse
comparer	faire le point
comprendre	imaginer
se concentrer	induire
(se) décider	méditer
déduire	mémoriser
se documenter	observer
envisager	prendre des notes
faire des	réfléchir
hypothèses	se renseigner
faire des essais	se rendre compte

3 | LA FOLIE

On peut avoir à parler de la vraie folie (la maladie mentale). C'est heureusement assez rare. On dira alors : «C'est un fou – un malade mental – un déséquilibré – un dément – etc.» ou on utilisera plus précisément un terme de psychiatrie (un schizophrène – un obsessionnel – etc.).

Mais le plus souvent, il s'agit de caractériser une attitude déraisonnable, illogique, extravagante, excessive, etc. Dans ce cas «c'est fou» ce que le vocabulaire peut être riche en expressions familières. En voici quelques-unes.

Retrouvez le sens propre de ces mots. Recherchez pourquoi ils sont utilisés pour l'expression de la folie.

C'est un…
Il est (complètement)…
détraqué – timbré – toqué – fondu – marteau – sonné – siphonné – tapé – frappé – tordu – cinglé – dingue – zinzin – etc.

Il n'a plus sa tête – Il déménage – Il déraille – Il débloque – Il a perdu la tête (la boule – la boussole) – Il travaille du chapeau – Il a des ratés dans le moteur – Il a pété un boulon (une durite) – etc.

33
Les jugements

1 | L'OPPOSITION

Lisez son discours. Il est pour le gouvernement. Que dira son adversaire politique qui est contre le gouvernement ?

> Moi, je trouve que ce gouvernement est très efficace. Ce sont des gens compétents, travailleurs et honnêtes qui nous gouvernent. Depuis qu'ils sont au pouvoir, ils ont fait de très bonnes choses. Oui, ils ont raison ! Il faut augmenter les impôts pour les revenus les plus élevés. Il faut allonger la durée des congés. Il faut nationaliser les sociétés privées. Et puis, il faut entreprendre le désarmement. Le budget de la défense coûte trop cher au pays. Et je les approuve totalement quand ils disent que la priorité des priorités, c'est l'éducation.

> Eh bien moi, je trouve que ce gouvernement est totalement inefficace…

2 | LES PRÉFIXES D'OPPOSITION

Le préfixe *in-* se construit avec un adjectif (ou un nom formé avec cet adjectif).
apte → *inapte* (qui n'est pas apte) – aptitude → *inaptitude*
Ce préfixe devient *im-* devant un adjectif commençant par *m, b, p*
(possible → *impossible*).
ir- devant un adjectif commençant par *r*
(réel → *irréel*).
il- devant *l* (logique → *illogique*).
Le préfixe *a-* indique une absence (*apatride* : qui n'a pas de patrie).

a) Trouvez l'adjectif qui exprime l'idée contraire. Trouvez le nom correspondant à l'adjectif formé.

1. une écriture lisible
2. un sommet accessible
3. un héros mortel
4. une action légale
5. un incident qui n'est pas normal
6. un employé capable

b) Trouvez les adjectifs correspondant à ces définitions.

1. personne qui n'a pas de respect pour les autres.

2. personne qui agit contrairement aux lois morales.

3. personne qui n'a pas de morale par choix philosophique.

4. personne dont l'attitude est contraire à la religion.

5. personne qui rejette l'idée de religion.

6. qui ne bouge pas.

7. sur lequel on ne peut pas revenir.

8. surprenant, jamais entendu.

9. nourriture répugnante.

| déformer – découvrir – découper – découdre – décoller – déjeuner – déclamer – défiler – déplier – déplaire – desservir – désunir – défaillir – démonter – dérégler – démanger |

Le préfixe *dé-* (*dés-* devant une voyelle ou *h*) se construit avec les verbes. Il indique une idée contraire : faire → *défaire* – habiller → *déshabiller*

c) **Dans la liste suivante, trouvez les cinq verbes qui ne sont pas construits avec un préfixe *dé-* négatif.**

Exemple : «dépasser» ne signifie pas le contraire de «passer».

3 | LA VÉRITÉ – L'EXACTITUDE – L'AUTHENTICITÉ

Trois personnes réagissent aux phrases suivantes : André approuve totalement, Béatrice approuve avec réserve, Claudine nie totalement. Utilisez les mots de la liste pour les faire parler.

Exemple : Cette voiture date de 1913.
A. C'est sa date exacte de sortie.   B. C'est possible.   C. Non, la date est erronée.

1. Il y a eu 257 morts dans cet accident d'avion.

2. Ce tableau est de Picasso.

3. Vous connaissez la nouvelle ? On dit que Patrick va épouser Anne.

4. Que pensez-vous des histoires qu'il nous a racontées sur son voyage en Chine ?

5. J'ai acheté ce fauteuil d'occasion. Vous croyez qu'il est en cuir ?

6. Moi, je crois que dans cette affaire de crime, le coupable, c'est le père.

| admissible – artificiel – authentique certain – crédible – erroné exact – faux – inexact inventé – juste – plausible possible – probable – sûr sans fondement – vraisemblable véritable – vrai affirmer – admettre – approuver – confirmer – démentir – douter – être d'accord – hésiter – s'inscrire en faux – nier – rejeter |

4 | LA BANALITÉ ET L'ORIGINALITÉ

Trouvez les caractérisations contraires.

1. des idées rebattues → nouvelles

2. un fait divers banal

3. des manières communes

4. un comportement normal

5. une tenue conforme

6. un homme ordinaire

7. un vin ordinaire

8. un visage ordinaire

9. un style expressif

10. un discours intéressant

11. un paysage exotique

12. un geste surprenant

13. un timbre rare

14. des pluies rares

15. un devoir brillant

16. une conclusion paradoxale

| anormal – bizarre – courant – distingué – évident – excentrique – familier – fréquent – habituel – hors du commun – insignifiant – médiocre – original – plat – de qualité supérieure |

34
La totalité et les parties

1 | L'EXISTENCE ET LE MANQUE

Complétez avec un verbe de la liste.

a) Exprimez l'existence.

1. De grands troupeaux d'éléphants .... en Afrique.

2. .... un grand embouteillage sur l'autoroute A6.

3. Ce pull .... en trois coloris : noir, blanc, et bleu marine.

4. Des maisons qui n'ont ni eau courante ni électricité, oui, ça .... encore en France mais c'est rare.

5. Une atmosphère suffocante .... dans la pièce.

exister
il y a
régner
se rencontrer
se trouver
se voir

b) Exprimez l'absence.

1. À cause d'une panne, la ville .... d'électricité.

2. En classe, trois élèves .... aujourd'hui pour cause de maladie.

3. Dans certaines régions d'Afrique, la nourriture .... cruellement et les médicaments d'urgence ....

4. Dans la liste des lauréats du bac, un nom ....

être absent
être privé de
être omis
faire défaut
manquer

2 | LA POSSESSION

a) Avec les mots de la liste, formez 10 couples de mots synonymes.

Exemple : appartenir – être à

b) Utilisez les verbes de la liste (ainsi que d'autres verbes que vous pouvez apporter) pour construire de brefs scénarios (4 à 6 étapes) suggérés par les titres suivants :

1. M. Richard fait fortune

2. Cambriolage

3. L'avare puni

4. Ruine d'une fortune

appartenir	égarer
avoir	être à (quelqu'un)
chercher	fouiller
confier	garder
conserver	offrir
découvrir	posséder
déposer	perdre
dépenser	placer
dilapider	prêter
donner	trouver

Exemple : 1. Monsieur Richard *possède* déjà une maison et un peu d'argent. Un ami lui *confie* une grosse somme. M. Richard *place* cette somme à la banque, etc.

3 | LES PARTIES D'UN ENSEMBLE

Quels mots de la liste utiliseriez-vous pour nommer les parties des ensembles suivants ?

N.B. : Dans la plupart des cas, plusieurs mots conviennent mais il y a entre eux des nuances de sens. Notez ces nuances.

Exemple : *la population* :

→*une partie* de la population.

→*une fraction* : indique en général une partie dont on peut chiffrer l'importance (cf. : une petite fraction de la population…)

→*les composante*s ethniques, religieuses, sociales, etc.

→*les éléments* : les individus

– une ville	– une collection d'œuvres d'art
– un pain	– un programme de travail
– un rocher	– une coalition politique
– un dossier	

> un bout – une composante – un élément – un fragment – une fraction – un morceau – une miette – une partie – un parti – une pièce – un quartier – une tranche

4 | L'ENSEMBLE ET LES PARTIES

a) Classez les mots de la liste en bas de page dans le tableau ci-contre selon deux idées.

① *Idée d'inclusion des parties dans un ensemble :* l'Allemagne, l'Angleterre, la Belgique, etc. *forment* la CEE.

② *Idée de division d'un ensemble :* au IVe siècle, l'empire romain *se morcelle* en petits territoires.

① Idée d'inclusion	② Idée de division
former	se morceler

b) Utilisez ces verbes pour compléter le texte suivant. Relevez les noms qui expriment l'idée d'ensemble.

Certaines langues se ressemblent. C'est ainsi que l'espagnol, le portugais, le français, l'italien et le roumain .... le groupe des langues néo-latines. L'anglais et l'allemand .... de la famille des langues germaniques.

Les linguistes et les historiens ont tenté d'aller plus loin dans la constitution de regroupements. Georges Dumézil a le premier fait l'hypothèse de l'indo-européen, une langue parlée en Europe centrale au VIIe millénaire avant notre ère. Cette langue serait à l'origine de l'ensemble indo-européen qui .... les langues germaniques, latines, le grec, le perse et le sanskrit. D'autres linguistes pensent que le géorgien .... aussi à ce groupe et qu'on peut aussi y .... les langues afro-asiatiques. L'assemblage de langues ainsi constitué trouverait son origine au XIIe millénaire.

Dans l'état actuel de la recherche, on pense que les 6000 langues différentes que .... actuellement la planète découlent de sept langues mères qui se seraient .... au cours de l'Histoire.

> appartenir (à) – composer – comprendre – compter – contenir – constituer – (se) décomposer – (se) dédoubler – (se) diviser – découper – englober – faire partie (de) – former – fractionner – fragmenter – inclure – morceler – partager – renfermer – séparer.

35
L'ordre et le classement

1 │ L'ORGANISATION

a) Quels sont les mots qui permettent de nommer les types d'organisation suivants ?

Exemple : *le plan* d'un discours

1. d'un discours
2. d'un bâtiment
3. des différents services d'une entreprise
4. d'un ensemble de dossiers
5. d'un stage
6. du temps scolaire
7. des classes sociales
8. d'un ensemble de routes
9. d'un ensemble d'objets dans une pièce
10. d'un ensemble de tâches effectuées par plusieurs personnes
11. des fleurs dans un vase
12. d'une séance de travail
13. d'une phrase

l'architecture – le classement – la composition – la disposition – l'emploi du temps – la hiérarchie – l'infrastructure – l'ordre du jour – l'organigramme – le plan – le programme – le rangement – la répartition – la structure

b) Choisissez parmi les verbes de la liste ceux qui conviennent le mieux aux activités des personnes suivantes. Donnez les noms correspondant à ces verbes.

1. le facteur
2. la secrétaire
3. l'inspecteur de police
4. la ménagère
5. l'officier militaire (face à ses troupes)
6. le chef d'entreprise

aligner – classer – coordonner – débrouiller – démêler – disposer – distribuer – grouper – mettre de l'ordre – mettre en ordre – mettre en rangs – organiser – placer – ranger – régler – répartir – (re)structurer – trier

2 │ L'IDÉE D'HARMONIE

a) Répondez aux questions.

b) Relevez les mots qui évoquent l'idée d'harmonie.

1. Avec quoi s'accorde le sujet d'une phrase ?

2. Avec quelle(s) fonction(s) la fonction de député n'est-elle pas compatible ?

3. Avec quoi se combine l'oxygène pour former de l'eau ?

4. À quel type de carburant le pot catalytique est-il adapté ?

5. Dans quel type de cuisine le salé et le sucré se marient-ils bien ?

6. Le signe astrologique du lion et celui du scorpion sont-ils assortis ?

7. Avec quelle(s) couleur(s) le jaune s'harmonise-t-il ?

8. Quel est l'aliment qui ne convient pas aux diabétiques ?

9. Quelle est la température adéquate à laquelle on doit servir un vin rouge ?

10. La politique et la morale vont-elles souvent ensemble ?

3 | LES PRÉFIXES INDIQUANT LE DEGRÉ

a) **Dans les énoncés suivants relevez les préfixes utilisés. Classez-les dans le tableau.**

– un hypermarché

– une minijupe

– un fil extra-souple

– une balance ultra-sensible

– une infrastructure routière

– un ouvrier sous-employé

– deux solutions équivalentes

– un employé super-motivé

– un produit archi-demandé

– une crise d'hypoglycémie

– le subconscient

– surestimer quelqu'un

Préfixes indiquant la supériorité ou l'intensité	Préfixes indiquant l'égalité	Préfixes indiquant l'infériorité

b) **Trouvez l'équivalent des expressions en italique en employant l'un des préfixes étudiés ci-dessus.**

1. un employé *insuffisamment payé*

2. une personnalité *très connue*

3. véhicule *pour observer le fond des mers*

4. un événement *qui n'est pas ordinaire*

5. deux villes situées à la *même distance* d'une troisième ville

6. rayons *invisibles qui, dans le spectre des couleurs, se situent au-dessous du rouge*

7. un enfant *que l'on protège trop*

8. un exposé *particulièrement intéressant*

9. une *tension artérielle supérieure à la normale*

10. une *tension artérielle inférieure à la normale*

11. une *très petite* voiture

12. une voiture *très rapide*

36
La cause et l'effet

1 | LA CAUSE

La cause peut s'exprimer par des noms (la cause, l'origine, etc.), des verbes (venir de, découler de, etc.), des locutions (en raison de, du fait de, etc.). Répondez aux questions en utilisant les éléments du tableau et les mots entre parenthèses.

LE SAVEZ-VOUS ?

1. Pourquoi les Français sont-ils en congé le 1ᵉʳ mai ? (en raison de…)

2. Pourquoi les Français ont-ils construit la tour Eiffel ? (le motif… à la suite de… grâce à…)

3. D'où viennent les noms des notes de musique : do, ré, mi, fa, sol… ? (venir de… être à l'origine de…)

4. Quelles sont les causes du déclenchement de la guerre de 1914-1918 ? (le point de départ… le prétexte…)

5. Quelle est l'origine de la crise économique de 1974 ? (découler de… du fait de…)

6. Pourquoi les femmes ne votaient-elles pas avant 1944 ? (faute de…)

7. D'où vient le bronze ? (résulte de…)

> a. L'assassinat de l'archiduc François-Ferdinand d'Autriche à Sarajevo (Bosnie) le 28/06/1914.
> b. Droit de vote accordé aux femmes le 05/10/1944.
> c. La Fête du travail.
> d. L'exposition universelle de 1889 a lieu à Paris. Par la suite, la tour Eiffel est utilisée par les ministères de la Défense et de l'Information pour les transmissions radio.
> e. Les six premières syllabes des six premiers vers de l'hymne des Vêpres de saint Jean-Baptiste.
> f. Les pays producteurs de pétrole décident de doubler le prix du pétrole brut.
> g. Alliage de cuivre et d'étain.

2 | LA CONSÉQUENCE

a) Lisez le texte p. 83. Faites la liste des différents effets que le café peut avoir sur une personne.

b) Présentez ces effets en utilisant le vocabulaire du tableau ci-contre.

Exemple : le café *provoque* le retard de l'endormissement.

c) En utilisant le vocabulaire du tableau, présentez les conséquences suivantes :

– les méfaits du tabac (maladies, fatigue, perte de mémoire, etc.),
– les effets que produit chez vous une période de vacances.

Expressions de la conséquence		
noms	verbes	locutions
la conséquence	causer	donc…
l'effet	provoquer	par conséquent…
la suite	permettre	c'est pourquoi…
l'incidence	amener	de sorte que…
la répercussion	entraîner	de façon que…
la réaction	créer	au point que…
le retentissement	engendrer	
	faire naître	
	rendre + adj	
	donner + adj	
	agir sur, faire + adj	

"Quels sont les effets du café sur notre organisme ?"

Depuis son introduction en France, à la cour de Louis XIV par l'ambassadeur de Turquie, le café a tour à tour été accusé de tous les maux et paré de toutes les vertus. Naturellement pauvre en calories (environ deux calories pour une tasse non sucrée), le café est une source de minéraux. Il apporte des quantités appréciables de potassium, de magnésium et de manganèse. Bons ou mauvais, ses effets sur l'organisme varient d'un individu à l'autre en fonction de la vitesse à laquelle il élimine la caféine, un stimulant de l'activité du système nerveux. Ses propriétés psychostimulantes peuvent retarder l'endormissement, perturber le sommeil, accroître la vigilance, les performances telles que la perception visuelle, la conduite automobile et l'endurance sportive. Par exemple, 300 mg de caféine augmentent la vitesse de coup de poing des boxeurs et prolongent l'endurance des cyclistes. De récentes études ont même montré qu'elle améliore la rapidité d'exécution, procure un sentiment de bien-être et donne un bon moral. Elle est également susceptible de favoriser les contractions de la vésicule biliaire et de l'intestin, facilitant ainsi la digestion. L'action du café sur la pression artérielle varie aussi selon les sujets : elle n'augmente pas pour les consommateurs habituels et s'élève modérément pour les buveurs occasionnels. Mais attention : consommé à trop fortes doses, le café peut entraîner une accélération du rythme cardiaque et une perte d'appétit avec maux d'estomac et troubles nerveux.

Ça m'intéresse,
septembre 1992, n° 139

3 LES SUFFIXES DE CAUSE/CONSÉQUENCE (*-IR, -ISER, -IFIER*)

Certains suffixes permettent de former avec l'adjectif un verbe ayant un sens de conséquence.

Le suffixe *-ir* (voir 51 – Ex. 3)

En travaillant au jardin Sylvain *a sali* sa chemise. (salir = rendre sale).

N.B. Très souvent la formation de ces verbes exige un préfixe (rendre tendre → attendrir).

a) Trouvez l'adjectif avec lequel ces verbes ont été formés.
Trouvez le verbe de sens contraire.

Exemple : rétrécir : étroit ≠ large → élargir

1. grossir	3. noircir	5. renforcer	7. allonger
2. embellir	4. rapetisser	6. durcir	8. enrichir

Le suffixe *-iser.*

Les déclarations intempestives du député *fragilisent* l'unité de son parti (fragiliser = rendre fragile).

b) Remplacer les mots en italique par un verbe en *-iser.*

1. Au XVIIe siècle, les pays d'Europe *sont allés convertir au christianisme* d'autres parties du monde.

2. L'avortement *a été rendu légal* en France vers 1976.

3. *On utilise de plus en plus de machines* dans l'agriculture.

Le suffixe *-ifier.*

Dans la grotte, le son de la voix *est amplifié* (amplifier = rendre plus ample).

c) Remplacer les mots en italique par un verbe en *-ifier.*

1. Il a su *rendre* le problème *plus simple.*

2. La chaleur *a rendu* le beurre *liquide.* En le mettant dans le réfrigérateur, il *est* à nouveau *devenu solide.*

3. Grâce au filtre l'eau *est devenue pure.*

37
La ressemblance et la différence

1 L'IDENTITÉ ET LA DISSEMBLANCE

En utilisant le vocabulaire du tableau, comparez ces trois illustrations du personnage de Don Quichotte. Qu'ont-elles en commun ? En quoi chacune est-elle spécifique ?

Gustave Doré

Picasso

Daumier

La ressemblance	La dissemblance
être pareil à, identique à (l'identité) se ressembler (la ressemblance) se rapprocher de... (un rapprochement) être conforme à..., équivalent à... avoir quelque chose en commun	être différent de (la différence – différer) être dissemblable (la dissemblance) se distinguer de (une distinction) – se caractériser par... (une caractéristique – une nuance – une particularité – une spécificité) – s'écarter de... (un écart) – contraster (un contrat) s'opposer (une opposition – une contradiction – une antinomie – une antithèse)

2 LES MODÈLES ET LES REPRODUCTIONS

Qu'utilisent, que produisent les professionnels suivants ?

1. L'architecte qui conçoit un bâtiment.

2. La couturière qui confectionne une robe.

3. L'étudiant des Beaux-Arts qui s'exerce à dessiner le corps humain.

4. L'ingénieur qui met au point une nouvelle voiture.

5. Le décorateur qui peint les lettres d'une enseigne.

6. Le sculpteur qui va couler une statue en bronze.

7. L'humoriste qui imite les styles de ses contemporains.

8. L'écrivain sans inspiration qui copie l'œuvre d'un confrère.

une copie
un calque
un pochoir
une imitation
un mannequin
une maquette
un modèle
un moule
un pastiche
un patron
un plagiat
un plan
un prototype

3 | LES DIFFÉRENCES CULTURELLES

Les hommes se ressemblent-ils plus qu'ils ne diffèrent et y a-t-il une «nature humaine» commune à tous les individus ? Lucien Malson pense le contraire et accumule les exemples qui montrent que les comportements varient selon les cultures.

Les notations abondent qui réfutent la thèse d'une exacte similitude spécifique et toutes montrent comment l'éducation modèle la personnalité de base – l'intelligence et le caractère ethniques –. L'homme reçoit du milieu, d'abord, la définition du bon et du mauvais, du confortable et de l'inconfortable. Ainsi le Chinois va-t-il vers les œufs pourris et l'Océanien vers le poisson décomposé. Ainsi, pour dormir, le Pygmée recherche-t-il la meurtrissante fourche de bois et le Japonais place-t-il sous sa tête le dur billot. L'homme tient aussi, de son environnement culturel, une manière de voir et de penser le monde. Au Japon, où il est poli de juger les hommes plus vieux qu'ils ne paraissent, même en situation de test et de bonne foi, les sujets continuent de commettre des erreurs par excès. On a montré que la perception, celle des couleurs, celle des mouvements, celle des sons – les Balinais se montrent très sensibles aux quarts de ton par exemple – se trouve orientée et structurée selon les modes d'existence. [...] L'homme emprunte enfin à l'entourage des attitudes affectives typiques. Chez les Maoris, où l'on pleure à volonté, les larmes ne coulent qu'au retour du voyageur, jamais à son départ. Chez les Eskimos, qui pratiquent l'hospitalité conjugale, la jalousie s'évanouit, comme à Samoa ; en revanche, le meurtre d'un ennemi personnel y est considéré normal, alors que la guerre – combat de tous contre tous, et surtout contre des inconnus – paraît le comble de l'absurde ; la mort ne semble pas cruelle, les vieillards l'acceptent comme un bienfait et l'on s'en réjouit pour eux. Dans les îles d'Alor le mensonge ludique est tenu pour naturel : les fausses promesses à l'égard des enfants sont le divertissement courant des adultes. Un même esprit de taquinerie se rencontre dans l'île de Normanby où la mère, par jeu, retire le sein à l'enfant qui tète. La pitié pour les vieillards varie selon les lieux et les conditions économico-sociales : certains Indiens en Californie les étouffaient, d'autres les abandonnaient sur les routes. Aux îles Fidji, les indigènes les enterraient vivants. [...]

Les peuples ont développé un «style de vie» que chaque individu, en eux, tient – non sans réagir, du reste – pour un prototype. C'est l'action de l'entourage et du «modèle social» que, mieux qu'aucun autre auteur, Margaret Mead[1] a su mettre en évidence.

Lucien Malson, *Les Enfants sauvages,*
Union Générale d'Edition, 1964

(1) Margaret Mead (1901-1978) : anthropologue américaine qui a notamment étudié les sociétés dites «primitives».

a) **Relevez les exemples de caractéristiques culturelles. Regroupez les exemples selon les grands thèmes culturels.**

Exemple : Habitudes alimentaires :   Chinois → œufs pourris
                                     Océanien → poisson décomposé

b) **Pour chaque thème culturel relevé, trouvez d'autres exemples pris dans d'autres pays.**

c) **Trouvez d'autres thèmes culturels pour lesquels on peut découvrir d'autres différences de comportement.**

LES SCIENCES

38
L'anatomie

1 | LES ATTITUDES ET LES GESTES

a) **Quels sentiments ou quelles intentions révèlent les attitudes ou les gestes suivants ?**

1. se frotter les mains
2. baisser les yeux
3. hausser les épaules
4. tendre les bras
5. regarder dans les yeux
6. se gratter la tempe
7. serrer les dents
8. bomber le torse
9. froncer les sourcils
10. se ronger les ongles
11. cligner de l'œil
12. plisser le front
13. se mordre les lèvres
14. tirer la langue

> la colère – la complicité – la culpabilité (la honte) – la déception – la franchise – l'indifférence – la méfiance – la nervosité – l'orgueil – l'ouverture (la sympathie) – la provocation – la réflexion (la perplexité) – la satisfaction – le souci

b) **Les élèves comédiens font souvent un exercice qui consiste à faire comprendre au public le contenu d'une lettre uniquement par l'expression du visage et du corps (attitudes, mimiques, gestes). Imaginez et nommez les gestes et les attitudes qui accompagneraient la découverte, l'ouverture et la lecture de la lettre ci-contre:**

2 | LES PARTIES DU CORPS ET LES EXPRESSIONS IMAGÉES

Trouvez le sens des expressions suivantes. Imaginez une situation où ces phrases pourraient être prononcées.

1. Il aime à couper les cheveux en quatre.
2. Il a le cœur sur la main.
3. On lui a bourré le crâne.
4. Ce jeune cadre a les dents longues.
5. Elle a la tête sur les épaules.
6. Il y est allé à l'estomac.
7. Le livre scandaleux a été mis à l'index.
8. Elle a mis la main à la pâte.
9. Il a les nerfs à fleur de peau.
10. Elle est partie avant la dispute. Elle a eu du nez.
11. Faites attention ! Je vous ai à l'œil.
12. Il est tombé sur un os.
13. Les résultats sont justes, à un poil près.
14. On lui a donné un coup de pouce.
15. Le pays a été mis à feu et à sang.
16. Pour trouver, il se creuse la tête.

> Mon chéri,
>
> Excuse-moi de ne pas t'avoir écrit depuis 3 mois. Mais je réfléchissais… Tu ne peux pas savoir combien j'ai été heureuse avec toi pendant ce mois de vacances que nous avons passé ensemble. Tu es vraiment un type super ! Intelligent, amusant et tout. Je me sentais en sécurité avec toi et j'ai même vécu des moments parmi les plus intenses de ma vie.
>
> Mais il faut que je t'avoue quelque chose. Au bureau, j'ai rencontré un collègue nouvellement arrivé… Oh, il est loin de t'arriver à la cheville ! Mais tu comprends, Lille est tellement loin de Perpignan ! Bref, inutile de tourner autour du pot, je l'épouse samedi prochain. Le mariage a lieu dans un superbe château du XVIIIe qui appartient à ses parents.
>
> Viendras-tu au mariage ? Enfin, tu fais comme tu veux.
>
> Mais tu sais, je garderai de toi un bon souvenir.
>
> Arielle

3 LES PARTIES DU CORPS ET LA GÉOGRAPHIE

Complétez en utilisant le vocabulaire de la liste.

1. L'Amazonie est .... de la terre

2. Grenoble est située .... des Alpes.

3. La Seine traverse Paris en formant ....

4. À trente kilomètres de son embouchure, le Rhône se divise en deux ....

5. La Cordillère des Andes est .... de l'Amérique du Sud.

6. Une étroite .... de terre relie le Mont-Saint-Michel à la terre ferme.

7. Les Champs-Élysées sont une grande .... de Paris.

8. Une vallée étroite et encaissée se nomme ....

une artère
un bras
une colonne vertébrale
un coude
une gorge
une langue
un pied
un poumon

4 LES SUFFIXES D'ASPECT ET DE MATIÈRE (-U ET -EUX)

a) Le suffixe **-u** permet de former des adjectifs avec des noms.
une pente → un terrain *pentu* ; une pointe → un couteau *pointu*

Caractérisez une personne

1. qui a un gros ventre…
2. qui a beaucoup de cheveux…
3. qui a de grosses joues…

4. qui a une barbe…
5. qui a beaucoup de poils…
6. qui a de grosses lèvres…

b) Le suffixe **-eux** permet de former des adjectifs descriptifs.
un terrain plein de cailloux → un terrain *caillouteux*

Caractérisez

1. un arbre à épines…
2. une plage de sable…
3. un vêtement couvert de crasse…

39
La biologie

1 | LES FONCTIONS BIOLOGIQUES

a) Lisez les critiques littéraires suivantes.

b) Relevez tous les mots qui appartiennent au vocabulaire de la biologie.
Classez ces mots dans le tableau selon leur appartenance aux
systèmes circulatoire, respiratoire, nerveux, digestif.

c) Imaginez les titres des ouvrages dont il est question.

d) Complétez le tableau avec d'autres mots que vous connaissez, par
exemple : les veines, les artères, etc. dans le système circulatoire

---

LECTURES : PARCOURS DE SANTÉ

En vacances accordez vos lectures à votre mode de vie. Vous mangez diététique : choisissez des lectures allégées. Le matin vous gonflez vos poumons de l'air du large et entreprenez un petit footing propice au décrassage de vos artères. L'après-midi sélectionnez le livre qui vous évitera l'asphyxie intellectuelle ou la congestion cérébrale. Voici un petit tour d'horizon, agréés par le corps médical, des ouvrages qui viennent de sortir en ce début d'été.

.... le 45ᵉ de la série mais un des meilleurs. Ça se dévore en quelques heures. Dès les premières lignes, l'intrigue vous prend aux tripes, le cœur accélère ses battements et toutes les dix pages on risque l'infarctus. Ce numéro 45 donne même envie de relire les autres ouvrages de la série. Idéal pour la plage. On en avale un par jour sans risque d'indigestion.

Dans un autre genre .... titillera vos neurones et fera travailler votre matière grise. Incontestablement, l'auteur a du souffle et de l'inspiration. Une succession de réflexions brillantes rédigées dans un style nerveux qui se boivent comme du petit lait et où ceux qui sont en manque trouveront la «substantifique moelle» nécessaire à leur survie.

À éviter par contre ...., salade intellectuelle et jargonnante assaisonnée de mots qui étouffent. La mastication sera difficile, la déglutition laborieuse et vous aurez à coup sûr des lourdeurs d'estomac.

.... Celui-ci est à savourer en solitaire. Bien que le titre rappelle celui d'un conte de fées, éloignez les enfants et ne leur en faites la lecture sous aucun prétexte. Vous risqueriez de vous étrangler en abordant un des nombreux passages dont l'érotisme torride stimulera votre circulation sanguine et réveillera votre influx nerveux.

---

système circulatoire	système respiratoire	système nerveux	système digestif
	gonfler les poumons		manger

e) Utilisez le vocabulaire de la biologie pour faire le compte rendu d'un
voyage touristique ou d'un stage de formation.

Exemple : «25 avril – visite du musée : salles d'art moderne plutôt indigestes.»

2 | LA BIONIQUE

La bionique, alliance de la biologie et de l'industrie

«La caractéristique fondamentale de la bionique est de se présenter comme un pont : un pont jeté entre deux domaines de nos connaissances qui ont souvent tendance à s'ignorer l'un l'autre, celui du monde vivant et celui du monde inerte.

L'une des premières réalisations bioniques remonte au début du siècle, c'est l'aile volante, élaborée par l'Allemand Etrich. Il réalisa la copie rigoureuse d'une graine de liane tropicale : la zanonie. Elle avait impressionné les botanistes par ses capacités de vol plané.

La bionique transpose les solutions adoptées par la nature aux industries humaines. Mais certaines difficultés, inhérentes aux matériaux utilisés, peuvent se poser. Alors que les êtres vivants puisent dans leur stock de molécules organiques, l'homme, lui, puise dans les produits naturels qu'il traite et dans ceux de synthèse qu'il invente. Match inégal à première vue ? La confrontation technique ne semble guère laisser de chance aux fragiles molécules naturelles. Mais pourtant, les dispositifs vivants évoluent depuis des milliards d'années... Et ils servent justement de modèles aux scientifiques.

Les dauphins nagent tellement vite que l'on dirait qu'ils ne sont pas freinés par l'eau. Tout se passe comme s'ils parvenaient à en «gommer» les turbulences que pourtant doit engendrer tout corps en mouvement dans un liquide. C'est un savant allemand installé aux États-Unis qui le premier a résolu le problème. La peau du dauphin, explique t-il, ressemble un peu à ces brosses à cheveux en plastique que l'on trouve dans le commerce. À l'intérieur, elle est hérissée de pointes, de bâtonnets. Or, ces bâtonnets sont élastiques. Ils sont quasi-indépendants les uns des autres et sont immergés dans un liquide, l'ensemble jouant le rôle d'amortisseur. Au fur et à mesure que la pression de l'eau agit sur la peau du dauphin, ils se compriment avec une parfaite souplesse. Le résultat est simple, la peau se moule littéralement aux ondes de choc de l'eau. Les turbulences se trouvent atténuées de moitié !

Une compagnie américaine, aussitôt, essaya de tirer partie de la découverte. Elle fit fondre une «peau de dauphin» en caoutchouc, lisse d'un côté, hérissée de l'autre, qu'elle appela le «laminfle». Des petits sous-marins, gainés de cette substance nouvelle, furent bientôt testés : 50 % de la turbulence habituelle était «avalée» par le nouveau revêtement, réalisant de ce fait un substantiel gain de vitesse pour la même puissance.»

J.-P. Renau, *Les Animaux, techniciens de l'impossible*, Ed. Clé, 1969.

a) **Faites un résumé de ce texte en complétant les débuts de phrases suivants :**

1. La bionique est une science qui met en relation ....
2. Par exemple ....
3. Mais cette transposition pose des problèmes car ....
4. La vitesse que le dauphin peut atteindre en nageant s'explique par ....
5. Une compagnie a exploité cette propriété en ....

b) **Recherchez des productions humaines (objets, manières de penser, d'écrire ou de vivre) qui peuvent avoir été inspirées par des choses naturelles.**

Exemple : le soleil a peut-être inspiré le cercle, le disque, etc.

l'arbre (tronc – branches – feuilles)... l'œuf... l'oiseau... etc.

c) **Un architecte a imaginé un immeuble d'après la structure interne d'une coquille d'escargot (série de compartiments disposés en spirale). Imaginez des productions (villes, maisons, voitures, objets) inspirées des formes que nous propose la nature**

Exemple : Un immeuble construit selon l'organisation d'une ruche, etc.

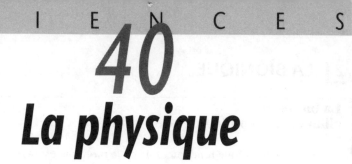

La physique

1 | L'ÉLECTRICITÉ ET LE MAGNÉTISME

Dans les deux textes suivants relevez les mots empruntés au vocabulaire de l'électricité et du magnétisme. Classez ces mots dans le tableau. Quel sens auraient-ils dans un contexte scientifique ?

Entre Régine Bastide, la directrice de la fabrication, et Chantal Passeron, la responsable commerciale, le courant ne passe plus. Il faut dire que Chantal dégage une certaine force, je dirais même un magnétisme qui attire tout le monde. De plus sa personnalité est telle qu'elle court-circuite souvent la hiérarchie pour traiter directement avec le P.-D.G. Régine, au contraire, est distante et un peu agressive. On a l'impression qu'elle émet des ondes négatives. Les gens se sentent repoussés. D'ailleurs, elle n'a pas su donner à l'entreprise le rayonnement qu'elle devrait avoir à l'étranger. Il y a déjà de vives tensions entre les deux femmes. Un de ces jours, je le sens, ça va faire des étincelles.

Gérard était un excellent journaliste politique. Il avait un important réseau d'informateurs avec des connexions dans tous les pays du monde, ce qui lui permettait d'être en prise directe avec l'actualité. Malheureusement, un jour, il a sauté. Son journal a publié par erreur de fausses informations sur un homme politique. Il n'était pas le seul auteur de l'article mais il a servi de fusible.

	Électricité	Magnétisme
Noms		
Verbes		

2 | LES TECHNOLOGIES NOUVELLES

Lisez le texte p. 93.

a) **Faites la liste des appareils qui y sont mentionnés. Complétez cette liste avec des mots que vous connaissez.**

b) **Relevez les différentes technologies qui rendent la maison «intelligente». Quels avantages procurent ces systèmes ?**

c) **Imaginez des technologies, des gadgets pour rendre plus «intelligents» les lieux de vie suivants :**

l'école – le bureau – la voiture – la salle de bain.

LA MAISON INTELLIGENTE

Dans cinq ans – peut-être moins – vous pourrez habiter une maison européenne standardisée. [...] une habitation dite «intelligente», où l'ensemble du système électrique interne sera intégré à partir de spécifications qui permettront à des tas d'appareils de communiquer directement entre eux, que ce soit par téléphone, un boîtier infrarouge ou un simple bouton. La «maison intelligente», nous y sommes «condamnés» de toute façon. L'ensemble des appareils électriques, de la lumière à la TV, en passant par le réfrigérateur, voire la cuisinière ou le chauffage, fonctionnent de façon si individuelle que cela frôle l'anarchie :

combien d'ampoules allumées inutilement, d'appareils laissés en fonctionnement pour rien ? Tout cela consomme de l'énergie. L'une des toutes premières fonctions du système intégré sera donc de savoir déceler si vous êtes bien dans la pièce où le récepteur télé est allumé. Certes, ledit récepteur ne s'éteindra pas obligatoirement lorsque vous quitterez la pièce. Mais vous pourrez le programmer de façon qu'il accomplisse pour vous ces mille et un petits gestes de la vie quotidienne si répétitifs que vous finissez par ne plus les répéter. Ce qui coûte cher. Ledit système, d'ailleurs, ne se bornera pas à jouer les gendarmes. Il pourra

simuler une présence en votre absence, en allumant et éteignant des lumières dans différentes pièces (les cambrioleurs finiront bien par savoir lire, eux aussi, ce genre de message. Ils y gagneront en culture ce que nous perdrons, à nouveau, en biens). Mais vous pourrez aussi brancher une mini-caméra sur votre porte d'entrée, qui affichera automatiquement le visage d'un visiteur sur votre écran de télévision. Tant pis pour les démarcheurs en tout genre. Enfin, toute cette gestion domestique pourra s'effectuer de loin, avec le téléphone. Plus toutes sortes de gâteries encore difficiles à imaginer.

Daniel Garric, *Le Point*,
23 novembre 1991, n° 1001.

3 | L'OPTIQUE

Remplacez les ensembles soulignés par une expression construite avec un des mots de la liste.

Exemple : avait examiné avec attention → avait examiné à la loupe.

Le ministre avait examiné <u>avec attention</u> le dossier sur l'affaire Rigaud qui éclaboussait un de ses amis accusé de corruption. Il trouvait que les rapports de ses collaborateurs <u>reproduisaient</u> trop <u>les opinions</u> de la presse. Les recherches avaient été trop <u>concentrées</u> sur Rigaud et pas assez sur la société mystérieuse avec laquelle il avait travaillé.
Le ministre envisageait le problème <u>d'une manière différente</u>. Pour lui, Rigaud, n'était pas coupable. <u>Des éclaircissements</u> étaient nécessaires. Il souhaitait <u>qu'on sache toute la vérité</u>. Pour cela il fallait que la justice, les politiques et la presse travaillent <u>sans rien se cacher mutuellement</u>.

> (se) focaliser sur
> le point de vue
> à la loupe
> dans une optique
> une mise au point
> refléter
> la transparence
> (faire) la lumière (sur) + complément

4 | LES PHÉNOMÈNES PHYSIQUES

Trouvez les phénomènes contraires. Trouvez les verbes qui correspondent à ces noms.

1. la contraction / ....
2. la concentration / ....
3. l'attraction / ....
4. la compression / ....
5. la dilatation / ....
6. la convergence / ....

> la décompression – la dilution – la divergence – l'expansion – la répulsion – la rétraction

93

41
La chimie

1 | LES MÉTAUX

Trouvez dans la liste B, les propriétés des métaux de la liste A.
Trouvez dans la liste C des utilisations actuelles ou anciennes
de ces métaux.

Exemple : l'acier : dureté, résistance (constructions métalliques, machines).

A

l'acier – l'aluminium – l'argent –
le cuivre – l'étain – le fer – le mercure –
le nickel – l'or – le platine – le plomb –
le tungstène – l'uranium – le zinc

B

dur/souple – indéformable/malléable – oxydable/inoxydable – lourd
dense/léger – solide/liquide (devient liquide à haute/basse température) –
fusible/non fusible – bon/mauvais conducteur – radioactif – résistant/non résis-
tant à la chaleur, aux chocs, à l'usure, au temps

C

a) les automobiles b) les avions c) la bijouterie d) les casseroles et les poêles
e) les constructions métalliques f) la chirurgie dentaire g) le combustible nucléaire
h) l'électronique i) les fils électriques j) les filaments des ampoules k) les gout-
tières l) le matériel de précision m) la monnaie n) les pièces des machines-outils
o) les piles et les batteries p) les récipients q) les thermomètres r) les toitures
s) les tuyaux pour conduites d'eau et sanitaires t) la fabrication du verre

2 | L'EXPLOITATION MINIÈRE

a) Relevez dans le texte ci-contre les mots appartenant au vocabulaire
de la mine ainsi que ceux qui sont associés à l'idée de quantité.

b) Les affirmations suivantes sont-elles vraies (V) ou fausses (F) ?

1. Les gisements de minerai de fer sont nombreux…

2. Le platine est un métal peu coûteux…

3. L'argent entre dans la composition des pellicules photographiques…

4. Le platine qui est utilisé dans certaines réactions chimiques reste
intact

5. Les gisements les plus pauvres ne sont jamais rentables…

6. La terre va inéluctablement vers un épuisement à brève échéance
de ses ressources minières…

Vers un épuisement des ressources ?

Le développement de l'économie mondiale accroît la consommation des métaux et des minéraux. Si le fer et l'aluminium abondent, nombre d'autres métaux importants comme le plomb, le zinc, l'étain, l'argent, le platine ou le mercure commencent à se raréfier. Lorsqu'un métal devient trop rare, il est parfois possible de lui trouver un substitut naturel ou artificiel. Mais il n'existe aucun substitut à l'argent pour les émulsions photographiques ou au platine comme catalyseur dans l'industrie chimique. L'exploitation minière de la Terre en est à ses débuts. Quand les gisements les plus riches seront épuisés, l'augmentation des prix et l'amélioration de la technologie permettront d'envisager l'exploitation de gisements plus pauvres ou moins accessibles. Aussi la menace d'épuisement des minerais n'est-elle pas alarmante dans un avenir proche.

Encyclopédie Guiness, SPL – TF1 Éditions

3 | LES TRANSFORMATIONS CHIMIQUES

Complétez le tableau.

État initial	Transformation	État final
l'eau	l'évaporation	la vapeur d'eau
l'eau		la glace
le carbone	la cristallisation	
le bois		les cendres
le raisin		le vin
le fer + l'oxygène	l'oxydation	
l'eau + le sucre		l'eau sucrée
l'hélium gazeux		l'hélium liquide
l'eau	l'électrolyse	
l'animal mort		la charogne

4 | LES EMPLOIS FIGURÉS

Remplacez les mots soulignés par les mots de la liste.

Le parti politique d'André Leval est en pleine désagrégation. Tout a commencé avec le discours hérétique que Pierre Durand a tenu au congrès de novembre. Durand est certes un indépendant et un marginal dans le parti mais ses déclarations ont produit une série de conséquences imprévisibles. Elles ont clairement mis au grand jour les divergences profondes qui existent sur de nombreux sujets à l'intérieur du bureau politique. L'affaire s'est envenimée avec les propos blessants et moqueurs que Jacques Ronzier a tenu à l'émission «L'Heure de Vérité». Rémi Sigal a répliqué par un article particulièrement méchant dans «Le Monde».
On voit mal par quelle opération magique André Leval, l'actuel président, pourrait rassembler ses troupes dispersées. Tous les espoirs se portent donc vers Marguerite Franc dont l'action et les opinions sont reconnues par tous et qui pourrait jouer un rôle de facteur favorisant.

un atome libre
caustique
une chimie savante
un catalyseur
une décomposition
une réaction en chaîne
sulfureux
au vitriol

42
L'énergie

1 L'ÉNERGIE NUCLÉAIRE

a) Comparez les deux phénomènes physiques décrits dans ce texte.

matériau utilisé – phénomène physique – avantages – inconvénients

b) Relevez le vocabulaire relatif :
- **aux objets et à la matière ;**
- **aux phénomènes physiques ;**
- **aux opérations scientifiques.**

LA FUSION : L'ÉNERGIE DU PROCHAIN MILLÉNAIRE

La fusion nucléaire, cette formidable réaction qui fait briller les étoiles, occupe l'esprit des physiciens et des responsables de l'énergie depuis des dizaines d'années. Pour l'instant, la seule utilisation que le genre humain lui ait trouvée est la bombe H, dite thermonucléaire.

Or, cette énergie, utilisant l'hydrogène de l'eau, serait presque idéale. Elle n'a rien à voir avec celle des centrales nucléaires actuelles. Celles-ci tirent l'énergie de la fission, la cassure, du plus gros atome de la nature, en l'occurrence l'uranium. Ce dernier est radioactif, les sous-produits de la réaction aussi et, qui plus est, ils le restent pendant des milliers d'années. Cette forme d'énergie est aussi celle des petites bombes atomiques, du genre de celles qui ont prouvé leur efficacité en rayant de la carte Hiroshima et Nagasaki. La réaction de fusion consiste, à l'inverse, à faire fusionner les noyaux de l'atome le plus léger de la nature, l'hydrogène, opération qui le transforme en hélium (un gaz inerte inoffensif). Pour y parvenir, il faut lancer les atomes les uns contre les autres avec une énergie gigantesque. La seule méthode connue consiste à augmenter la température jusqu'à 100 ou 200 millions de degrés. Aux premiers temps de la bombe H, l'amorce de la réaction s'effectuait… en faisant exploser une bombe atomique ! Dans les étoiles et le soleil, la température et la pression sont telles que les réactions de fusion sont déclenchées spontanément. En laboratoire, c'est une autre affaire…

La recette est pourtant «simple» : procurez-vous un mélange deutérium-tritium, chauffez suffisamment pour obtenir un «plasma» (état de la matière dans lequel les atomes se débarrassent de leur couche électronique). Un conseil, ne lésinez pas sur le chauffage : réglez le thermostat sur 100 millions de degrés, c'est plus sûr. Ensuite, condensez ce plasma pendant un temps suffisant. Tout le secret de l'affaire est là : si, en multipliant la densité (en atomes par centimètres cube) par le temps (en secondes), vous obtenez moins de 10^{14}, l'expérience a raté. Si vous atteignez cette limite, de deux choses l'une : ou vous avez maîtrisé la réaction et vous êtes automatiquement candidat au Nobel, ou tout vous échappe et votre laboratoire n'existe plus…

Le Guide Eureka des innovations 1990, Belfond, 1989

2 LA FORCE ET LA FAIBLESSE

a) Que leur manque t-il ?

1. Didier est épuisé dès qu'il a couru deux kilomètres.

2. Alain travaille, réagit et prend ses décisions très lentement.

3. Ce vieillard est chétif et maladif.

4. Cette voiture n'atteint pas les 100 km/h.

> la force – l'intensité – la puissance
> la résistance – la robustesse
> le tonus – la vigueur – la vitalité

5. Cette lumière brille faiblement.

6. Cet outil s'est cassé après trois jours d'utilisation.

b) Trouvez un synonyme de l'adjectif «fort» dans les emplois suivants puis trouvez son contraire.

1. Dans ce livre, j'ai relevé quelques pensées <u>fortes</u>.

2. D'une voix <u>forte</u>, il a commandé un café très <u>fort</u>.

3. Stéphane est particulièrement <u>fort</u> en math.

4. Vous venez de connaître un malheur. Soyez <u>forte</u> dans l'adversité !

5. C'est un homme <u>fort</u> de caractère. Il a su résister à la tentation.

6. Mireille est jolie mais elle est un peu <u>forte</u>.

7. Il ne nous a toujours pas payés. Ça, c'est un peu <u>fort</u> !

profond
doué
courageux
gros – enveloppé
ferme – volontaire
intelligent
serré
scandaleux
sonore

c) Complétez la première partie des phrases suivantes avec un verbe (ou son participe passé) exprimant la faiblesse. Complétez la deuxième partie avec un verbe exprimant la force.

1. Jean-Pierre vient d'échouer pour la troisième fois à son concours. Il est .... Il a besoin d'être ....

2. L'entreprise a été .... par la crise boursière. Il faut prendre des mesures énergiques pour la ....

3. Agnès est sortie .... de sa longue maladie pendant laquelle elle s'est très peu alimentée. Une vie au grand air et quelques bons repas vont la ....

4. L'ingénieur ne travaille plus avec la même énergie à son projet. Il .... Il faut trouver un moyen de le ....

5. Nathalie vient d'avoir un accident. Elle ne s'est pas évanouie mais je l'ai vue .... Donnez-lui un petit verre de cognac pour la ....

Faiblesse	Force
abattre – affaiblir	dynamiser
anémier – défaillir	fortifier
dépérir – épuiser	renforcer
exténuer	remonter
s'étioler	réconforter
fragiliser – mollir	revigorer
	stimuler – tonifier

3 | LA CHALEUR ET LE FROID

Relevez les emplois imagés des mots évoquant la chaleur et le froid. Donnez leur sens propre et leur sens dans le texte.

Les révélations du journal *Le Monde* sur le sujet brûlant des erreurs de gestion de la ville de B… ont mis le feu aux poudres. Depuis, le conseil municipal est en ébullition et dans les jours qui viennent il ne fait pas de doute que le maire sera sur le gril.

On reprochait au gouvernement de ne prendre que des mesures frileuses. Ce n'est plus le cas. Pour juguler l'inflation, le ministre des Finances a décidé de geler les prix. Les entreprises ont crié à l'assassinat, prédisant faillites et réductions de personnel. L'entretien entre leurs représentants et le ministre s'est déroulé dans une atmosphère glaciale.

43
La géographie

1 │ LE PAYSAGE

a) Dans les deux textes suivants soulignez les éléments du paysage. Dessinez la carte du lieu décrit par chaque auteur.

Du plus loin que je me souvienne, j'ai entendu la mer. Mêlé au vent dans les aiguilles des filaos, au vent qui ne cesse pas, même lorsqu'on s'éloigne des rivages et qu'on s'avance à travers les champs de canne, c'est ce bruit qui a bercé mon enfance. Je l'entends maintenant, au plus profond de moi, je l'emporte partout où je vais. Le bruit lent, inlassable, des vagues qui se brisent au loin sur la barrière de corail, et qui viennent mourir sur le sable de la Rivière Noire. Pas un jour sans que j'aille à la mer, pas une nuit sans que je m'éveille, le dos mouillé de sueur, assis dans mon lit de camp, écartant la moustiquaire et cherchant à percevoir la marée, inquiet, plein d'un désir que je ne comprends pas.

Je pense à elle comme à une personne humaine, et dans l'obscurité, tous mes sens sont en éveil pour mieux l'entendre arriver, pour mieux la recevoir. Les vagues géantes bondissent par-dessus les récifs, s'écroulent dans le lagon, et le bruit fait vibrer la terre et l'air comme une chaudière. Je l'entends, elle bouge, elle respire.

J.-M.G. Le Clézio, *Le Chercheur d'or*, Gallimard, 1985

La citadelle de Machærous se dressait à l'orient de la mer Morte, sur un pic de basalte ayant la forme d'un cône. Quatre vallées profondes l'entouraient, deux vers les flancs, une en face, la quatrième au-delà. Des maisons se tassaient contre sa base, dans le cercle d'un mur qui ondulait suivant les inégalités du terrain ; et, par un chemin en zigzag taillant le rocher, la ville se reliait à la forteresse, dont les murailles étaient hautes de cent vingt coudées, avec des angles nombreux, des créneaux sur le bord, et, çà et là, des tours qui faisaient comme des fleurons à cette couronne de pierres, suspendue au-dessus de l'abîme.

G. Flaubert, *Hérodias*,

b) Recherchez dans la colonne B le mot synonyme de chaque mot de la colonne A. Indiquez, s'il y a lieu, la nuance de sens entre les deux mots.

Exemple : *une aiguille* ↔ *un pic* (*une aiguille* est un sommet constitué par une masse de rochers très effilés – *un pic* est, plus généralement, un sommet pointu).

A	B
un îlot – une baie – une chute – une caverne – une cordillère – une cîme – une côte – un précipice – un marais – une pente – une rivière	un marécage – une grotte – un versant – un ruisseau – un sommet – une anse – un atoll – une chaîne – un rivage – une falaise – une grotte

2 | LES CATASTROPHES NATURELLES

Dans la colonne A recherchez les causes des catastrophes de la colonne B.
Dans la colonne C recherchez les conséquences. Trouvez d'autres
conséquences possibles.

A	B	C
a. absence de pluies	une avalanche	1. bris de vitre
b. absence de végétation	un cyclone	2. coulée de lave
c. crue soudaine	l'érosion des sols	3. effondrement d'immeubles
d. différence de pression atmosphérique	une éruption volcanique	4. ensevelissement
e. faille dans l'écorce terrestre	un glissement de terrain	5. rupture de digues
f. mouvements du magma interne	une inondation	6. fissures dans les murs
g. mouvements des plaques terrestres	un raz de marée	7. noyades
h. pluies abondantes	la sécheresse	8. dégradation des sols
i. réchauffement brusque	un tremblement de terre	9. désertification
j. vent violent et continu	une tempête	etc.

3 | LES EMPLOIS FIGURÉS

Complétez avec l'un des termes de géographie de la liste.

1. J'attendais beaucoup de la conférence de Langlois sur l'éthique médicale. J'ai eu droit à un discours- .... dont rien de bien nouveau
n'a .... Bref, Langlois n'a pas atteint les ...., mis à
part quelques anecdotes amusantes qui ont déclenché des ....
de rire. Je suis sorti de là, plongé dans .... de perplexité.

2. Les études de médecine de Sylvie sont bien parties. Elle vient de
passer .... de la première année. Soi-disant la plus difficile.
Mais il ne faut pas en faire ....

3. Ça y est ! On vient d'annoncer les résultats des élections. C'est un
véritable .... écologiste.

4. Je n'ai pas très bien suivi son raisonnement. Il y a .... quelque
part.

un abîme
une cascade
un cap
une faille
une montagne
un raz de marée
un sommet
émerger
un fleuve

44
La nature

1 L'ÉCOLOGIE

**Voici une liste des problèmes écologiques actuels. Trouvez leur(s) cause(s)
et la(les) solution(s) possible(s).**

Causes	Problèmes	Solutions
a. le gaspillage	la destruction des forêts	1. les économies
b. les rejets polluants	la pollution des eaux	2. le recyclage des déchets
c. le surpâturage	la désertification	3. la récupération des matériaux usagés
d. l'activité industrielle	la surpopulation	4. le traitement des eaux usées
e. les besoins énergétiques	l'effet de serre	5. les filtres antipollution
f. les transports pétroliers	les trous d'ozone	6. l'essence sans plomb
g. l'agriculture moderne	les risques nucléaires	7. les matériaux biodégradables
h. les bombes aérosols	les marées noires	8. la législation (normes, réglementation, etc.)
i. l'automobile	les ordures ménagères	9. l'éducation
j. les déchets familiaux	les décharges dangereuses	10. l'aide au Tiers-Monde
k. le défrichement de nouvelles terres	les fumées toxiques	11. la régulation des naissances
l. la sécheresse	les installations à haut risque	12. négociation sur la limitation des armements, le désarmement, etc.
m. les pluies acides		
n. la démographie galopante		
o. le surarmement		

2 LES PLANTES

a) Classez les plantes de la liste selon les catégories suivantes :

Plantes ...

1. aromatiques
2. céréalières
3. fourragères
4. grimpantes
5. grasses

6. oléagineuses
7. ornementales
8. textiles
9. toxiques
10. médicinales

l'anis – l'ail – l'avoine – le blé – le cactus – le chanvre – le champignon vénéneux – le chrysanthème – le chèvrefeuille – la ciguë – le coton – le glaïeul – le hachisch – l'iris – le laurier – le lin – le lierre – le maïs – la menthe – le mil – l'olivier – le persil – le pois – le romarin – le riz – le soja – le tabac – le thé – le thym – le tournesol – le trèfle – la verveine

b) Trouvez dans la liste les plantes qui vous font penser :

1. à la chance
2. à la gloire
3. à l'idée d'attachement
4. au jour de la Toussaint
5. à l'argent
6. au philosophe Socrate

3 | LES FRUITS ET LES LÉGUMES
(emplois familiers et figurés)

Les noms de fruits et de légumes sont utilisés dans des expressions familières où ils ont perdu leur sens propre. À l'aide des mots de la colonne de droite, trouvez dans quelles circonstances les phrases suivantes peuvent être prononcées.

Exemple : a → quand le film est très mauvais.

1. Ce film est un navet !

2. Le pauvre vieux. Il sucre les fraises !

3. On s'est bien fendu la pêche !

4. Elle est tombée dans les pommes.

5. Je n'ai pas un radis.

6. Puisqu'on n'arrive pas à se mettre d'accord sur la somme,
on va couper la poire en deux.

7. Cette indemnité mettra un peu de beurre dans les épinards.

8. À 5 minutes de la fin du match, nos adversaires mènent par 3 à 0.
Les carottes sont cuites !

9. J'en ai assez de ses salades !

> améliorer l'ordinaire – mensonges – être sans argent – s'évanouir – faire un compromis – mauvais spectacle – plus d'espoir – rire – trembler

4 | LA NATURE ET LA LITTÉRATURE

Faites un relevé des éléments du paysage et en particulier des végétaux dans l'extrait littéraire suivant. Étudiez le rôle et la fonction de la nature.

Alphonse Daudet raconte à son ami Gringoire l'histoire d'une petite chèvre qui décide un jour de s'échapper du clos où elle est prisonnière pour vivre en liberté dans la montagne.

Quand la chèvre blanche arriva dans la montagne, ce fut un ravissement général. Jamais les vieux sapins n'avaient rien vu d'aussi joli. On la reçut comme une petite reine. Les châtaigniers se baissaient jusqu'à terre pour la caresser du bout de leurs branches. Les genêts d'or s'ouvraient sur son passage, et sentaient bon tant qu'ils pouvaient. Toute la montagne lui fit fête.

Tu penses, Gringoire, si notre chèvre était heureuse ! Plus de corde, plus de pieu… rien qui l'empêchât de gambader, de brouter à sa guise… C'est là qu'il y en avait de l'herbe ! jusque par-dessus les cornes, mon cher !… Et quelle herbe ! Savoureuse, fine, dentelée, faite de mille plantes… C'était bien autre chose que le gazon du clos. Et les fleurs donc !… De grandes campanules bleues, des digitales de pourpre à longs calices, toute une forêt de fleurs sauvages débordant de sucs capiteux !…

La chèvre blanche, à moitié saoule, se vautrait là-dedans les jambes en l'air et roulait le long des talus, pêle-mêle avec les feuilles tombées et les châtaignes… Puis, tout à coup, elle se redressait d'un bond sur ses pattes. Hop ! la voilà partie, la tête en avant, à travers les maquis.

Alphonse Daudet, *Les lettres de mon moulin* (1879).

45 *La zoologie*

1 LES ANIMAUX SAUVAGES

Où trouve t-on en général chacun des animaux de la liste ?

1. la savane africaine
2. la forêt tropicale
3. les rivières chaudes
4. la forêt continentale
5. la steppe
6. la banquise
7. la France

une antilope	un ours blanc
un cerf	un phoque
un chameau	un pingouin
un chacal	un rat
un crocodile	un renard
un éléphant	un renne
une girafe	un rhinocéros
un hippopotame	un singe
un lion	un serpent
un loup	un tigre

2 LES PARTIES DU CORPS DE L'ANIMAL

**Placez les mots suivants dans le diagramme selon qu'ils servent à
nommer les parties du corps d'une classe d'animaux, de deux classes,
des trois classes.**

Les oiseaux   *Les poissons*

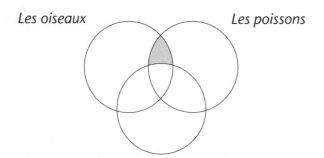

Les mammifères herbivores

une aile – un bec
les branchies – une corne
un cou – une dent
une écaille – un gésier
une mâchoire – des mamelles
un museau – une nageoire
une patte – un pelage
une plume – une queue
un sabot – des serres
une tête

3 LES COMPARAISONS ANIMALES

**Classez les différentes expressions qui utilisent un nom d'animal
dans le texte de la p. 103.**

– formes comparatives : verbe ou adjectif + comme + animal
– complément du nom : nom + de + animal
– locutions (Exemple : «passer par le trou d'une souris»).

Donnez le sens de ces expressions et leur équivalent dans votre langue maternelle.

Le Français dort comme un loir, a une faim de loup, un œil de lynx, une vie de chien. Pour être toujours prêt à se faire aussi gros qu'un bœuf ou à passer par un trou de souris, il lui faut être rusé comme un renard. Quoique l'amour, dont il fait souvent son cheval de bataille, le rende gai comme un pinson et léger comme une plume, il n'aime pas faire le pied de grue et rester comme l'oiseau sur la branche. Si donc on lui pose trop de lapins, surtout par un froid de canard, il aura vite la puce à l'oreille et, loin de ménager la chèvre et le chou, n'hésitera pas à prendre le mors aux dents et le taureau par les cornes : il sait parfois faire l'âne pour avoir du son, mais on ne lui fait pas avaler de couleuvres. Il a d'autres chats à fouetter. Il en tombera peut-être malade comme un chien, au point d'en avoir une fièvre de cheval, mais il saura rester, sur ses mésaventures, muet comme une carpe, car, s'il est parfois bavard comme une pie, il sait aussi mettre un bœuf sur sa langue. Avouez que c'est un drôle de zèbre.

Pierre Daninos, *Le Jacassin*, Hachette, 1962

4 LES ANIMAUX ET LES IDÉES

a) Voici des idées, des mots, des références culturelles auxquels les Français associent les noms d'animaux. Retrouvez ces associations.

Exemple : *un âne* → *l'entêtement* (Têtu comme un âne)
   → *le mauvais élève* (C'est un âne : il n'apprend rien – Au XIXᵉ siècle, les mauvais élèves étaient affublés d'un «bonnet d'âne».)
   → *la crèche de Noël* (L'âne et le bœuf)

1. un âne
2. un cheval
3. un coq
4. une hirondelle
5. un lion
6. un loup
7. un mouton
8. un pigeon
9. un poisson
10. un pou
11. une poule
12. un poulet
13. un porc
14. une puce
15. un veau

l'agressivité – l'ambition – le 1ᵉʳ avril – un comportement uniforme – un clocher – la crèche de Noël – l'entêtement – l'excitation – la faim – une femme – la fièvre – la fortune – la force – la France – la Gaule – un gogo (un naïf facilement berné) – le roi Henri IV – un mauvais élève – un masque – un marché – une carte de crédit – l'orgueil – Panurge (personnage de Rabelais) – le phosphore – la police – un porte-bonheur – le printemps – la royauté – le sommeil – la saleté – la stupidité – la multitude – Troie – le vendredi – le voyage

b) À quelles idées, à quels souvenirs culturels associe-t-on ces noms d'animaux dans votre pays ?

LES OBJETS

46
Les outils et les ustensiles

1 LES OUTILS DE L'ARTISAN

a) Deux prisonniers veulent s'évader. Voici les obstacles qu'ils vont rencontrer. Que devront-ils faire au cours de leur évasion ? Quels outils devront-ils voler dans l'atelier de la prison ?

Étapes de l'évasion

1. Passer le mur de béton qui sépare les cellules.

2. Passer une fenêtre à barreaux de fer.

3. Passer une haie de fils de fer barbelés.

4. Couper les fils électriques qui alimentent les projecteurs.

5. Passer une haute palissade dont les montants sont cloués.

6. Atteindre la grande canalisation des égouts à 5 m de profondeur.

7. Passer la plaque de sortie des égouts (cette plaque est vissée).

Outils		Actions	
une bêche	des pinces	arracher	ramasser
une brouette	un râteau	bêcher	raboter
une clé	un rabot	couper	scier
un ciseau (à pierre,	une scie	clouer	serrer/desserrer
à bois)	un tournevis	creuser (faire un trou, forer)	transporter
un marteau	des tenailles	visser/dévisser	ratisser
une pelle	une pioche		
une perceuse	une truelle		

b) Lesquels de ces outils seront plus particulièrement utilisés par :

– le maçon   – le menuisier   – le plombier   – le jardinier ?

2 LES OUTILS, LES INSTRUMENTS, LES USTENSILES

Recherchez, parmi les noms ou les verbes des phrases suivantes, des mots qui évoquent le nom d'un objet quotidien.

a) Trouvez ce nom. Donnez son sens dans la phrase et le sens qu'il a en tant qu'objet.

1. Le bateau dérivait au fil de l'eau.

2. Le numéro du prestidigitateur était formidable. C'était le clou de la soirée.

3. Les gendarmes ont ratissé la campagne à la recherche de l'enfant disparu.

4. Du chalet de montagne, on aperçoit l'aiguille du Midi et les montagnes rabotées par l'érosion.

5. Ce candidat aux élections a un passé trouble. Il traîne trop de casseroles pour gagner la confiance des électeurs.

6. Le spectacle était nul. Ça a été un four.

7. Le troisième régiment de l'armée a été pris en tenailles par l'armée ennemie.

8. Avant le repas, elle pioche à droite et à gauche dans les assiettes de biscuits et d'olives.

9. Quel pot de colle ! Quand je le rencontre, je n'arrive pas à m'en débarrasser.

10. L'article que vous avez écrit est trop virulent. Il faut gommer les allusions politiques trop précises.

11. Cette histoire m'a mis les nerfs en pelote.

12. Pour une bonne cuisinière à gaz, la fourchette des prix va de 2 000 à 6 000 F.

b) **Placez cet objet dans la pièce de la maison qui lui convient. Indiquez entre parenthèses les actions (verbes) auxquelles cet objet est associé. Continuez les listes ainsi commencées avec d'autres objets et d'autres actions.**

la cuisine	la buanderie et le coin «couture»	le bureau	l'atelier	le jardin
	le fil (coudre, raccommoder)			

3 | LES OBJETS ET LES SUFFIXES *-IER, -IÈRE, -OIR*

-ier et *-ière* forment des noms de récipient
le sucre → le sucrier (récipient qui contient du sucre)
-oir forme des noms d'instruments ou de lieux
éteindre → un éteignoir (instrument pour éteindre les bougies)
fumer → un fumoir (pièce réservée aux fumeurs)

Donnez le nom des ustensiles qui contiennent :

de l'encre – de la salade – des cendres de cigarettes – le sel – le poivre – la soupe – la sauce

47
L'artisanat et le bricolage

1 LES ARTISANS

a) **Pour décorer votre maison vous recherchez les objets suivants.**
   Chez quel artisan les trouverez-vous ?

des coussins – un vase en verre – un petit miroir – une grande glace
avec cadre sculpté – des petites boîtes marquetées – un panier en osier
– un tapis persan – une commode Louis XVI – une nappe – une cruche
en terre cuite – un bouquet de fleurs séchées – une nature morte – un
cendrier

b) **Quels autres objets pouvez-vous trouver chez chacun de ces artisans ?**

> AIX-EN-PROVENCE
> RENDEZ-VOUS DES ARTISANS D'ART
> – Antiquaires
> – Artistes peintres
> – Potiers
> – Artisans verriers
> – Ebénistes
> – Sculpteurs sur bois
> – Dentelles et broderie d'art
> – Fleuristes
> – Tapis
> – Tissus de la maison
> – Émaux et bibelots
> – Encadreurs
> – Vanniers

2 L'ARTISANAT

L'art du luthier

Rien d'étonnant à ce que la ville d'Aix-en-Provence, réputée mondialement pour son festival d'Art lyrique, abrite à l'ombre de ses vieilles pierres un maître luthier. Pourtant, si René Garmy a déjà quitté depuis bien longtemps le nord de la Loire pour s'installer «dans cette belle région qu'est la Provence», c'est avant tout parce que pour lui, le plaisir d'y vivre n'a pas de prix. Son histoire de créateur débute en 1970. Tout jeune musicien, il s'oriente vers la lutherie qui sera le lien entre sa passion et sa vie professionnelle. Les écoles sont rares et le meilleur moyen de se réaliser reste l'apprentissage aux côtés d'un maître. La tâche est ardue. Huit longues années sont nécessaires pour prétendre dominer son sujet.

D'un naturel modeste, René Gramy tient pourtant absolument à démystifier son art. Demandez-lui les secrets d'un bon instrument, il répond instantanément en termes de soins généraux apportés à chaque étape de la réalisation et fustige «ceux qui insistent, pour masquer leur incompétence, sur le soi-disant côté mystérieux, voire mystique de la lutherie. Il n'y a pas de secret, ce n'est que du savoir-faire».

Difficile tout de même de ne pas admirer le fruit de son travail : la courbe délicate d'un violoncelle, la pureté des lignes d'un manche, l'absolue finesse de réalisation ou la profondeur d'un vernis, qui peut compter jusqu'à dix-huit couches, et qui souligne la chaleur du bois précieux. La route est longue entre l'épicéa brut utilisé pour les dessus et l'érable dans lequel on taille les éclisses*. Chaque mouvement de gouge, chaque usage de ces minuscules rabots alignés comme des jouets, chaque collage, chaque coup de pinceau compte. Un mauvais vernis et la meilleure réalisation sonne «comme une raquette». À l'inverse, le meilleur vernis du monde «sur une boîte à camembert» ne sauvera pas la mise. La qualité d'une opération ne suffit pas à faire la qualité d'un instrument mais l'inverse peut gâcher l'ensemble. Un bon luthier doit maîtriser tous les paramètres. La beauté de l'objet fini attire toutes les convoitises et il n'est pas nécessaire d'être musicien pour succomber.

René Garmy vend la plus grande partie de sa production à de grands musiciens étrangers. La qualité se paye, et un violoncelle signé de sa main vaut la modique somme de cent mille francs. Heureux, le maître luthier regrette pourtant que de nos jours les artistes soient devenus des techniciens de la note. Toujours plus juste, toujours plus vite, mais au détriment selon lui d'une certaine sensibilité musicale…

Vivre en France, février 1992.

* une éclisse : mince plaque de bois

a) Retrouvez les étapes de l'itinéraire professionnel de René Garmy.

b) Faites la liste des différentes opérations nécessaires à la fabrication d'un violon.

c) Quelles sont les qualités d'un bon luthier ?

d) Relevez le vocabulaire qui permet de caractériser le bel objet.

e) Quelles expressions utiliseriez-vous pour caractériser :

une belle voiture – un beau tapis – un beau verre en cristal ?

3 | L'IDÉE DE MOYEN

Comment feriez-vous face aux situations suivantes ?
Utilisez les mots du tableau.

Êtes-vous débrouillard ? Comment feriez-vous pour :

1. Faire le tour du monde sans rien payer ?

2. Vous échapper d'une prison ?

3. Vous faire passer le hoquet ?

4. Sortir avec Valérie (ou Stéphane) sans que personne ne le sache ?

5. Monter en grade dans votre entreprise ?

6. Apprendre rapidement une langue étrangère ?

7. Vous cuisiner un bon petit plat ?

8. Soigner une blessure quand vous êtes perdu dans la forêt sans trousse de secours ?

– un moyen – une méthode – un procédé – un système – un truc (fam) – une ruse – un stratagème – une recette – une manœuvre – un subterfuge

servir à – permettre de – favoriser – être utile à – aider à – faire fonction de

se servir de… – employer – utiliser – recourir à – exploiter – faire usage de…

au moyen de… grâce à… à l'aide de…

4 | «FAIRE» ET SES SYNONYMES

Remplacez le verbe «faire» par un verbe de la liste.

1. Le menuisier fait une table.

2. L'architecte fait les plans de la maison.

3. Georges fait 1,80 m.

4. Cette année nos vignes ont fait 200 hectolitres à l'hectare.

5. Le sportif a fait des prouesses.

6. Elle a fait une grosse erreur.

7. Nous avons fait le programme du stage.

8. Le cheval et son cavalier ont fait un parcours sans fautes.

9. Un stylo et deux cahiers. Ça fait 25 F.

10. La voiture fait 6 litres aux 100 km.

consommer
coûter
commettre
écrire
élaborer
effectuer
fabriquer
mesurer
produire
réaliser

48 Les machines

1 LES PARTIES DE LA MACHINE

Voici la description d'une fourmi.

a) **Soulignez les mots qui représentent les membres et les organes de la fourmi.**

b) **Relevez tout le vocabulaire associé à l'idée de machine et de mécanisme.**

c) **Montrez que la fourmi est successivement comparée à une voiture, à un robot, à une gigantesque machine fantastique.**

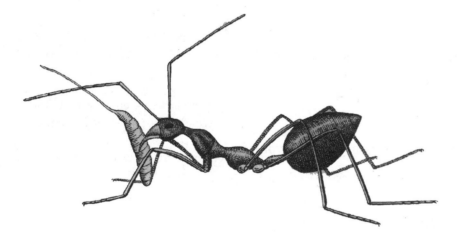

Qu'y a-t-il de plus beau qu'une fourmi ? Ses lignes sont courbes et épurées, son aérodynamisme parfait. Toute la carrosserie de l'insecte est étudiée pour que chaque membre s'emboîte parfaitement dans l'encoche prévue à cet effet. Chaque articulation est une merveille mécanique. Les plaques s'encastrent comme si elles avaient été conçues par un designer assisté par ordinateur. Jamais ça ne grince, jamais ça ne frotte. La tête triangulaire creuse l'air, les pattes longues et fléchies donnent au corps une suspension confortable au ras du sol. On dirait une voiture de sport italienne.

Les griffes lui permettent de marcher au plafond. Les yeux ont une vision panoramique à 180°. Les antennes saisissent des milliers d'informations qui nous sont invisibles, et leur extrémité peut servir de marteau. L'abdomen est rempli de poches, de sas, de compartiments où l'insecte peut stocker des produits chimiques. Les mandibules coupent, pincent, attrapent. Un formidable réseau de tuyauterie interne lui permet de déposer des messages odorants.

Bernard Werber, *Les Fourmis*,
Albin Michel, 1991.

| Vocabulaire de la machine ||
Noms (objets)	Verbes (fonctionnement et fonction)
ligne – aérodynamisme	s'emboîter
....	....

2 LES PIÈCES ET LE FONCTIONNEMENT

Remettez de l'ordre dans le tableau de façon à indiquer pour chaque pièce de la machine :

– sa fonction

– comment il peut se détériorer,

– comment réparer.

		Objet	Fonction	Détérioration	Réparation
		une vis et un écrou	arrêter conduire contrôler	se bloquer se boucher se casser	boucher changer déboucher
		un tuyau			
		un fil un ressort un levier	commander faire couler mettre en marche	se coincer se desserrer s'éteindre	débloquer décoincer huiler
		un bouton une touche un interrupteur	maintenir fixer transmettre	se percer se rouiller s'user	graisser serrer
		un voyant lumineux un engrenage	tourner		

3 | LES MACHINES ET LES APPAREILS

Comment peut-on nommer autrement les objets suivants ?

1. une machine à laver
2. une machine à laver la vaisselle
3. une machine à calculer
4. une machine à vapeur
5. une machine à distribuer les billets
6. un appareil de cinéma
7. un appareil (un poste) de radio
8. un appareil (un poste) de télévision
9. un tourne disque
10. une caméra vidéo

une billetterie – une calculette – un camescope – un distributeur – un lave-linge – un lave-vaisselle – une loco-motive – un ordinateur – une platine – un projecteur – un récepteur – un télé-viseur – un transistor – un tuner

4 | LES EMPLOIS FIGURÉS

Donnez le sens des mots en italiques.

1. Claude Barthes connaît bien tous *les rouages* de l'entreprise. C'est pour cela qu'il tient *les leviers de commande*.

2. Mon jeune fils sort beaucoup. Il ne prépare pas son examen. Si ça continue je vais lui *serrer la vis*.

3. L'économie du pays va de plus en plus mal. Tous *les voyants rouges* sont allumés.

4. Didier m'a donné *un tuyau* pour avoir une place au concert de Sting.

5. Je croyais l'avoir convaincu de me racheter ma vieille voiture. Mais au dernier moment *il a fait machine arrière*.

49
Les véhicules

1] LES NOMS DE VÉHICULES

Trouvez dans la liste B les personnes qui utilisent les véhicules de la liste A.

A	B
une caravane – un char – une diligence – un hélicoptère – un landau (une poussette) – une mob (un vélomoteur) – une moto – un balai – un panier à salade – un poids lourd – une roulotte – un tapis — un vélo – un voilier – un tracteur – une ambulance – une voiture de service – un dromadaire – une caravane	le bébé – le bédouin – le facteur – le forain – le gendarme – le gitan – le légionnaire romain – le loubard de banlieue – le magicien des 1001 nuits – le navigateur en solitaire – le paysan – la poste du XVIIIe siècle – le prisonnier – le roi fainéant[1] – le routier – le SAMU[2] – le sauveteur de montagne – le touriste – la sorcière – le cycliste

(1) nom donné à quelques rois de la fin du VIe siècle qui furent réduits à l'impuissance par les maires du palais qui avaient un grand pouvoir.
(2) Service d'aide médicale d'urgence.

2] LA VOITURE

Complétez avec les parties de la voiture. Dans les cases grises lisez verticalement le nom d'un célèbre constructeur automobile français.

1. On appuie dessus pour aller plus vite.
2. On y met les bagages.
3. Elle est quelquefois crevée.
4. Pour ralentir.
5. On le remplit d'essence.
6. On appuie dessus avant de passer au mot n° 7.
7. Il y en avait trois, puis quatre. Maintenant, il y en a cinq.
8. Quand on tourne la clé.
9. On les allume la nuit.
10. Son port est obligatoire.
11. On le tourne dans les virages.
12. On le découvre en ouvrant le capot.

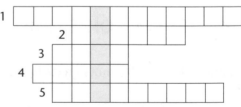

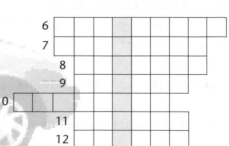

3 | LES INNOVATIONS

Voici quelques innovations qui changeront la voiture de demain.

a) Dites en quoi elles consistent et quels sont leurs avantages.

b) Relevez le vocabulaire relatif :
  • aux parties et accessoires de la voiture,
  • à la conduite automobile.

c) Imaginez des perfectionnements ou des accessoires que l'on pourrait inventer pour les voitures du futur.

Guide de navigation (1983-1990)

Inventeur indépendant, **Gérard de Villeroche** a développé dès 1983 son «Guide intelligent» (ou *Smart Guide*) de navigation automobile. Il optimise le trajet du véhicule – matérialisé à l'écran sur une carte mémorisée par l'appareil – en fonction d'un point de départ et d'un point d'arrivée, ainsi que des informations sur la circulation fournies par les observatoires routiers. Le conducteur visualise en temps réel sa position et le prochain changement de direction à envisager, l'itinéraire pouvant être modifié en raison d'encombrements.

«*Vigilux*» anti-dérive (1988)

Sa mise au point a demandé 12 000 heures de recherche. Il s'agit d'une alarme lumineuse et sonore qui avertit le conducteur somnolent ou perdu dans le brouillard qu'il s'écarte de la trajectoire normale. Elle utilise deux détecteurs à infra-rouges à l'avant du véhicule, qui lisent le changement de couleur de la route en cas d'écart de la trajectoire normale, et une centrale électronique très perfectionnée qui analyse les signaux et met en route l'alarme.

Radar pour manœuvre (1990)

La firme britannique **Avon Tyres** a mis au point un nouveau dispositif d'alerte de proximité, le «Bump Guard», destiné à réduire les risques d'accident pour les véhicules utilitaires lors de manœuvres à faible vitesse. Il s'agit d'une sorte de radar qui se monte dans le pare-chocs avant, côté trottoir et balaye la route jusqu'à 40 centimètres à l'avant et sur les côtés. Dès que le capteur décèle un obstacle, une lampe s'allume dans la cabine, pour avertir le chauffeur du danger caché. L'avertissement visuel peut être accompagné d'une alerte sonore, les deux systèmes étant utilisables séparément. Pour la marche arrière, Avon Tyres propose en outre le système de freinage «Avon Backstop», bien connu des routiers.

Programme VERT (1993)

Jusqu'à présent, le développement des véhicules électriques butait sur le problème des batteries qu'il faut recharger tous les 100/120 km. Le programme VERT (Véhicule Électrique Routier à Turbine) de PSA (Groupe Peugeot-Citroën) devrait permettre d'ici 1993 la mise au point d'une voiture fabriquant elle-même son énergie : turbine à gaz produisant de l'électricité grâce à un alternateur, pour la route ; batterie électrique pour la ville.

Embrayage électronique (1988)

Présenté officiellement au Mondial de l'Automobile de Paris, l'embrayage électronique **Valéo** réunit les avantages de la boîte mécanique et de la boîte automatique. En supprimant la troisième pédale, il libère le pilote de toute action sur l'embrayage, en lui laissant le choix des rapports, de leur mode de passage, du niveau d'accélération, du rétrogradage avec ou sans accélération.

4 roues directrices (1986)

C'est la prochaine révolution importante dans le domaine automobile. Le système des 4 roues motrices (4 WS) apporte en effet un confort et une sécurité très nettement accrus.

50
L'objet et le mouvement

1 | LES MOUVEMENTS HORIZONTAUX, VERTICAUX, CIRCULAIRES

a) Classez les verbes de mouvement de la liste sur le schéma.

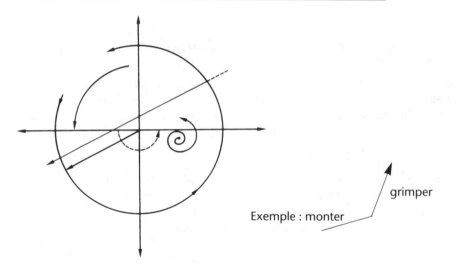

Exemple : monter → grimper

s'abaisser – avancer – contourner – couler – descendre – dévaler – escalader – faire une pirouette – glisser – gravir – graviter – grimper – longer – monter – obliquer – pivoter – progresser – reculer – se retourner – rétrograder – tomber – tourner – tournoyer – traverser – virer

Vous pouvez modifier le tracé du schéma pour illustrer graphiquement le sens de certains verbes.

b) Quels verbes utiliseriez-vous pour décrire :

– le trajet d'un skieur de fond ?

– un voleur poursuivi par un policier ?

– un ballet moderne ?

– le mouvement des astres dans le ciel ?

2 | L'OBJET CONTRE L'OBJET

a) Relevez dans le texte p. 115 :

• les mots exprimant l'idée de mouvement (verbes et noms). Trouvez les noms correspondant aux verbes et les verbes correspondant aux noms ;

Exemple : se déplacer → déplacement
             une cassure → (se) casser.

• le vocabulaire de la géographie.

b) **Reportez à grands traits sur une carte le visage de la Terre dans 50 millions d'années.**

LE BALLET DES CONTINENTS

La croûte terrestre est constituée de plaques qui se déplacent, flottant en quelque sorte sur du magma en fusion. Ces mouvements sont dus à la température et aux forces exercées par le magma interne qui peut s'enfoncer ou s'élever lentement vers la surface de la terre.

Lorsque deux plaques supportant un continent sont poussées l'une vers l'autre, elle se cassent et se plissent en formant des montagnes. Ainsi, l'ensemble montagneux qui va des Alpes à l'Himalaya est le résultat du choc de l'Eurasie, de l'Afrique et de l'Inde. En glissant vers l'Asie, la plaque indienne a soulevé la chaîne himalayenne actuelle.

Les plaques peuvent aussi se briser en raison des tensions qu'elles supportent. Ainsi, l'Afrique commence à se couper en deux. Le Rift, grande faille qui remonte de l'Afrique orientale jusqu'à la vallée du Jourdain, en constitue la ligne de rupture. Les séismes y sont fréquents et les volcans actifs.

Dans 50 millions d'années, la Californie se sera éloignée à environ 1000 km du continent américain. Le Groenland sera remonté vers le nord. Les grands lacs africains auront rejoint l'océan et une mer séparera l'Ethiopie et l'Egypte. L'Afrique du Nord se sera rapprochée de l'Europe, évacuant la mer Méditérranée qui se réduira à quelques lacs salés. Une chaîne de montagnes se déroulera des Pyrénées aux Alpes et se prolongera jusqu'au Tibet. L'Angleterre et l'Irlande seront presque effacées de la carte. Quant à la France, elle sera considérablement rétrécie et Paris sera recouvert par l'Atlantique.

3 | L'ACTION SUR LES OBJETS

Trouvez une suite logique à chaque début de phrase.

a. La voiture a heurté…	1. … sur l'accélérateur
b. Le visiteur frappe…	2. … un piquet dans le sol
c. L'enfant tape…	3. … le cocktail avant de le servir
d. le jardinier arrache…	4. … un gros arbre
e. Le conducteur appuie…	5. … sa voiture en panne
f. Le jeune homme caresse…	6. … les mauvaises herbes
g. Il remue…	7. … à la porte d'entrée
h. L'agriculteur enfonce…	8. … la sonnette d'alarme
i. Le bricoleur tord…	9. … les cheveux de sa bien-aimée
j. Le garçon de café agite…	10. … sur un tambour
k. Elle touche…	11. … son café pour faire fondre le sucre
l. Il pousse…	12. … le tissu pour vérifier que c'est de la soie
m. Dans le train, quelqu'un a tiré…	13. … un fil de fer pour faire une boucle.

51
Le temps et les choses

1 │ LES DÉGRADATIONS ET LES RÉPARATIONS

Complétez avec les verbes du tableau.

1. L'enfant a fait tomber le vase fragile qui .... Il faut .... les morceaux.

2. L'orage a .... les cultures. Il faut ....

3. Un gros camion a .... le mur du jardin. Il faut le ....

4. En se battant, Patrick a .... un bouton de la chemise de Marc. Il faut le ....

5. L'enfant a joué avec la pendule et l'a .... Il faut la faire ....

6. En jouant dans la bibliothèque les enfants ont .... l'ordre des livres. On doit les ....

7. J'ai acheté une vieille maison et, l'hiver dernier, la neige et le vent ont .... la toiture. J'ai l'intention de faire entièrement .... cette maison.

8. L'accident a légèrement .... la carrosserie de ma voiture. Je vais quand même la faire ....

> **Détériorations :**
> arracher – bouleverser – (se) casser – démolir – détériorer – détraquer – dévaster – endommager
>
> **Réparations :**
> arranger – recoller – recoudre – reclasser – reconstruire – réparer – replanter – restaurer

2 │ L'ÉVOLUTION

Lisez le texte p. 117 :

a) Noter les étapes de l'évolution du design et les causes de cette évolution.

b) Relevez tous les mots qui permettent d'exprimer l'idée d'évolution, de changement, etc.

c) Trouvez les noms qui correspondent aux verbes de la liste (altérer → altération).

d) Imaginez ce qui peut changer dans les situations suivantes. Quels mots utiliseriez-vous pour décrire ces évolution ?

1. un nouveau PDG change complètement son entreprise ....

2. une personne tombe gravement malade, puis guérit ....

> altérer – bouleverser – changer – (se) développer – dénaturer – devenir – (se) métamorphoser – (se) modifier – muter – (se) muer – passer (de... à) – progresser – (se) renouveler – (se) réformer – renover – révolutionner – (se) transformer – transmuter – varier – évoluer – (s') améliorer – (se) perfectionner – (s') adapter

3. une famille ruinée change de milieu et de mode de vie ....

4. un savant fou se livre à d'étranges expériences ....

Quand l'art vient à l'industrie

Une chose est sûre : le design est en mutation. La profession, tenue en éveil par les bouleversements de la technologie et de la société, se trouve en pleine révolution et se module en une mosaïque éclatée de tendances, de styles et de recherches. Le travail du designer s'inscrit aujourd'hui dans un horizon beaucoup plus complexe qu'aux débuts de la profession. En effet, son intervention a dépassé largement l'acception industrielle classique pour s'élargir à toute chose diffusable, susceptible de reproduction. Si la crise actuelle est profonde, elle fait pourtant suite à une époque glorieuse et prospère : les années 1960 avaient ouvert une grande décennie, curieuse et fascinée par la possibilité de produire des objets en série et de leur donner une esthétique, une identité propres. Inscrit dans la logique industrielle de la production de masse, le design avait pris son essor aux États-Unis dans les années 1940. Mais il fallut attendre vingt ans pour que le métier fût officialisé. Sensible aux fluctuations du marketing, le designer s'avéra un coordinateur et un visionnaire dont le rôle complexe devint indispensable. Une importance qui n'est pas remise en cause aujourd'hui, en dépit des secousses qui agitent la profession. En effet, notre époque, surchargée d'objets et de signes, pose toujours au designer la même question essentielle : comment réussir à traduire et à éclairer le futur ?

Textes et documents pour la classe, 564/565,
Le Design, 14 novembre 1990.

3 | LE SUFFIXE VERBAL -*IR*

Il permet de former un verbe avec un adjectif et traduit *une transformation.*
grand → grandir (devenir grand)
Quelquefois un préfixe est nécessaire : jeune → rajeunir (paraître plus jeune).

a) **Remplacez les expressions soulignées par un verbe en -*ir* en modifiant au besoin la construction.**

1. En apprenant la nouvelle, il est devenu tout pâle.

2. C'est le printemps. Le gazon devient vert et épais.

3. Ouvrez la fenêtre ! La pièce sera plus fraîche.

4. Les ouvriers ont transformé la route. Maintenant, elle est plus large.

5. Allez plus lentement !

b) **Formez des verbes en -*ir* avec les adjectifs suivants et donnez un exemple d'emploi.**

– vieux – blanc – jaune

– grand – petit – faible – étroit – sombre

52
Les sons

1 LES BRUITS

Le texte ci-contre est l'introduction d'une enquête sur la ville de New York. L'auteur débute son article par l'évocation d'un monde de catastrophes.

a) Faites le relevé :
  • **des sources de bruits (trafic sur les chaussées défoncées, klaxons, etc.) ;**
  • **des mots qui caractérisent les bruits (le fracas, etc.).**

b) Trouvez dans la liste B une source possible à chacun des bruits de la liste A. Trouvez d'autres sources possibles pour chaque bruit. Donnez le(s) verbe(s) correspondant à chaque nom de bruit.

Exemple : le claquement (claquer) → d'une porte, d'un coup de revolver, d'un drapeau battu par le vent, etc.

A	B
le claquement – le clapotis – le craquement – le cliquetis – le crissement – la détonation – l'explosion – le grincement – le murmure – la pétarade – le sifflement – le tintement – la vibration – le vrombissement	une bombe – une branche qui se casse – un coup de fusil ou de canon – une corde de guitare – une clochette – un moteur – une moto – des pneus (quand on freine) – une porte – une porte mal huilée – un serpent – une source – la vaisselle en argent – les vagues contre le bateau

c) Créez des atmosphères sonores. Vous êtes ingénieur du son et vous devez réaliser l'illustration sonore de ces scènes de film :

Exemple : course poursuite → claquement de portière, vrombissement de moteur, crissement de pneus, etc.

1. Course poursuite dans un port par une nuit d'orage.
2. Scène de peur dans la chambre d'une maison hantée.
3. Trois lieux de la ville (le marché, l'avenue principale, le jardin public).

Ça fait du bruit, une ville qui tombe. Écoutez donc New York, ce grand fracas de chaussées défoncées et de trafic qui s'embouteille, ces klaxons de taxis et ces radios salsa, le tintamarre du métro qui lutte, pathétique, contre les graffiti et la déglingue, ces clameurs syndicales d'employés municipaux promis au chômage et qui hurlent tout le jour sur le parvis du City Hall, le cliquetis des piécettes dans les gobelets de carton que brandissent les mendiants à tous les carrefours de Manhattan. Et puis les cris des fous par-dessus tout ça. Pauvres fous, qui s'engueulent tout seul avec des gestes de chanteurs de rap, invectivent leur ombre, se racontent des histoires à tue-tête et rient d'un rire mauvais, à moitié nus, plus que sales, pitoyables et inquiétants, fouillant les poubelles et trottinant dans les rues chics où s'accumulent, dans les recoins des portes, les abris de fortune qui leur servent de maison depuis que les asiles les ont jetés dehors. On entend aussi parfois des coups de feu, suivis des ululements des sirènes des voitures de flics qui foncent dans la nuit, des lumières plein le toit, vers le lieu du crime, et enfin celles des ambulances qui emportent les victimes vers les hôpitaux en état d'urgence absolue.

L'Express, n° 2089, 18 juillet 1991.

2 | LA VOIX

Vous êtes metteur en scène. Vous demandez aux acteurs d'adapter leur voix au personnage qu'ils jouent. Comment caractériseriez-vous la voix de chaque personnage ?

1. Dracula menaçant sa victime.
2. Le petit Chaperon rouge
3. Le vieillard sénile.
4. La femme sensuelle et séduisante.
5. L'idiot du village.
6. Zeus en colère.

une voix...

aiguë – cassée – caverneuse – chaude – charmeuse – chevrotante – claire – criarde – fraîche – grave – gutturale – harmonieuse – légère – nasillarde – profonde – pure – sonore – tonitruante – tremblante

3 | LE CONCERT

**Les phrases suivantes appartiennent à deux textes différents.
L'un raconte le début d'un concert de musique classique, l'autre celui d'un concert de rock. Reconstituez les deux textes (7 phrases par texte).**

1. Les gens s'interpellent, crient, sifflent dans un vacarme assourdissant.
2. Soudain des rayons lasers balaient la scène.
3. Le public s'installe dans le brouhaha des conversations.
4. Les techniciens ont terminé leurs essais de sono.
5. Soudain la lumière baisse. Un bruit de fond persiste quand le premier violon fait son entrée.
6. L'orchestre attaque *La Petite Musique de nuit*.
7. Le groupe attaque *Seul dans la nuit*.
8. Les musiciens accordent leurs instruments dans une cacophonie de mélodies discordantes.
9. Le public hurle et trépigne.
10. Le groupe fait son entrée.
11. Les murmures cessent. Quelques toux surnagent.
12. Le chef entre sous les applaudissements.
13. Des cris et des applaudissements saluent le début de la chanson.
14. Le chef lève sa baguette et un grand silence se fait dans la salle.

CORRIGÉS

1
Le dictionnaire

1. a) *Sens* : 1. qui mange beaucoup, avec avidité. 2. mamifère carnivore. *Emploi figuré* : avaler comme un glouton. *Nature* : adjectif ou nom. *Prononciation* : [glutɔ̃, ɔn] . *Synonymes* : 1. goinfre, goulu, vorace. 2. goulu, carcajou. *Contraire* : frugal, gourmet, sobre, tempérant. *Étymologie* : du bas latin «glutto», de «gluttine» (avaler). «Engloutir» et «déglutir» sont formés sur le radical -glout-/-glut-.

2.

	1952	1972	1992
femme	Société encore très rurale, aux valeurs traditionnelles. La femme se consacre surtout aux tâches domestiques	Société industrialisée. Crise des valeurs. Mai 1968 Mouvements féministes. Reconnaissance de la spécificité du sexe féminin	Société postindustrielle. Égalité des sexes admise. La femme se définit par opposition à l'homme (sexualité) et par opposition à la fille (maturité).

	1952	1992
prostituée	femme	personne
prostitution	talent	sexe

3. a)

• naissance	: le premier mot	maman
• école	: les mots de tous les jours les groupes de mots	bonjour, au revoir groupe de sujet, du verbe, du nom
	le mot à mot	lecture ou traduction mot après mot
	les gros mots	termes grossiers, injurieux
• jeunesse	: le mot de Cambronne les bons mots les jeux de mots	mot de révolte (Merde !) l'humour les calembours
• service militaire	: le mot d'ordre le mot de passe	la consigne formule qui permet de passer librement
	le mot pour rire	la plaisanterie
• l'amour	: les mots d'amour les mots qui touchent les mots qui blessent	lettres, aveux, («je t'aime») pleins d'émotions mots de rupture («je ne t'aime plus»)
• la maturité	: les mots savants	utilisés par les scientifiques
• la célébrité	: les mots-clés les mots historiques	les mots importants phrases célèbres
• la mort	: le mot de la fin	l'expression qui résume bien la situation (ici, mot prononcé avant de mourir)
	avoir le dernier mot	conclure une discussion en imposant son avis.

3. b) Exercice ouvert.

2
L'histoire des mots

1. a) **rival** : les personnages vivant près d'une même rivière se querellaient souvent pour l'eau. D'où le sens actuel de «concurrent», «adversaire».
bureau : le sens du mot évolue par extension progressive : étoffe → table → pièce → administration → ensemble de personnes.
b) 1. Siège de l'évêque → lieu du siège de l'évêque, cathédrale – 2. Blanc → innocent → candide → candidat – 3. De travers → pas droit → gauche – 4. Jeu de dés → hasard – 5. Petit cailloux → petite chose → scrupule.
c) 1. qui appartient au cœur ; atteint d'une maladie du cœur.
2. qui a l'ardeur, l'énergie du cœur malgré le danger.
3. petite maison dans un jardin, en forme de tente.
4. insecte à grandes ailes, a la forme d'un V au repos.
5. tour du seigneur (maître).
6. jour du seigneur (dieu).
7. prêtre, il prend soin des âmes.
8. intéressé, il prend soin de tout, veut tout connaître.
9. septième jour, jour de repos pour les Juifs.
10. septième jour de la semaine.
11. oiseau dont la femelle pond ses œufs dans des nids étrangers.
12. mari dont la femme est infidèle.

2. a) **Logement** : habiter, habitat, habitation, inhabité, habitant, habitable.
Vêtements : s'habiller, habillage, se déshabiller, habillement, habit, se rhabiller.
Habitudes : habitude, habituel, habituellement, s'habituer, se réhabituer.
b) Tous ces mots viennent du latin «habitus» (manière d'être, costume).
c) **Préfixes utilisés**

in (négation)	inacceptable, inachevé, inactif, inadapté.
dés (négation)	désagréable, désarmé, deshonoré, désintéressé.
ré (de nouveau)	réanimer, réarmer, réélire, réécrire, réutiliser.
r (de nouveau)	rouvrir, rentrer, renfoncer, renfermer.

Suffixes utilisés

-at (état)	état, candidat, doctorat, mandat.
-itude (qualité)	certitude, aptitude, inquiétude, exactitude.
-ation (action, résultat)	création, présentation, obligation, opération.
-age (action	lavage, blocage, bavardage, chauffage.
-ment (action, résultat)	vêtement, réglement, ornement, jugement.
-uel (propriété)	intellectuel, spirituel, virtuel, perpétuel.
-able (possibilité)	mangeable, capable, aimable, évitable.
-ment (manière)	pauvrement, tendrement, vraiment, finement.

d) 1. [-peupl-] le peuple, le peuplement, la peuplade, peupler, dépeupler, repeupler.
[-popul-] la population, la populace, populeux, populaire/impopulaire, popularité/impopularité, populariser, populisme, populiste.
2. [hom-] l'homme, un homicide, un hominidé, un hominien, hommasse, l'hominisation.
[-hum-] humain/inhumain, l'humanisation, humaniser/déshumaniser, l'humanisme/l'antihumanisme, humaniste, humanitaire, humanitarisme, l'humanité/l'hinumanité.
3. **la police**, policé, policier, policer.
(la) politique, politicien, politicard, politiquement, la politisation,

politiser, le politicologue, la politicologie, la technopole, la mégalopole.

4. [-flor-] floral, les floralies, la floraison/défloraison, la flore, florissant, déflorer, le florilège, florifère.
[-fleur-] la fleur, la fleurette, fleurir, défleurir, refleurir, le fleuriste, un fleuron, le fleuret, le chou-fleur.

3. Le jackpot : le gros lot ; look : allure ; lifting : déridage ; fast-fod : restauration rapide ; jogging : course à pied ; walkman : balladeur ; week-end : fin de semaine ; surf : glisse ; overdose : indigestion ; zapper : changer de chaîne ; must : impératif ; businessmen : hommes d'affaires ; job : emploi ; public-relations : relations publiques ; sponsoriser : parrainer.

3
Le sens des mots

1. a) **Éléments de la langue** : le mot, la phrase, le terme, le contexte, le sens, la signification, la structure grammaticale, la tournure idiomatique, le mot technique, le dictionnaire, le texte.
Difficultés de traduction : les ambiguïtés ; les termes dont seul le contexte donne le sens ; un mot a souvent plusieurs significations ; la structure grammaticale équivoque ; les tournures idiomatiques ; les mots techniques ; les énoncés ambigus.

b) 1. fonctionner – 2. se déplacer – 3. aller bien – 4. aller à pied – 5. accepter – 6. être dupe.
c) Exercice ouvert.

2. a) 1. un plat cuisiné – 2. animal – 3. un terme d'affection – 4. un appartement petit et étroit – 5. un porte-bonheur – 6. idée d'un animal qui se reproduit très rapidement – 7. un homme à fort tempérament amoureux.
b) **La tête** : partie supérieure ; raison, lucidité ; intelligence ; chef, leader ; partie initiale, partie antérieure ; individu ; visage.
Une poule : volaille ; bavardage ; lâcheté, peur ; terme d'affection ; attitude maternelle excessive ; femme légère.
Le pain : nourriture essentielle ; idée de nécessité ; idée de quantité ; chose excellente et aimée ; nourriture sacrée ; travail laborieux ; idée de partage ; nourriture quotidienne.
Un Turc : force ; brutalité ; dynamisme ; personne qu'on aime critiquer ; toilettes.

3. 1. veulent dire, indiquent, signifient – 2. révèlent – 3. évoquer, suggérer – 4. indique, marque – 5. correspond à, équivaut à.

4
La langue

1. a)

	Espéranto	Français
Substantifs	– se termine par o – pluriel en -j	– terminaison : de très nombreux suffixes de sens variable. – presque toutes les possibilités de l'alphabet sont utilisées à l'écrit (sauf -j et -q). – varie en genre (masc./fém.) et nombre (sg./pl.). – Nombreuses exceptions et cas complexes (noms composés par ex.).
Adjectifs	– se termine par -a – pluriel en -j.	– varie en genre et nombre. – nombreuses exceptions (adj. de couleurs par exemple).
Adverbes	– en -e	– nombreux adverbes en -ment. Mais règle de formation complexe. – nombreux adverbes à terminaison variable (ex. mal, bien).
Verbes	– ne varie ni en personne ni en nombre – 6 terminaisons pour les temps simples – 6 terminaisons pour les temps composés et le participe.	– radical et terminaison varient. – varie en voix (actif/passif), en mode (indicatif, conditionnel, subjonctif, impératif, infinitif, participe), en temps (diversité des temps simples et composés) en personne, en nombre et parfois en genre (accord du participe passé). – l'infinitif seul peut avoir 4 formes : -er, -ir, -oir, -re.
Négation	– une seule	– nombreuses négation grammaticale expriment diverses nuances (ne ... pas; ne ... jamais, etc.). – négation lexicale à partir des préfixes : im, im- ill- in- a- dé. – des contraires.
Prépositions	– chaque préposition a un sens précis	– une même préposition peut avoir une multiplicité de sens (cf. «à» et «de» dans le dictionnaire).
Règles	– 16 règles fondamentales sans aucune exception	– un nombre de règles considérable. – des exceptions très fréquentes.

b) **Qualités** : langue internationale qui veut rapprocher les peuples, éviter les divisions ; un vocabulaire limité (environ 10 000 mots) ; une grammaire simple et logique (16 règles de base).

Défauts : langue artificielle, sans histoire ni littérature ; construite à partir de quelques langues européennes ; peu parlé ; pas ou très peu d'écoles, d'universités, de bibliothèques, de moyens d'information en espéranto ; un projet irréaliste, utopique.

2. a) • **Langue de bois** : langue figée et éloignée des réalités qu'emploient les hommes politiques.

– **Langue emboisée** : néologisme archaïsant, ironique → langue de bois.

– **Parler-vrai** : langue où seule importe la vérité des faits – **Litote** : figure qui consiste à dire le moins pour faire entendre le plus – **Perle** : erreur grossière – **Être de bon ton** : être élégant – **Noyer le bébé** : faire disparaître le problème – **Prudent et abusif** (exagéré) – **Vocable générique** : mot de sens général – **Litanie** : énumération longue et ennuyeuse.

– **Langue biaisée** : qui ne reflète pas la réalité – **Appeler un chat un chat** : dire la vérité, nommer les choses par leur nom – **falsification** : déformation trompeuse.

• **Problèmes de banlieues** → l'implosion de notre société – **Jeunes** → bandes de marginaux, de désœuvrés – **Hystérie sécuritaire** → réflexe de défense.

• **La falsification du langage.** L'euphémisme consiste à atténuer une réalité trop crue. La litote est une fausse atténuation. Ces deux figures traduisent l'embarras devant un problème réel qu'on veut cacher.

b) • obèse – banal – sans considération – mauvais mariage • la faim – pauvres – morts – originaire d'Afrique du Nord • difficultés malvenues – dans l'avenir (peut-être jamais) – presque inexistantes – mes seuls électeurs – pour les riches et pour les pauvres • il n'a pas eu de succès – on m'a oublié !

5
Les niveaux de langue

1. a) 1. Une personne donne une information (Voc. courant) – 2. Un homme s'adresse à une femme qu'il courtise. Il désigne sa voiture avec ironie (Voc. recherché, précieux) – 3. Texte administratif (Voc. soutenu, technique) – 4. À un ami (Voc. familier) – 5. Un concurrent de rallye parle à un autre passionné (Jargon professionnel) – 6. Un jeune à un autre jeune (Voc. vulgaire et argotique).

b) 1. S.F.C – 2. F.C.S – 3. F.C.S – 4. S.C.F – 5. C.S.F – 6. C.F.S – 7. C.F.S – 8. F.C.S.

2. partir – bien – tu portes – rire – déprimés – ont déformé l'esprit de – les difficultés – les jambes – les imbéciles – les chaussures – assez – fous – jeune prétentieux – la nourriture – ce n'est pas vrai – les gens perdus – personnes naïves et crédules – personnes sans esprit critique – les gens (hommes) – l'individu (ici, moi).

3. Dans les médias : 1d – 2c – 3b – 4a – 5f – 6g – 7e.
Chez les jeunes : 1e – 2f – 3d – 4g – 5b – 6c – 7a.

6
Parler

1.

Apport d'information (sans échange)	Échange sans conflit	Échange conflictuel
causerie (à la télévision) – une conférence (à l'université) – un cours (à l'école) – une déclaration d'amour (au bal) – un discours (lors d'une réunion politique) – un exposé (en classe) – une intervention (dans un style) – un message (sur le répondeur téléphonique) – une prédication (à l'église) – un témoignage (au tribunal).	une causerie (entre gens de lettres à la radio) – une causette (dans la rue) – une conversation (à table) – un dialogue (dans l'entreprise) – une discussion (au bureau) – un entretien (dans la résidence du président) – une entrevue (au ministère) – une interview (lors du journal télévisé) – les pourparlers (lors d'une conférence internationale) – la négociation (en terrain neutre) – un tête-à-tête (au restaurant).	une chicane (au tribunal) – une controverse (dans les journaux) – une déclaration de guerre (entre deux pays) – un débat (à la télévision) – une dispute (dans un couple) – un litige (entre deux voisins) – une plaidoirie (de l'avocat au tribunal) – une polémique (dans les médias) – une querelle (au café).

2. a)

	Sentiments	Causes	Comportements
Gasp.	l'animosité – la fureur	découverte des lettres	voix sourde
Cam.	la jubilation et la crainte	– désirs réalisés, – redoute la réaction de G.	animée (agitée)
Gasp.	la jalousie et la colère rentrée	l'amour d'un autre pour sa femme	s'obstinait de faire semblant de lire
Cam.	emportement	la tension créée par la fause indifférence de son mari	– se retourne et les poings sur les hanches se plante devant lui – interpellation vive – avait failli révéler à son mari sa coupable correspondance
Gasp.	la surprise (interloqué)	ton vif et emporté de sa femme	question laconique et pleine d'(une feinte) innocence
Cam.	la stupeur	le détachement (calculé) du mari	– aplomb – ruse pour justifier sa réaction et déjouer tout soupçon (se rétablir) : elle accuse son mari d'avoir caché les salières

Gasp.	le flegme	garder le contrôle de la situation	présente les lettres avec un calme étudié
Cam.	ébranlée	retournement de situation inattendu	– vacille sur ses bases – s'agrippe au buffet
Gasp.	culpabilité réelle ou simulée ?	rester maître du jeu ?	– murmure – s'attribue la responsabilité de la situation – demande pardon se fait des reproches
Cam.	étonnement	échappe à l'accusation de femme infidèle	

b) répéter, répondre, révéler, lancer, rétorquer, murmurer, lâcher.

c) 1. accuser, apostropher, attaquer, créer, gueuler, hurler, invectiver, couper la parole. 2. grommeler, marmonner, murmurer. 3. bafouiller, bégayer, bredouiller, vider son sac. 4. charmer, badiner. 5. intercéder. 6. confesser, accoucher, vider son sac. 7. exhorter. 8. bégayer, bredouiller, chuchoter, mumurer. 9. chuchoter, murmurer. 10. balbutier. 11. se vanter, pérorer. 12. médire, invectiver, hurler, attaquer, crier, gueuler. 13. badiner, blaguer. 14. rétorquer, répliquer. 15. jargonner, baragouiner. 16. radoter, rabacher, répéter.

d) faire, émettre des vœux – réciter un poème – dénoncer une injustice – faire, prononcer un discours – exposer, développer un problème d'actualité – faire, donner, prononcer une conférence – déclarer la guerre – confier, dévoiler un secret – formuler, émettre un doute – avouer ses fautes – propager une rumeur – faire, donner un cours.

7
Écrire

1.

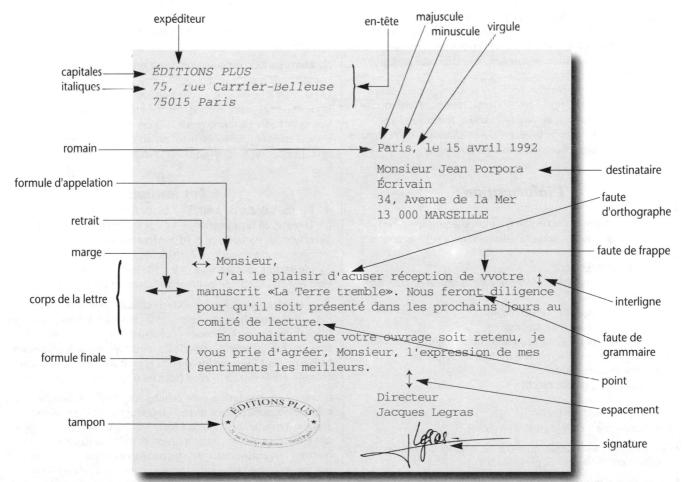

2. 5, 4, 8, 10, 1, 3, 11, 2, 7, 9, 6.

3.

Époques	Support d'écriture	Instruments d'écriture	Produits
Antiquité	– tablette d'argile – papyrus – parchemin	– stylet – roseau – pinceau	– tablette – rouleau
Moyen Âge	– parchemin	– plume d'oie	– livre calligraphié
Renaissance XVIIIe s.	– papier	– imprimerie (XVe s.) – crayon	– livre imprimé – journal
XIXe s.		– plume d'acier – machine à écrire – stylo à encre	
Début XXe s.		– stylo à bille	– affiche
Fin XXe s.	– écran	– stylo feutre – traitement de texte	– disquette

4. a) les longueurs, la platitude, la lourdeur, le flou, la prolixité, le verbiage, l'emphase, le maniérisme.

b) **le flou** → valeur poétique (Verlaine) ; **le maniérisme** → écriture baroque et précieuse (Calderon) ; **les longueurs** → digressions propres à un style (Montaigne, Proust) ; **l'emphase** → écriture lyrique (Romantisme) : **la platitude** → style simple et dépouillé (écriture blanche de Camus).

c) 1. clarté, concision, précision, formules académiques – 2. simplicité/originalité, chaleur, humour – 3. image, musicalité (rythmes, vers) – 4. clarté, précision, originalité, humour, remarques frappantes, illustration – 5. objectivité, précision, concision, clarté logique – 6. originalité, images, humour, remarques frappantes.

8
L'information

1. a) b)

1. archives (difficilement accessibles) – bibliothèque (accessible) – conférence (non fiable) – encyclopédie (trop général) – dictionnaire (précis).
2. annuaire – minitel (accessible, fiable).
3. clips (accessible, partial) – interview (difficilement accessible, riche).
4. boîte à idées (riche).
5. annuaire – banque de données (fiable).
6. espion – informateur (efficace, risque).
7. on-dit, bruits (subjectif, partial, vague, non fiable).
8. journal (partial) – bulletin (flash) d'information (partial).
9. magazine (vague, pauvre).
10. note de service (fiable, précis).
11. pense-bête (précis).
12. lettre anonyme (non fiable).
13. un tract – une affiche (partial, non fiable).

2. Informer : 1. a fait savoir, notifiera – 2. renseigne – 3. apprend – 4. a communiqué, averti – 5. prévenir, fais part.

3. a) b) **Type d'informations et rubriques :** informations générales concernant l'actualité, destinées à un public de cadres, professions libérales.

Rubriques abordées : Éditorial (article qui exprime l'opinion d'un journaliste) – Laser (analyse centrée sur une série de sujets) – Nation (politique intérieure) – Monde (politique internationale) – Économie – Ville – Environnement – En couverture (dossier annoncé en couverture) – Société – Document (Histoire) – Culture.
c) d) Exercices ouverts.

9
La publicité

1. a) 7, 11, 3, 10, 4, 14, 9, 1.
b) 13, 8, 7, 5, 16, 8, 4 et 14, 15, 2 et 18, 1.

2. Un homme d'influence – l'art de charmer – suggérer – pesait – influé – influencé – charisme – faire la pluie et le beau temps – il avait le bras long – mener par le bout du nez – énormément d'emprise/ascendant – d'endoctriner.

3. a) **Interdits moraux utilisés :**
– les septs péchés capitaux : orgueil, avarice, gourmandise, envie, colère, luxure, paresse.
– le sens de l'élitisme et du privilège.
– l'immortalité – faire de l'avarice un précepte – ne jamais partager ses bonbons – damner l'âme des curés – tuer son prochain.
– éjecter les empêcheurs de tourner en rond (les gêneurs).
b) **Autres ressorts publicitaires possibles :**
– désir, sexualité, exotisme, dégoût, épouvante, antiracisme, sacré, faim dans le monde, pauvreté/richesse, goût du luxe, haute technologie, aventure, virilité, force, violence, agressivité.
– pureté, amour, tendresse, sécurité, confort, harmonie, famille, bonheur, humour, ironie.

4. Kodak : le logo évoque la première lettre de la marque, la forme d'un appareil photo avec l'objectif (partie gauche).
La poste : le logo évoque un oiseau en vol ou un avion supersonique ; la forme rectangulaire évoque la lettre. Idée de vitesse.
Voyagiste Kuoni : la forme ronde du logo évoque la terre, les voyages, le mouvement (globe légèrement penché) peut-être une mongolfière. La place du nom, à l'équateur, évoque le soleil, l'exotisme.

10
Les images

1. 1 g. (de bataille, de métro) – 2 b. (de Rubens, de roman) – 3 e. (de la gloire, de l'imagination) – 4 f. (de Daumier, de la réalité) – 5 a. (au crayon, de portrait) – 6 d. (d'une fonction mathématique, de la température d'un malade) – 7 i. (d'école, des départs et arrivées) – 8 j. (de fracture, de l'électorat) – 9 c. (de la communication, de fonctionnement) – 10 h. (de loi physique, du talent d'un sportif).

2. a) **carré** (la face du dé à jouer) – **rectangle** (la fenêtre) – **cube** (le dé) – **cercle ou sphère** (au-dessus de la table, sur l'échelle) – **triangle** (dans l'ouverture de la fenêtre) – **colonne tronquée** (sous l'échelle) – **cône** (en bas, au milieu) – **spirale** (le ressort qui anime le pantin, en haut au milieu) – **serpentins** (un noir et un blanc qui se croisent au centre) – **étoile** (filante) – **roue** (sous les serpentins blancs et noir).

b) une pièce – une oreille – une échelle – deux sirènes aériennes – une colonne tronquée portant un œil – une étoile filante – un oiseau – un arlequin à moustaches – un dé à jouer – un diable sort de sa boîte – une étoile de mer – un pantin à ressort et à tête de roi, tenant une guitare – une portée musicale – un papillon exotique – une roue – une fenêtre – une lune à moustache – un pic – une flamme – une table – un poisson – des fruits – un livre – un papier d'emballage – deux chats jouant – un serpentin portant un gant – un serpent à tête coupée – un oiseau à tête de soleil.

c) La pièce fait penser à l'atelier du peintre – L'arlequin représente le peintre – Les formes variées, le désordre animé et les couleurs évoquent la fête – Arlequin, les sirènes, le pantin, le papillon exotique, les oiseaux étranges, les serpentins et le diable sont à rattacher à l'idée de carnaval.

3. a) 1. travailler clandestinement – 2. être pessimiste – 3. ennemi – 4. non officiel, clandestin – 5. sans étoiles – 6. écrire – 7. sont partis à la campagne – 8. l'ordre de commencer – 9. gaillard – 10. pas mûr – 11. bon cuisinier – 12. saignant – 13. il n'y a rien compris – 14. une ecchymose – 15. non chargée – 16. directement – 17. un espace – 18. sans timbre – 19. entière liberté – 20. innocent – 21. intelligence – 22. saoul – 23. il est maussade – 24. sans en avoir envie – 25. il était en colère – 26. du vin – 27. communiste.

b) **Noir** → obscurité, dissimulation, mort, deuil, etc. **Vert** → vitalité, nature, jeunesse, naissance, espoir, etc. **Bleu** → sang, blessure, naïveté, idéal, etc. **Blanc** → innocence, pureté, liberté, franchise, silence, vide, etc. **Gris** → confusion, tristesse, intelligence, etc. **Jaune** → fausseté, perversion. **Rouge** → passion, ivresse, révolution.

4. a) but – quelque peu humoristique – une description – projets – abordé – une différence – imprécis – du monde.

b) grand angle, téléobjectif – coloré légèrement – un tableau d'artiste – art de représenter en trois dimensions sur une surface – dessiner à grands traits – une tonalité – aux contours peu nets – la peinture du paysage.

11
La personnalité

1.

la nostalgie du passé	la fuite dans le rêve
– attachement aux traditions – besoin de racines – regret du passé – recherche du paradis perdu	– idéalisme – goût des utopies – besoin d'évasion – goût de la poésie
la pensée	la créativité
– goût de l'abstraction – esprit de synthèse – esprit mystique – goût de l'analyse	– intuition – sens de l'adaptation – ouverture d'esprit – curiosité – disponibilité
la tension vers le futur	le goût de l'action
– vision à long terme – goût du risque – esprit d'aventure – ténacité	– sens pratique – sens de l'efficacité – lucidité – esprit d'entreprise
la matière	le refus du changement
– bon sens – sens de l'observation – souci du détail – réalisme – esprit concret	– manque de souplesse – rigueur morale – fermeture d'esprit – conformisme

2. scrupuleux/maniaque – sociable/envahissant – enthousiaste/exalté – calme/indolent – franche/indélicate – simple/simpliste.

12
L'apparence

1. a) Le caricaturiste en fait un personnage très animé et très «grande gueule». Il atténue le côté serein qui se dégage du visage et accentue certains traits : poches sous les yeux, implantation des cheveux, rides sur le front.

b) c) Exercices ouverts.

2. a) 1. Masquer, mystificateur, feindre, les noirs desseins, les secrets, cacher, inconsciemment, déguiser, étouffer, méconnu, véritable – 2. avancer masqué, tromper, mystificateur, feindre – 3. recéler, révéler, dévoiler, faire apparaître.

b) Exercice ouvert.

3. a) le photographe, la photo, l'instantané, la pose, le tableau vivant, le geste, l'attitude, un court instant d'éternité, l'image, la lanterne magique ; photogénique, raide ; suspendre (ses gestes), se figer, se pétrifier.

b) Sartre se moque de son grand-père qui est un poseur. Il prend des attitudes affectées pour se faire valoir. Il se complaît dans l'admiration de soi (narcissisme).

13
Les relations

1. deux amis : A → 1, 2 ; B → a, b, e – **deux alliés :** A → 4 B → m – **deux complices :** A → 3 B → f, g, i – **maître/disciple :** A → 6 B → j, k – **deux associés :** A → 5 B → K, i, e – **deux conjoints :** A → 1, 9, 10 B → d, n, b, e, i, k – **amant/maîtresse :** A → 10 B → d, j – **subordonné/supérieur :** A → 11 B → k, h – **fan/vedette :** A → 7 B → c, j – **deux copains :** A → 2, 3 B → a, f, g, l – **deux partenaires :** A → 5 B → e, i, k – **deux collègues :** A → 8 B → k, l.

2. a) **Exemple :** J.-P. et M. sont *en désaccord*. Ils ne *s'entendent pas* sur le modèle de voiture à acheter. La *discussion* se termine en *dispute*. M. *boude* et *évite* de répondre. La *tension* monte. La *scène de ménage* éclate. J.-P. crie. Elle réplique par des *insultes*. L'«*engueulade*» *s'envenime*. J.-P. *gifle* M. qui le *frappe au visage*. M. pleure. J.-P. comprend qu'il est *allé trop loin*. Il *se rapproche* d'elle. Il veut *faire la paix*. Il *fait toujours les premiers pas*. Elle sourit. Elle l'embrasse. Ils *se réconcilient*.

3. a) **Courant :** de mauvaise humeur, critique tout, orgueilleux, a besoin d'un public, hypocrite, sournois, fourbe, bavard, méchant, imaginatif.

Familier : casser le moral, débarquer, raser, minable, collant, casse-pieds, embêter, se cramponner, rentrer dans le chou, faire ses coups en douce, démolir.

Soutenu : perpétuel insatisfait, esprit chagrin, importun, fâcheux, accabler de conseils, arrogant, saouler de discours, écraser de sa vanité, entretenir une atmosphère d'agressivité, prompt à la querelle, désobligeant, préparer des traîtrises, colporter des ragots, calomniateur.

b) Exercice ouvert.

14
Les sentiments

1. a) affligé – béat (péjoratif), qui a atteint le bonheur parfait – satisfait – heureux – cafardeux – chagrin – content – dépressif, déprimé – désespéré – en détresse – douloureux, endolori – enchanté, enchanteur – divin – euphorique – extatique – gai – joyeux, jovial – jouissif, jouisseur – insatisfait – malheureux – mécontent – peiné – plaisant – ravi, ravissant – satisfait – triste, attristé.

b) 1. satisfaction – 2. douleur, chagrin, tristesse – 3. ravissement, enchantement – 4. cafard, dépression – 5. joie, bonheur – 6. détresse – 7. chagrin, douleur, désespoir – 8. gaîté, euphorie – 9. mécontentement, insatisfaction – 10. extase – 11. joie, gaîté, euphorie.

c)

Sentiments agréables	Sentiments désagréables
– satisfaction	– insatisfaction
– contentement	– mécontentement
– bien-être	– cafard (malaise)
– bonheur	– malheur
– joie	– tristesse, affliction
– gaîté	– peine, contrariété
– plaisir	– déplaisir, douleur
– jouissance	– dégoût
– euphorie	– dépression
– enchantement	– désenchantement
– ravissement	– angoisse, désespoir
– extase	– détresse

2. a) 1. Déclaration indirecte de l'amant.
   2. Passage à la déclaration directe.
   3. Justification du passé de l'amant.
   4. Reconnaissance par la dame d'une estime partagée.
   5. Aveu de la dame.
   6. Désaveu pudique de la dame.
   7. Exigence de preuve de la part de l'amant.
   8. Passage à l'acte.
b) 1. L'amant doit respecter les étapes (péripéties) du jeu.
   2. L'amant doit respecter les formes (convenances) du jeu.
   3. L'amant recompose son passé amoureux en fonction du présent.
   4. L'amant et la dame construisent l'image d'une passion partagée.
   5. L'amant doit préserver l'image sociale de la dame :
   – en respectant «le cadre décrit»,
   – en évitant de la présenter comme une femme facile («graveleux»).
c) • **amour** : aimer, estimer, s'intéresser à, languir, patienter, en venir «aux preuves» – la décence, l'amant, la déclaration, le caprice, la passion, la faiblesse, la preuve, le prétexte, la satisfaction, le désir, le goût – mal aimé, passager, sensible, décent, graveleux.
• **stratégie** : différer, viser, enlever, se rendre, occuper, résister, fuir – la déclaration, l'étape finale, l'échafaudage.
d) **Exemple : roman-photo**
   1. Olivier a rencontré Stéphanie. Ils **sont sortis** ensemble.
   2. Il considère tout cela comme un simple **flirt**, une **amourette**.
   3. Mais Stéphanie, **subjuguée**, raconte sa nouvelle **passion** à Arlette, son amie.
   4. Arlette, à son tour, **tombe amoureuse** d'Olivier. Ce dernier **s'éprend** d'elle.
   5. Olivier **trompe** Stéphanie avec Arlette. Il n'est pas satisfait de cette situation.
   6. Stéphanie, **jalouse**, **soupçonne** une **liaison** entre Arlette et Olivier.
   7. Par dépit, elle **cède aux avances** du meilleur ami d'Olivier.
   8. Olivier comprend son **attachement** véritable pour Stéphanie.
   9. Olivier reproche à Stéphanie d'être **infidèle** et reconnaît sa propre faiblesse.
   10. Stéphanie **avoue** à Olivier qu'elle **l'aime** toujours.

15
Les réactions

1. Bah ! (4) (indifférence) – Ouf ! (7) (soulagement) – Chic ! (5) (surprise, contentement) – Bof ! (1) (insouciance) – Ça alors ! (9) (surprise) – Zut ! (10) (dépit) – Chiche ! (8) (défi) – Beurk ! (2) (dégoût) – Hélas ! (6) (regret) – Hourra ! (3) (enthousiasme).

2. a)

ennuyeux (C)   épatant (F)   déçu (C)   admirable (S)
lassant (S)   surprenant (C)   désenchanté (S)   merveilleux (C)
barbant (F)   déconcertant (S)   blasé (F)   époustouflant (F)

désespéré (C)   préoccupé (C)   exaspéré (S)   ça m'est égal (C)
accablé (S)   soucieux (S)   en rogne (F)   ça m'indiffère (S)
catastrophé (F)   embêté (F)   en colère (C)   je m'en fiche (F)

3.

	au moment même	quelques heures après	plus tard
1	la colère l'indignation la fureur	l'agacement l'énervement	le calme le détachement
2	la stupéfaction la consternation	la pitié	la tristesse la résignation
3	l'étonnement la préoccupation	l'inquiétude l'appréhension	l'affolement l'anxiété
4	la surprise l'enthousiasme	l'envie la jalousie	l'indifférence
5	l'extase la fierté	l'enthousiasme la joie, la fierté	la satisfaction la fierté

4. a) 1. trac – 2. terreur – 3. épouvante – 4. frayeur – 5. panique, affolement – 6. horreur – 7. appréhension, inquiétude, anxiété – 8. angoisse – 9. soucis – 10. crainte.
b) 1. **trac** : pincements intérieurs, paumes moites – 2. **inquiétude** : nervosité, tics nerveux, difficulté à tenir en place – 3. **soucis** : front crispé, visage tendu, regard absent, préoccupation morale constante – 4. **peur** : tension intérieure, impression d'insécurité, contraction musculaire – 5. **frayeur** : tension vive et passagère, chair de poule, cheveux qui se dressent sur la tête, accélération du cœur – 6. **affolement et panique** : agitation désordonnée, tremblement, perte de sang-froid, cris – 7. **anxiété** : malaise intérieur tenace, état d'alerte permanent, sentiment d'insécurité et d'impuissance – 8. **terreur, épouvante, horreur** : paralysie, frissons, tremblements, yeux exorbités, respiration convulsive, hurlements déchirants – 9. **angoisse** : oppression intérieure, détresse morale, pleurs, sueurs froides, contraction du corps, mutisme, dépression.
c) • **causer** : faire naître la crainte, l'appréhension ; donner le trac, des soucis ; faire peur, des soucis ; apeurer ; inquiéter, effrayer ; créer la panique ; terroriser, terrifier ; épouvanter ; horrifier ; rendre anxieux ; angoisser.
• **éprouver** : craindre ; appréhender ; avoir le trac ; avoir peur ; avoir des soucis ; se soucier de ; s'inquiéter de ; être effrayé par ; (se) paniquer (fam.), céder à la panique ; être terrorisé, terrifié, épouvanté, horrifié par ; être anxieux, être angoissé.

16
L'activité

1. 1. travailleur, actif, laborieux, zélé, il se donne de la peine – 2. il est mou, indolent, apathique, il traîne – 3. il est désœuvré, oisif, il se repose – 4. il est actif, dégourdi, efficace, il s'active, se démène – 5. il est actif, il a le feu sacré – 6. il est travailleur, infatigable, affairé, occupé, il se dépense, se donne de la peine – 7. il est bavard, loquace, inefficace, il s'agite – 8. il est paresseux, flemmard, il paresse, il a un poil dans la main – 9. il est peu bavard, peu loquace, inventif.

2. 1. obéir – 2. commande, exécuter – 3. contraint (l'oblige), impose – 4. se soumettre – 5. impose – 6. je tiens à ce que (j'exige que) – 7. s'astreindre – 8. s'imposer (se soumettre à) – 9. empêche.

3. Exercice ouvert.

4.

	danger/ obstacle	durée	force	but/objectif
Qualités	le courage l'audace la hardiesse	la puissance de travail la constance l'endurance la persévérance la ténacité	l'ardeur, la vigueur le dynamisme le ressort	l'esprit de décision la résolution la détermination
Défauts	la témérité l'inconscience	l'obstination l'entêtement		l'obstination

17
Les valeurs

1. a. considération – b. gloire – c. est à l'honneur – d. ma parole d'honneur – e. une estime – f. dignité – g. un point d'honneur – h. renom, réputation.

2. a) J'éprouve 1. de la honte ; 2. de l'indignation ; 3. de l'humiliation.
b) C'est 1. scandaleux, ignoble ; 2. dégradant, avilissant ; 3. scandaleux, indigne.

3.

mot clé	Idéalistes	traditionalistes	pragmatiques	hédonistes
argent	méfiance de l'argent	épargner, ne pas gaspiller	placer, gérer rentabiliser	consommer, vivre à crédit
égalité	réduire les inégalités, augmenter l'impôt sur la fortune	préserver les privilèges	former des élites compétentes, efficaces	partager le travail
passé	rêver de paradis perdus… introuvables	respect des traditions, valeur refuge du passé	souci de l'avenir	recherche de racines régionales
éducation	l'école pour tous sans distinction	souhaitent la sélection en fonction des qualités et des efforts	adopter l'école à l'économie, aux capacités des élèves	apprendre par le jeu
armée	pacifisme. non intervention à l'extérieur. Abandon de l'armée nucléaire	politique de défense nationale. Augmenter le budget militaire	adapter l'armée aux situations nouvelles Une armée de métier.	un mal nécessaire
gouvernement	déception, désenchantement, fin des utopies	gouvernement fort. Restaurer l'autorité de l'état	gouvernement européen, le grand marché européen	fuir les contraintes. spectateur ironique
égoïsme	solidarité, générosité, aide humanitaire	défendre son intérêt personnel, l'intérêt national	fonder les relations sur l'intérêt mutuel	individualisme épanouissement personnel

18
L'humour et l'humeur

1. a) • **Ce qui fait rire : Les films comiques** (plaisanteries loufoques, grosses farces, gags, scènes drôles et tendres) – **Le théâtre de boulevard** (quiproquos, effets de surprise) – **Des émissions de télévision et de radio** (critique des défauts, tics et querelles absurdes des personnalités connues) – **Les humoristes et les imitateurs** (parodies amusantes, satires) – **Le bouffon national Coluche** (sketches caustiques, esprit gouailleur, caricatures) – **L'humour au quotidien** (blagues, histoires grivoises, jeux de mots, anecdotes drôles, les voisins belges).
• **Faire rire :** susciter – déclencher – se moquer – ironiser – faire rire – dérider – taquiner – faire de l'humour.
• **Manières de rire :** éclats de rire – fou rire – ricaner – s'esclaffer.

2. Exercice ouvert.

3. • **être crevé** : être mort (pour les bêtes, sens propre, se sentir fatigué (sens figuré)
• **vidé** : contraire de «rempli» (s.p.), sans force (s.f.) • **tuant** : qui tue (s.p.), très fatigant (s.f.) • **casser les pieds à quelqu'un** : agacer (s.f.) • **défoncer** : briser (s.p.), **se défoncer** : travailler avec acharnement (s.f.) • **les bras m'en tombent** : je suis stupéfait(e) (s.f.) • **scier** : couper avec une scie (s.p.), étonner vivement (s.f.) • **disjoncter** : couper le courant électrique (s.p.), ne pas supporter une situation difficile (s.f.) • **tuer** : enlever la vie (s.p.), **se tuer à** : essayer de (s.f.) • **vouloir la peau de quelqu'un** : chercher sa mort, faire renvoyer (s.f.) • **casser** : briser (s.p.), **se casser** : partir (s.f.) • **enterrer** : mettre un mort en terre (s.p.), s'**enterrer** : aller vivre dans un lieu retiré (s.f.) • **éclater** : exploser (s.p.), s'**éclater** : prendre un grand plaisir (s.f.) • Les expressions de sens figuré sont familières.

19
Les peuples et les pays

1. Propositions de réponses : 2. → G, P – 3. → G, P, H, L, C – 4. G, agricole, gastronomique – 5. → P, H, G, C, Eth – 6. → G, P, H – 7. → G, P, H – 8. → P, administratif, H – 9. → économique, P, H, militaire – 10 → H, P, C – 11 → G, C, L, physique, 12 → F, P, H.

2. a) exode – se sont réfugiés – bannis – coloniser – ont émigré – expulsés – proscrivit – s'exila.
b) émigrés – clandestins – naturalisation – réfugiés – s'expatrier.

3. a) **Naissance d'un état** : le besoin d'autonomie, la lutte contre l'autorité centrale, la proclamation de l'indépendance (les États-Unis d'Amérique).
b) **Développement** : l'union (les États-Unis), l'expansion territoriale, l'annexion, la colonisation (l'empire colonial français, XIXᵉ s.)
c) **Décadence** : les tensions internes, l'invasion, la colonisation (l'empire aztèque), la chute de la démographie, l'émigration, la pauvreté (Irlande), la fuite des cerveaux (pays du Tiers Monde).
d) **Révolution** : révolte contre une dictature (Espagne), lutte contre les privilèges d'une classe dominante (France), augmentation de la démographie et pauvreté (Mexique).
e) **Guerre civile** : revendications autonomistes (Corse), dictature, pauvreté, conflit entre classes possédantes et classes défavorisées. Conflit religieux (France : les guerres de religion), conflit interethnique (Nigéria)…
f) **Guerre entre états** : la volonté d'expansion territoriale, l'occupation, l'annexion (Deuxième guerre mondiale), la modification des frontières, appropriation des richesses naturelles, la destruction du potentiel économique.
g) **Guerre coloniale** : la volonté d'indépendance, la pauvreté, l'exploitation, la lutte pour préserver l'identité.
h) **L'immigration** : la pauvreté, la surpopulation, le sous-développement

4. L'Andalousie – Amsterdam – Athènes – Bruxelles – Barcelone – la Bretagne – Berlin – la Bavière – la Catalogne – Copenhague – Dublin – l'Écosse – le Pays de Galles – Hambourg – Lisbonne – Londres – Lyon – Madrid – la Macédoine – Marseille – Milan – la Normandie – Paris – Rome – la Réunion – la Sicile – la Toscane

20
L'histoire

1. a) **L'Antiquité** : *chevalier* (citoyen romain de l'ordre équestre) – *consul* (les deux magistrats qui exerçaient le pouvoir suprême à Rome sous la République) – *empereur* (Alexandre le grand, Auguste) – *esclave* (serviteur qui appartient à son maître) – *légionnaire* (soldat romain) – *préfet* (haut fonctionnaire romain à la tête d'une province, le préfet des Gaules) – *pharaon* (souverain d'Égypte) – *roi* – *reine* (a le pouvoir sous la monarchie) – *scribe* (écrivait les textes officiels).
b) **La féodalité** : *bourgeois* (citoyen d'une ville) – *comte* (titre de noblesse) – *confrérie* (association, corporation) – *croisé* (portait la croix et voulait libérer le tombeau du Christ à Jérusalem) – *dauphin* (fils aîné du roi) – *duc* (titre de noblesse) – *empereur* (Charlemagne, Charles-Quint) – *échevin* (magistrat municipal) – *maire* (maire du palais, sous les Mérovingiens) – *roi* --*reine* – *seigneur* – (maître des terres dans le système féodal) – *suzerain* (seigneur qui domine les nobles) – *serf* (paysan privé de liberté) – *trouvère* (poète et jongleur de la France du Nord) – *troubadour* (poète de la France du Sud) – *chevalier* (noble armé et à cheval).
c) **La monarchie absolue** : *bourgeois* (homme libre possédant des biens, ni noble, ni prêtre) – *chevalier* – *baron* – *comte* – *marquis* – *duc* (titres de noblesse par ordre ascendant) – *courtisan* (noble qui vit à la cour du roi) – *dauphin* – *empereur* (de Chine) – *fermier général* (financier qui contrôlait le recouvrement de l'impôt) – *gouverneur de province* (noble à qui était confié un gouvernement militaire) – *régent* (gouverne un pays en l'absence de roi) – *roi* – *reine*
d) **La république** : *bourgeois* (personne de la classe moyenne ne travaillant pas de ses mains, personne qui a des valeurs conservatrices) – *chevalier* (a obtenu une décoration, chevalier de la Légion d'honneur) – *confrérie* (association pieuse) – *courtisan* (qui cherche à plaire aux puissants) – *croisé* (défenseur d'une cause) – *conseiller municipal* (participe à la gestion de la commune) – *consul* (chargé de représenter et défendre les intérêts nationaux à l'étranger) – *député* (représentant élu du peuple à l'Assemblée nationale) – *empereur* (du Japon) – *esclave* (le trafic des esclaves vers l'Amérique) – *légionnaire* (soldat de la légion étrangère française) – *maire* (dirige la commune) – *ouvrier* (fait un travail manuel) – *préfet* (dirige le département) – *président de la République* (chef de l'État) – *roi* – *reine* (d'Angleterre) – *syndicaliste* (défend les intérêts des travailleurs) – *scribe* (employé de bureau, péjoratif). Les titres de noblesse sont toujours en usage, sans privilèges.

2. 1 – 4 – 6 – 9 – 7 – 5 – 12 – 2 – 3 – 11 – 10 – 8.

3. a) 1. trouve sa source – 2. se situe, se poursuit – 3. commencent, succèdent, s'étend – 4. a lieu – 5. se produisent – 6. se développent – 7. décliner.

21
Les religions et les croyances

1. a)

bouddhisme	catholicisme	islam	judaïsme
3, 5, 9	2, 7	1, 8, 10	4, 6

b) 1. b – 2. a – 3. d – 4. c –
c) Exercice ouvert.

2. conversion – croyante – luxure – débauche – péchés – confesse me repens – la foi – prières – pénitence – pardonnées – tentation – succomba.

3. a) **Animaux, objets :** les sorciers (M, B), le chat noir (B), les poudres magiques (B), les herbes divines (B), les simples (plantes, B), les grigris (B), les formules incantatoires (B), la salamandre (M), le crapaud (M), le hibou (M), les rebouteux (B), l'eau miraculeuse (B).
Croyances : des superstitions tenaces, les loups garous, la pleine lune, les pouvoirs surnaturels, le sacrifice, les rites, une parade contre le mal, le présage sinistre, un don héréditaire.
Pratiques de sorcellerie : conjurer le mauvais sort, l'ensorcellement, l'envoûtement, le mauvais œil, jeter des sorts, habiles guérisseurs, transférer le mal, délivrer du mauvais sort.
b) Exercice ouvert.

22
Les vestiges du passé

1. a) une vallée, un marais, un bois, un château royal, ce palais, un mur, la terrasse, la flèche, la colonnade, la mousse, le lierre, le bâtiment, le Primatice, un prince, un roi, François 1er, la salamandre, la voûte, le chapiteau, la couronne, le vitrail, l'escalier, Diane de Poitiers, un double escalier, la spirale, les fondements, l'édifice, le clocher, une lanterne, un cabinet à jour, la fleur de lys, une arcade.
b) la lampe merveilleuse, un génie de l'Orient, les mille et une nuits, le pays du soleil, un beau prince, un trésor, le minaret, le croissant, le royaume de Bagdad ou de Cachemire – jeter des flammes, étinceler mille fois, multiplier ses flammes, les étoiles du ciel, couronne ardente, colorer de ses feux, serpenter, secrets, dévorer de ses regards flamboyants – déesse, adorée, voluptueux, mystère, secrets, temple, église – ailes minces, transparentes, brodées à jour, légères, s'élever, monter.
Ces notations appartiennent aux thèmes de l'exotisme oriental, du feu, du mystère sacré, de l'élévation. On a l'impression que les rites sacrés de l'amour s'accomplissaient dans ce palais.

2.

Monuments	Formes générales	Matériaux utilisés	Détails et décoration	Fonction
T. d'Hathor	6	1	6	4
Parthénon	3	4	2, 7, 5	1
Colisée	1, 5	3	1	3
T. des Inscriptions	2, 7	2	4	2

23
L'urbanisme

1. Mon cher Michel,
J'ai eu beaucoup de chance. Libre de tout travail, j'ai eu tout mon temps pour chercher un logement. Il faut dire qu'ici la demande est très inférieure à l'offre. X… est une grande ville industrielle en pleine régression et les demandeurs d'emploi préfèrent s'en aller. J'habite un nouveau quartier résidentiel. Joli mais bourgeois. J'y ai trouvé un immense cinq pièces au dernier étage d'un immeuble assez récent en parfait état de conservation. Il est situé sur une large avenue très bien exposée au soleil, ce qui ne l'empêche pas d'être très calme car elle ne comporte ni café ni restaurant ni boutique. Ici c'est le repos permanent et le soir le silence est bien agréable. Quant aux parfums émanant des jardins voisins, je ne t'en parle même pas. Côté pratique, c'est également très réussi. Je suis très proche des petits commerces d'alimentation et comme c'est un quartier qui n'est pas réservé aux piétons, je peux garer ma voiture juste à côté de mon immeuble.

2. 1) **Centre ville :** construire un parking souterrain. Mettre en place un service d'autobus – dévier la circulation loin du centre – tracer un boulevard périphérique – aménager des espaces verts – rénover l'école primaire.
2) **Vieille ville :** démolir le quartier insalubre – restaurer les immeubles délabrés – reloger les squatters dans des immeubles sociaux – inciter les commerçants à l'ouverture des magasins.
3) **Quartier résidentiel Sud :** créer un service de nettoiement urbain – refaire l'éclairage urbain – développer les rondes de la police municipale – inciter les gens à participer aux activités de loisirs – le service d'aide social s'occupera des vieux délaissés.
4) **Zup Nord :** démolir les immeubles gigantesques – édifier des logements sociaux – désenclaver la zone Nord grâce à un service d'autobus – ménager des lieux de vie – installer des centres sportifs, culturels pour les jeunes – créer des emplois – accorder des subventions aux investisseurs.

24
L'armée et la guerre

1. a) 1. pistolet – 2. fronde – 3. arbalète, flèches – 4. fusil, revolver, poignard – 5. armure, bouclier, casque, épée, hache, lance, poignard – 6. arc, flèches, bombe, fusil, lance-roquettes, mitrailleuse, pistolet-mitrailleur, grenade – 7. arc, flèches, épée, poignard, lance, bouclier – 8. canon, hache, pistolet, poignard, sabre – 9. poignard – 10. bombe, pistolet, lance-roquettes, mitrailleuse, revolver, grenade – 11. fouet, épée, pistolet, fusil – 12. automitrailleuse, blindé, bombe, char, missile, sous-marin.
b) 1. épée, fouet, hache, lance, poignard, sabre 2. un fusil, une arbalète – 3. une bombe, une flèche, une grenade, une lance, une hache, un missile, un poignard – 4. une épée, une flèche, une hache, une lance, un poignard, un sabre – 5. une épée, une flèche, un fusil, une lance, une mitrailleuse, un revolver – 6. l'épée, le sabre, le revolver (= dégainer), une flèche, une bombe, une grenade, un missile (= envoyer), faire tirer le canon, le char (= faire feu) – 7. avec une lance, avec le fusil, le pistolet, le revolver, la flèche.

2. a) **Favorables :** aucun dirigeant ne voudrait être responsable d'un affrontement – plus l'armement est destructeur, moins on risque de l'utiliser – toute agression entraîne sa propre destruction – les avantages ne compenseraient pas les pertes.
Défavorables : la constance des guerres – les dirigeants irresponsables, fanatiques, mégalomanes – la volonté d'expansion ou de puissance – les conflits d'intérêts – l'existence de stocks d'armes rend leur utilisation possible.
b) 1. (E) → entretenir de bonnes relations, (I) → conflit d'intérêts important – 2. (E) → abriter le quartier général, l'armée, l'armement, les vivres, les installations stratégiques, une partie de population, (I) → en cas de guerre nucléaire, bactériologique – 3. (E) → connaître les forces de l'adversaire, ses armes secrètes, ses plans, (I) → risque de rupture des relations diplomatiques, d'informations fausses (contre-espionnage) – 4. (E) → effet de surprise, attaquer un adversaire encore maîtrisable (I) → réprobation internationale, aggravation de la situation, peut empêcher une solution diplomatique – 5. (E) → autrefois, (I) → dans une guerre moderne – 6. (E) → favoriser la paix et les échanges, en période de prospérité, (I) → affaiblir la défense en cas de crise – 7. (E) → relancer l'économie d'un pays, favoriser sa stabilité, (I) → l'aide est limitée, il existe d'autres facteurs de crise (démographie galopante, conflits sociaux, ethniques, religieux, etc.)

3. a) b) **la provocation** → provoquer, déclarer la guerre, franchir les frontières, attaquer – **la mobilisation** → mobiliser ses troupes, être en état d'alerte – **l'invasion, l'occupation** → envahir, occuper, annexer, faire la conquête de – **la bataille** → préparer un plan de bataille, engager la bataille, se battre, gagner/perdre une bataille – **la défaite** → subir une défaite – **la trève** → négocier, accepter, rompre une trève – **la reprise des combats** → reprendre les combats – **la déroute** → fuir, s'enfuir, déserter, mettre l'ennemi en déroute – **la retraite** → battre en retraite, se retirer – **la victoire** → vaincre, remporter la victoire, le triomphe – **la négociation** → négocier, chercher un accord – **l'armistice** → arrêter les combats, conclure un armistice – **le traité** → signer un traité, convenir de – **la paix** → faire la paix, préserver la paix.

c) Exercice ouvert.

4. **la bataille sera rude** → la discussion sera difficile – **une alliance** → une association – **faire l'effet d'une bombe** → causer une grande surprise – **ses fidèles lieutenants** → ses collaborateurs proches – **mettre au point une stratégie offensive** → préparer des arguments convaincants – **vaincre toute résistance** → convaincre, imposer son point de vue – **disposer d'un allié puissant** → avoir un associé important – **ne pas rendre les armes** → ne pas céder.

25
Les coutumes et les règles

1. a) La liste établie par P. Daninos est humoristique. Mais bien des règles sont *conservées* (être en règle, être un homme, avoir son bachot, épouser quelqu'un de son milieu, voter, vérifier son addition, vivre au-dessus de ses moyens). Certaines ont été *adaptées* (donner aux restaurants du cœur, aider les personnes défavorisées, avoir une maison à la campagne, avoir un peu d'argent à la banque, se méfier des immigrés, surveiller sa ligne). D'autres sont *abandonnées* (céder le haut du trottoir aux dames, aller à la messe) ou *transformées* (ne pas prendre le wagon de tête). De nouvelles règles sont également *fixées* par la loi (les injures racistes sont interdites) ou *inventées* par la société (téléphoner régulièrement à ses amis).
b) Exemples : Il faut surveiller son poids. On doit avoir le téléphone . Il est nécessaire de faire du sport. Il est interdit de se plaindre, etc.

2.

Habitudes	Lois
– convenances (première rencontre) – coutumes (tribu) – mœurs (comportement d'un peuple) – précepte (philosophie de la vie) – routine (travail à la chaîne) – traditions (régions)	– code (conduite automobile) – discipline (à l'école) – législation, loi (organisation d'un pays, d'une entreprise) – ligne (parti politique) – prescription (régime alimentaire) – protocole (réception entre chefs d'état) – règles (grammaire, jeu) – règlement (école, association) – rite (messe) – statuts (association, entreprise, parti politique)

3. a) France (F) ; Angleterre (A).
– mains : F → sur la table, A → sous la table, l'une posée sur les genoux
– couverts : F → pointes contre table, A → pointes en l'air
– cuillers : F → partie concave contre table, A → vers le haut
          F → portée à la bouche de face, A → sur le côté
– gigot : F → coupé perpendiculairement à l'os, A → parallèlement à l'os

– maîtres de maison : F → face à face en milieu de table, A → en bout de table
– pommes de terre bouilles : F → épluchent la peau, A → mangent la peau
– fromages : F → servis avant le dessert, A → après
b) c) Exercices ouverts.

26
La justice

1. a) 1. Liberté : enfance, adolescence (20 ans) – 2. Détention – 3. Libération conditionnelle (après 14 ans de réclusion) – 4. Clandestinité – 5. 10 ans de prison – 6. Liberté.
b)

	noms	adjectifs	verbes
prison	– la liberté – la détention – les quartiers de haute sécurité – la prison – les barreaux– la réclusion – la libération – une évasion – une exécution	– disciplinaire – conditionnel(le) – carcéral(e)	s'évader – repris (reprendre) – sortir
délinquant	– le casseur – la clandestinité – l'ennemi public N° 1 – un rebelle	– turbulent(e) – petit (casseur) – marginal – insoumis – réfractaire	– se révolter – replonger (fam.)

2. conviction – invraisemblable – témoins – prouver – preuve – confirmé – contestez – vérifié – inconcevable – certitude – abusés – soupçonne – soudoyés.

3. a) 1, 5, 14, 13, 4, 12, 9, 10, 2, 3, 8, 6, 11, 7.
b) **Le suspect, l'accusé** passe devant le tribunal pour être jugé – l'accusation.
  Le parquet, magistrats du ministère public.
  Le juge d'instruction, magistrat chargé d'informer.
  La chambre d'accusation vérifie la gravité des charges.
  L'expert est consulté sur des questions très techniques ou médicales.
  Le président préside la cour.
  L'avocat général soutient l'accusation. L'avocat de la défense défend l'accusé, son client.
  Le jury, ensemble des jurés qui participent à l'exercice de la justice.
c) Exercice ouvert.

27
L'argent

1. 1. approvisionner mon compte – 2. prendre un crédit, emprunter de l'argent que je rembourserai – 3. retirer de l'argent avec ma carte de crédit – 4. ouvrir un plan épargne-logement – 5. placer cet argent – 6. faire un virement ou envoyer un mandat par la poste – 7. consulter mon relevé de compte.

2. R : rentrée d'argent – D : dépense.
a) 1. (R) : aide financière versée à toute famille ayant plus d'un enfant.
  2 (R) : aide au logement pour les familles très défavorisées.
  3 (D) : somme versée par chacun pour se garantir contre la maladie.

4 (D) : somme versée par chacun pour assurer un revenu aux personnes âgées qui ont arrêté de travailler.

5 (D) : pour se garantir contre les risques automobiles.

6 (D) : contre le feu, les inondations et le vol.

7 (D) : la garantie supplémentaire en cas de décès.

8 (D), 9 (D), 10 (D) : présentent les frais de téléphone, électricité, gaz et eau.

11 (R) : pour aider celui qui ne trouve pas de travail.

12 (D) : versé à l'état chaque année en fonction du revenu déclaré.

13 (D) : versé aux collectivités locales par le propriétaire d'une maison, d'un terrain.

14 (R) : versé par un assurance après une catastrophe.

15 (D) : payé par le locataire au propriétaire du logement.

16 (D) : payée par l'assuré à l'assureur.

17 (D) : taxe payée par tout propriétaire de télévision.

18 (R) : touchée par une personne âgée qui a arrêté de travailler.

19 (R) : aide permettant aux gens très pauvres de survivre.

20 (R) : argent gagné grâce au travail.

21 (D) : impôt annuel sur toute habitation meublée.

22 (D) : sommes mensuelles pour rembourser un crédit.

23 (D) : tiers de l'impôt annuel à verser en février et mai.

b) • **couple de retraités** : R (18) – D (3, 5, 6, 7, 8, 9, 10, 12, 13, 16, 17, 21, 23) • **couple avec un enfant, locataire** : R (2, 20) – D (4, 5, 6, 8, 9, 10, 13, 15,16, 17, 21, 22, 23) • **personne sans ressources** : R (2, 19) – D (9, 10, 15).

3. a) • **Attitude des jeunes** : dépensiers, prodigues, légers, inconséquents, désinvoltes, sans gêne, peu scrupuleux, profiteurs, resquilleurs, malins, astucieux, rusés, combinards (fam.).
• **Attitudes des parents** : généreux, désintéressés, laxistes.
b) **Se faire de l'argent** : petits boulots ; courses ; monnaie non rendue ; cadeaux de la grand-mère, de la tante ; larcins (petits vols)
Autres moyens : service rendu à un voisin ; cours particuliers, baby-sitting ; travail temporaire l'été ; moniteur de colonie de vacances ; laver les voitures, etc.
c) Exercice ouvert.

4. demander de l'argent – supporter les conséquences désagréables – cent francs – payer – de l'argent – donne-moi.

28
La vie collective et sociale

1. a) 1. regroupés – 2. engagé, adhéré, séparé, participe – 3. s'unir – 4. fusionné – 5. s'affilier – 6. fait partie de, associée, coopère.
b) syndicat, fédération, ligue, réunion, parti, formation, droite, groupe, société, mutuelle, association, club, cercle, amicale, comité, quartier, mouvement, association.

2. a) Proposer une assurance au consommateur, prendre en charge les litiges concernant l'achat de biens ou services.
b) Exemples : 1. J'ai été victime d'une publicité mensongère… 2. J'ai acheté une télévision. Elle ne fonctionne pas. Le vendeur ne veut pas appliquer la garantie, etc.
c) **Aide, protection** : le conseil, la protection, la tranquilité, la sécurité, l'assistance, la prise en charge, la garantie.
Juridique : le consommateur, le litige, le bien, le service, un juriste, le dossier, la solution, l'accord, la procédure, les frais de justice, les honoraires d'avocat, l'huissier, l'expert, l'obligation • juridique, mensonger, amiable, contractuel • intervenir, respecter, régler, engager la procédure • l'erreur, la négligence, le vice, la tromperie, le refus de garantie, la défaillance • non respecté, mensonger, mal effectué, abusif, mal fait, caché, injustifié, insuffisant.

3. 1. anticapitaliste – 2. non-violent – 3. proanglais – 4. procommuniste – 5. antiraciste – 6. antireligieux – 7. contre-révolutionnaire – 8. antigel – 9. contre-attaque – 10. contre-espionnage – 11. contresens – 12. anticonformiste.

29
Le hasard et les jeux

1. a) 1. la belotte, le bridge, le poker, le tarot – 2. les dames, les échecs, le go, le Monopoly – 3. les chiffres et les lettres, les mots croisés, le Scrabble – 4. le jeu de l'oie, le jeu des petits chevaux, le loto, la machine à sous, le tiercé – 5. le trivial pursuit – 6. le jeu de l'oie, les petits chevaux, le monopoly, le Trivial Pursuit – 7. Donjons et dragons, une panoplie, la poupée – 8. la machine à sous, la roulette – 9. le ballon, le baby-foot, le billard, les billes, le flipper, la planche à roulette, le puzzle, les jeux vidéo – 10 un jeu de construction, les modèles réduits.
b) **l'attention** : les jeux de cartes – **la mémoire** : le bridge – **la réflexion** : les échecs – **le raisonnement et l'intelligence stratégique** : les échecs – **l'intelligence pratique** : les modèles réduits – **l'imagination** : donjons et dragons – **la précision verbale** : les mots croisés – **l'adresse physique** : le ballon – **le goût du hasard** : les dés.

2. a) de la chance – jouait – donne – au hasard – tombait – tirait au sort – chanceux – chance – tiré le bon numéro – imprévu – coup de chance – accidentelle – atout – parier gros – misé – un joli coup – enjeux – le gros lot.
b) Exercice ouvert.

3. 1. … Mais l'acteur a parfaitement joué son rôle. – 2. les enjeux de la négociation sont considérables. – 3. … le gouvernement pense miser sur la relance. – 4. … Il ne faut rien laisser au hasard.

30
L'intelligence

1. • Elle est au courant du/ ignore le récent mariage de Jacques.
• Elle connaît/ est au courant de/ est informée de/ ignore tous les détails… • Elle connaît l'Égypte. • Elle sait skier. • Elle est dans le coup/ est au courant/ au sujet du cadeau… • Elle connaît/ignore le nom du maire. • Elle connaît/méconnaît le maire • Elle méconnaît/connaît, a conscience de la valeur de son collaborateur.

2. Exercice ouvert.

3. a) • chercher → le chercheur ; enquêter → l'enquêteur, l'enquête ; examiner → l'examinateur, l'examen ; explorer → l'explorateur, l'exploration ; fouiller → le fouilleur (péjoratif), la fouille ; fureter → le fureteur ; investiguer → l'investigateur, investigation ; rechercher → la recherche ; se mettre en quête → la quête.
• Exemple : l'archéologue **fouille** le site. Il **cherche** une statue. Il **explore** les murs de la tombe. Il **découvre** une cavité. Mais les **fouilleurs** de tombes sont déjà passés. Ils ont **fureté** partout **en quête** d'un objet rare à vendre aux touristes. Il reste quelques fragments de vase. Il les **examine** avec intérêt.
b) 1. déniché, procurer – 2. élucidé, déceler – 3. détecté, mis à jour, percé – 4. devineras, tombé, découvrir.

31
L'imagination et la création

1. a) **Le créatif** (exemple de réponse) → aisance, ambition, curiosité, désir de plaire, goût du risque, habileté manuelle, joie de vivre, narcissisme, rêve, sens de la beauté, sens de l'humour, sens de la communication, sensibilité, volonté et persévérance, volonté de gagner.

b) fait une déclaration d'amour originale – utilise un panneau d'affichage – ose chercher des sponsors – ses propres moyens sont insuffisants – prend contact avec la boutique mariage des Galeries Lafayette – répond à une demande en mariage – manière inhabituelle et drôle de faire une déclaration.

2. a) **Le couturier :** «C'est ici que je *conçois* mes modèles. C'est dans ce bureau que *j'ai imaginé* ma dernière collection. Sur la table de travail, il y a encore les *brouillons* avec les *esquisses*… Nous entrons maintenant dans *l'atelier* de *confection*. Les *modèles* y sont réalisés à partir des *patrons* que j'ai *dessinés*. Ginette et Sylvia les *confectionnent*… Dans l'atelier suivant, les *ensembles* sont *retouchés* ou *repris* en fonction de la taille des mannequins. Je tiens moi-même à *mettre une dernière main* aux *modèles* présentés pour que tout soit réussi.»
b) **L'écrivain :** « D'abord, *j'ai une idée* de roman. Cela peut être un titre, un personnage, un lieu, une époque qui *m'inspirent*. Je fais *l'ébauche d'un plan*, d'une intrigue, j'indique les principaux *ingrédients*, les ressorts dramatiques. J'envoie ce *projet* rapide à mon éditeur. Si *l'idée* est acceptée, je *réalise* le livre. Alors je *compose* le *plan* détaillé de l'ouvrage. Je *prépare* ma documentation. Je *monte* les intrigues secondaires. Je *construis* les personnages. Le roman *s'élabore* peu à peu. Puis je passe à la rédaction de l'ouvrage. Il y a toujours beaucoup de passages à *raturer*, à *améliorer*, des idées à *rajouter*. Quand le manuscrit est *achevé*, je le relis pour *parfaire* le style.»

3. 1. améliorer les relations du directeur avec le personnel – 2. moderniser les services – 3. être à l'écoute du personnel – 4. intéresser les techniciens créatifs aux bénéfices – 5. diminuer les prix – 6. augmenter les salaires – 7. adapter les collections au goût du public – 8. supprimer les dépenses inutiles – 9. vérifier les produits avant de les commercialiser.

32
Le raisonnement

1. – Maigret se fie à son intuition, à sa connaissance des hommes. C'est un psychologue, un «policier de l'âme». Il se met à l'écoute des êtres et des choses. C'est un observateur patient. Il essaie de comprendre de l'intérieur. Il ne juge pas. Il reste très humain.
– Holmès est un enquêteur très perspicace. Sa méthode est fondée sur une approche logique des faits. Il a une intelligence abstraite et l'esprit de déduction. C'est un esprit vif et rapide. Avec minutie et patience, il reconstitue l'ordre logique des faits. Il triomphe du criminel en lui tendant un piège. Il prend plaisir à lui expliquer son implacable raisonnement.

2. 1. Elle a d'abord *hésité*. Mais elle a *réfléchi*. Elle a *comparé* les deux postes. Elle a *analysé* les avantages et les inconvénients de chaque situation. Elle s'est *renseignée*. Finalement, elle a *choisi* le premier.
2. André a *fait le point*. Il a *médité* les principes de base «Sourire, comprendre, aider». Il *se rend compte* qu'il vivait comme un légume. Il *a décidé* de vivre autrement, en *imaginant* la poésie au quotidien. Il *envisage* de se *documenter* davantage. En attendant, il *a bien mémorisé* ses nouvelles règles de vie.
3. Je m'en *rends compte* et je ne *comprends* pas. Alors, je *réfléchis* : *j'analyse* les faits et je *fais plusieurs hypothèses*. J'ai posé ma veste à côté d'Eve, près d'Alain. *J'en déduis que* le voleur peut être Eve ou Alain.
4. Elle *se concentre sur* le sujet pour le lire et le *comprendre*. Elle *analyse* les mots clés. Elle *réfléchit* à la méthode à suivre. Elle *fait des essais* de plan. Ensuite elle va se *documenter* à la bibliothèque. Elle *prend des notes*. Il lui reste à faire *la synthèse* de ses idées personnelles et de ses notes.

5. J'essaie de *comprendre* la panne. J'*observe les faits*. Je *fais plusieurs hypothèses*. Je *vérifie* chaque hypothèse en *faisant des essais*.

3. • De nombreux mots sont des emplois figurés de verbes. Sens propre de ces verbes : **détraquer** = dérégler – **toquer** = frapper légèrement – **fondre** = rendre liquide – **piquer** = percer avec une pointe – **sonner** = vibrer, retentir – **siphoner** = vider comme un siphon – **taper, frapper** = donner un coup – **tordre** = déformer – **cingler** = frapper fort
• *Autres origines :* latin «follis», sac plein d'air → **fou** – le timbre est une cloche frappée par un marteau → **timbré** – le marteau frappe la cloche → **marteau** – «ding-ding», onomatopée indiquant le son de la cloche → **dingue, un zinzin**, obus, canon.
• Les autres expressions indiquent toutes un dérangement ou un mauvais fonctionnement.

33
Les jugements

1. Eh bien moi, je trouve que ce gouvernement est totalement inefficace. Ce sont des gens incompétents, fainéants, et malhonnêtes qui nous gouvernent. Depuis qu'ils sont au pouvoir, ils n'ont fait que de mauvaises choses. Non, ils ont tort ! Il faut diminuer les impôts sur le revenu. Il faut diminuer la durée des congés. Il faut dénationaliser les sociétés contrôlées par l'État. Et puis, il faut renforcer l'armée. Le budget de la défense est trop faible. Et je les désapprouve totalement quand ils disent que la priorité des priorité c'est l'éducation.

2. a) 1. illisible → illisibilité – 2. inaccessible → inaccessibilité – 3. immortel → immortalité – 4. illégale → illégalité – 5. anormal → anormalité – 6. incapable → incapacité.
b) 1. irrespectueux – 2. immorale – 3. amorale – 4. irréligieuse – 5. athée – 6. immobile – 7. irréversible – 8. inouï – 9. immangeable.
c) découper – déclamer – défiler – défaillir – démanger.

3. 1. c'est vrai ; c'est vraisemblable ; c'est inexact – 2. c'est un Picasso authentique ; c'est possible ; c'est un faux – 3. c'est juste ; c'est probable ; c'est une histoire inventée – 4. tout est vrai ; il est crédible ; tout est inventé – 5. c'est du cuir véritable ; c'est du cuir artificiel ; c'est du faux cuir – 6. c'est sûr et certain ; c'est plausible ; c'est impossible.

4. 2. original – 3. distinguées – 4. anormal – 5. excentrique – 6. hors du commun – 7. de qualité supérieure – 8. bizarre – 9. plat – 10. insignifiant – 11. familier – 12. habituel – 13. courant – 14. fréquentes – 15. médiocre – 16. évidente.

34
La totalité et les parties

1. a) 1. se rencontrent – 2. il y a – 3. existe – 4. se trouve – 5. règne.
b) 1. est privée – 2. sont absents – 3. manque, font défaut – 5. a été omis.

2. a) avoir, posséder – conserver, garder – dépenser, dilapider – chercher, fouiller – découvrir, trouver – donner, offrir – confier, prêter – déposer, placer – égarer, perdre.
b) Exercice ouvert

3. – une partie, un quartier de la **ville** – un bout, un morceau, une tranche, une miette de **pain** – un fragment, un morceau, une partie de **rocher** – un élément, une partie, une pièce du **dossier**, d'une **collection d'œuvres d'art** – une partie, une tranche du programme de **travail** – une composante, une fraction, un parti d'une **coalition politique**.

bout : partie d'un objet long – **fragment** : partie d'un objet cassé – **fraction** : partie nombrable, peut être exprimée en pourcentage – **morceau** : partie d'un solide – **miette** : très petite partie – **parti** politique – **pièce** : partie séparable d'un tout – **quartier** : 1. partie égale au quart, 2. division d'une ville – **tranche** : 1. morceau comestible coupé assez mince, 2. division d'un programme de travail.

4. a)

Idée d'inclusion	Idée de division
former – appartenir à – composer – constituer – faire partie de – englober – comprendre – contenir – inclure – compter – renfermer	(se) morceler – (se) décomposer – (se) dédoubler – (se) diviser – découper – fractionner – fragmenter – morceler – partager – séparer

b) constituent – font partie – comprend – appartient – inclure – compte – formées.

35
L'ordre et le classement

1. a) architecture (2) – classement (4) – composition (1) – disposition (11) – emploi du temps (5) – hiérarchie (7) – infrastructure (8) ordre du jour (12) – organigramme (3) – plan (1) (2) (8) – programme (5) – rangement (4) (9) – la répartition (6) (10) – la structure (13).
b) 1. trier le courrier (le tri), classer (le classement), distribuer (la distribution).
2. trier, classer les dossiers, organiser les rendez-vous (l'organisation).
3. organiser l'enquête, démêler le vrai du faux (l'enquête), débrouiller une affaire (l'explication, l'analyse), répartir les tâches (la répartition), coordonner les recherches (la coordination).
4. régler les dépenses (le règlement), répartir les menus (la répartition), disposer les fleurs (la disposition), mettre de l'ordre dans une chambre (le rangement), placer les invités (le placement), ranger les courses, organiser une réception, trier les fruits.
5. aligner les troupes (l'alignement), coordonner les opérations (la coordination), disposer les troupes pour attaquer, mettre les troupes en rangs (la constitution des rangs), organiser le défilé, placer les hommes, régler le tir (le réglage), mettre les troupes en ordre (la disposition), répartir.
6. coordonner les activités, distribuer les tâches, régler les dépenses, organiser l'entreprise, restructurer l'entreprise (restructuration), mettre de l'ordre (la réorganisation).

2. a) 1. le verbe – 2. ministre, président – 3. l'hydrogène – 4. sans plomb – 5. la cuisine chinoise – 6. non – 7. le violet – 8. le sucre – 9. la température ambiante – 10. non.

3. a)

préfixes de supériorité, intensité	d'égalité	d'infériorité
hyper-, extra-, ultra-, super-, archi-, sur-	équi-	mini-, infra-, sous-,hypo-, sub-

b) 1. sous-payé – 2. archiconnue – 3. submersible – 4. extraordinaire – 5. équidistantes – 6. infrarouges – 7. surprotégé – 8. hyperintéressant – 9. l'hypertension – 10. l'hypotension – 11. une mini(voiture) – 12. ultrarapide.

36
La cause et l'effet

1. 1. en raison de (c.) – 2. le motif est (d.) – 3. les noms des notes viennent des (e.) – 4. le point de départ de la guerre est (a.) – 5. La crise de 1974 découle de la décision des pays producteurs de pétrole (f.) – 6. faute d'avoir le droit de vote (b.) – 7. il résulte d'un (g.).

2. a) – apporte des minéraux – perturbe le sommeil – accroît les performances – augmente la perception visuelle, l'endurance, la vitesse de frappe – prolonge l'endurance – améliore la rapidité d'exécution – procure un sentiment de bien-être – donne un bon moral – favorise les contractions de la vésicule et des intestins – facilite la digestion – entraîne une accélération du rythme cardiaque, une perte d'appétit, des maux d'estomac, des troubles nerveux.
b) Le café a des **effets** positifs sur l'organisme : il **apporte** des minéraux. Il peut **provoquer** la perte du sommeil. Il **permet** d'accroître la vigilance. Il **rend** la personne plus performante. Il **agit sur** la perception visuelle en l'améliorant. Il a aussi une **incidence** positive sur l'endurance du sportif. Il **favorise** encore sa vitesse de frappe. C'est un psycho-stimulant. **C'est pourquoi**, il **engendre** un sentiment de bien-être et **donne** un bon moral. Il **permet** d'autre part une bonne digestion car il **favorise** les contractions des intestins. Mais trop de café peut **amener** une accélération du rythme cardiaque, **donner** des maux d'estomac, **entraîner** une perte d'appétit et **créer** des troubles nerveux.
c) Exemple : le tabac **entraîne** des difficultés respiratoires. Il **favorise** les maladies de cœur. Il **diminue** la résistance du corps et **par conséquent engendre** la fatigue. Il est l'une des **causes** du cancer.

3. a) 1. gros ≠ maigre : maigrir – 2. beau (belle) ≠ laid : enlaidir – 3. noir ≠ blanc : blanchir – 4. petit ≠ grand : grandir – 5. fort ≠ faible : affaiblir – 6. dur ≠ tendre : attendrir (dur ≠ mou : amollir) – 7. long ≠ court : raccourcir – 8. riche ≠ pauvre : appauvrir.
b) 1. christianiser – 2. légaliser – 3. on a mécanisé.
c) 1. a simplifié – 2. a liquéfié, s'est solidifié – 3. a été purifiée.

37
La ressemblance et la différence

1. Les illustrations sont toutes les trois conformes à la description qu'en fait Cervantes. Ils ont en commun l'allure générale de Don Quichotte (grand mince) qui contraste avec celle de Sancho Pança (petit et gros). Cette différence caractérise également leurs montures respectives. Le trait de Daumier se rapproche davantage de celui de Picasso que celui de Doré qui se distingue par le fondu des éléments (ciel, terre…). Le choix des plans (profils) est identique chez Picasso et Daumier, etc.

2. 1. un plan, une maquette – 2. un patron, un mannequin – 3. un modèle, une copie – 4. un prototype – 5. un calque, un pochoir – 6. une maquette, un moule – 7. une imitation, un pastiche – 8. une imitation, un plagiat.

3. a) **Le confort** : – Pygmées : fourche de bois.
  – Japonais : dur billot.
La perception du monde : – Japonais : considère les hommes comme plus âgés.
  – Balinais : sensibles au quart de ton.
Les sentiments : – Maoris (Nelle Zélande) : larmes de retour.
  – Eskimos et Samoa : l'hospitalité conjugale (pas de jalousie).

Donner la mort : – Samoa : tuer un ennemi personnel est normal, faire la guerre est absurde.

La conception de la mort : – Samoa : un bienfait pour les vieillards.

Le jeu, le divertissement : – Iles d'Alor : le mensonge ludique.
– Iles Normanby : taquiner les nouveaux nés.

Les vieillards : – Indiens de Californie : les étouffer, les abandonner.
– Iles Fidji : les enterrer vivants.

b) Autres thèmes culturels : le découpage de la réalité par les langues, l'organisaiton sociale, la religion, les cultes, les offrandes, les sacrifices, la prière, le sacré, les interdits, les superstitions, la magie, la médecine, le mariage, les fêtes, les rites de rencontres, l'éducation, les rites de passage, l'étranger, le bien/le mal, le beau/le laid, les vêtements, la parure, la souffrance/le plaisir, la sexualité, les rites funéraires, etc.

c) Exercice ouvert.

38
L'anatomie

1. 1. a) 1. satisfaction – 2. culpabilité, honte – 3. indifférence – 4. ouverture, sympathie – 5. franchise – 6. réflexion, perplexité – 7. colère – 8. orgueil – 9. colère – 10. nervosité – 11. complicité – 12. méfiance – 13. déception – 14. provocation.

b) *Excuse-moi… 3 mois* : Mine réjouie. Sourire de satisfaction sur le visage.

Mais je réfléchissais… : Froncement de sourcils. Regard inquiet.

Tu ne peux pas… ensemble : Soupir de soulagement. Sourire ravi. Mouvement des yeux rêveurs. Ample mouvement de la main soulignant une information attendue.

Tu es vraiment… Super ! : Sourire d'autosatisfaction. Clignement d'yeux.

Intelligent… et tout : Hochements de tête approbateurs.

Je me sentais… ma vie : Mouvements des mains et de la tête accompagnant de façon rythmée ce flot d'éloges.

Mais il faut… chose : Visage gonflé d'orgueil. Profonde inspiration. Respiration bloquée. Index qui se lève et s'agit prêt à entendre la confession.

Au bureau… collègue : Main qui s'ouvre pour prévenir un malheur. Mine déçue et inquiète.

Nouvellement arrivé : Tête qui s'allonge douloureuesement. Bouche crispée.

Oh, il est loin… cheville : Hochement de tête d'un visage contrarié.

Mais,… loin de Perpignan ! : Figure consternée. Mine décomposée. Les bras tombent. Gorge nouée. Il s'éponge le front.

Bref, … prochain : L'index imite l'objet qui tombe, abattement extrême, la tête s'afaisse.

Le mariage… a lieu… : visage désespéré et résigné. La main se porte au cœur, etc.

2. 1. faire preuve d'une finesse exagérée – 2. être généreux – 3. faire croire des idées fausses. 4. être ambitieux – 5. être réaliste – 6. agir avec audace – 7. interdit par la censure – 8. aider – 9. être irritable – 10. être perspicace, avoir du flair – 11. surveiller – 12. être face à un obstacle – 13. à très peu de choses près. 14. aider – 15. le pays a été détruit et les gens massacrés – 16. chercher.

3. 1. le poumon – 2. au pied – 3. un coude – 4. deux bras – 5. la colonne vertébrale – 6. langue – 7. artère – 8. une gorge.

4. a) 1. ventru – 2. chevelu – 3. joufflu – 4. barbu – 5. poilu – 6. lippu.

b) 1. épineux – 2. sabloneuse – 3. crasseux.

39
La biologie

1. b)

Système circulatoire	Système respiratoire	Système nerveux	Système digestif
– les artères, le cœur, la congestion, le battement, l'infarctus, la circulation sanguine – accélérer	– les poumons, le souffle, l'asphyxie, l'inspiration – gonfler, étouffer, étrangler	– les neurones, l'influx nerveux, la matière grise, cérébral, la moelle – stimuler, réveiller	– la diététique, les tripes, l'indigestion, la mastication, la déglution, les lourdeurs d'estomac – manger, alléger, dévorer, boire

c) **Exemples** : SAS plonge en enfer – Les vertus perdues – Éloge de la vacuité – La fugue du petit Chaperon rouge.

d) Exercice ouvert.

e) **Exemple** :

26.04 : Repas du soir. **Crispant**. **Tension** permanente. A. est très **énervée**.

27.04 : Journée de shopping. Tout le monde **se détend**.

28.04 : Visite de la capitale. **Circulation** très difficile. Les grandes **artères** sont bloquées. Chaleur : atmosphère **étouffante**, **irréspirable**.

29.04 : Festival de musique. Grande **excitation** avant le festival. **Stress** et **surmenage** pour obtenir des billets.

30.04 : Musée des antiquités. A. **dévore** le guide bleu et **se nourrit** d'art. **Indigestion** de statues, de bustes et de vases.

2. a) 1. La bionique est une science qui met en relation les solutions trouvées par la nature et la recherche industrielle.

2. Par exemple, on a inventé l'aile volante en imitant exactement une graine de liane.

3. Mais cette transposition pose des problèmes car les êtres vivants utilisent des matériaux organiques alors que l'homme ne peut se servir que de matériaux naturels ou synthétiques.

4. La vitesse que le dauphin peut atteindre s'explique par la structure de sa peau hérissée. Elle diminue les turbulences.

5. Une compagnie a exploité cette propriété en fabriquant un revêtement de caoutchouc hérissé. Il permet d'obtenir un gain de vitesse important.

b) **Exemple** : l'arbre : le schéma arborescent, l'arbre généalogique ; le tronc : le pilier, la colonne ; les branches : la fourche ; la feuille : un motif décoratif.

c) **Exemples** : des chaussures hyper adhésives pour marcher au plafond (les mouches). Un lieu de culte en forme de coquille d'escargot. Des meubles de jardin en forme de plantes.

40
La physique

1.

	Électricité	Magnétisme
Noms	courant, force, onde, tension, étincelle, réseau, connexion, prise, fusible.	magnétisme, force, onde négative, rayonnement
Verbes	passer, attirer, repousser, court-circuiter, sauter	dégager, attirer, émettre, repousser

• **le courant** : déplacement des charges électriques dans un conducteur – **la force** : les lignes de forces d'un champ électrique, magnétique – **l'onde électromagnétique** : qui se propage dans le vide sans support matériel – **(l'électricité) négative** : une des deux formes d'électricité statique – **la tension** : la différence de potentiel – **l'étincelle électrique** : petit arc électrique très lumineux – **le réseau électrique** : l'ensemble des lignes électriques d'une installation – **la connexion** : liaison d'un appareil électrique à un circuit – **la prise** : moyen de branchement relié à une ligne électrique – **le fusible** : si l'intensité est trop forte, il coupe le courant en fondant – **le magnétisme** : propriété des matériaux aimantés – **la force électromagnétique** : s'exerce sur une particule chargée en mouvement dans un champ magnétique – **le rayonnement** : mode de propagation de l'énergie sous forme d'ondes ou de particules.

• **passer** : si le circuit est fermé, le courant passe – **attirer ≠ repousser** : deux charges de même signe se repoussent, deux charges de signes contraires s'attirent – **court-circuiter, le court-circuit** : interruption de courant, incendie, etc. – **sauter** : fondre par un court-circuit – **dégager**, émettre : produire des ondes.

2. a) Appareils mentionnés : téléphone, boîtier infrarouge, bouton, appareil électrique, télévision, réfrigérateur, cuisinière, chauffage, mini-caméra, écran, ampoule.
b) • **Le système intégré** : faire communiquer les appareils entre eux, déceler la présence du propriétaire, économiser l'énergie, être programmé, gérer le fonctionnement des appareils, simuler une présence.
• **La mini-caméra et l'écran** : afficher le visage du visiteur.
• **Le téléphone** : gérer la maisons de loin.
c) Exercice ouvert.

3. à la loupe – reflétaient – les points de vue – se focalisaient – sous une optique différente – des mises au point – que la lumière soit faite – en toute transparence.

4. 1. ≠ l'expansion – 2. ≠ la dilution – 3. ≠ la répulsion – 4. ≠ la décompression – 5. la rétraction – 6. ≠ la divergence.

41
La chimie

1. l'aluminium : léger, inoxydable (a, b, d) – l'argent : lourd, inoxydable (c, m) – le cuivre : lourd, bon conducteur (i, m, s) – l'étain : lourd, déformable (p, t) – le fer : oxydable (e) – le mercure : liquide, lourd (q) – le nickel : léger, inoxydable, déformable (a, m, n) – l'or : inoxydable, malléable, lourd (c, m, h) – le platine : lourd, bon conducteur (c) – le plomb : lourd (o, s, f) – le tungstène : non fusible (j) – l'uranium : léger inoxydable (g) – le zinc : (r, k).

2. a) Voc./mine : les métaux, les minéraux, le substitut, l'exploitation, le gisement.
naturel, artificiel, minier, épuisé.
trouver, épuiser.
Voc./quantité : le développement, le nombre, l'augmentation, l'épuisement.
important, (trop) rare, aucun, riche, épuisé, pauvre.
accroître, abonder, se raréfier, épuiser.
b) 1. V ; 2. F ; 3. V ; 4. F ; 5. F ; 6. F.

3.

État initial	Transformation	État final
l'eau	la solidification	la glace
le carbone	la cristallisation	le diamant
le bois	la combustion	les cendres
le raisin	la fermentation	le vin
le fer + l'oxygène	l'oxydation	la rouille
l'eau + le sucre	la dissolution	l'eau sucrée
l'hélium gazeux	la compression	l'hélium liquide
l'eau	l'électrolyse	hydrogène + oxygène
l'animal mort	la décomposition	la charogne

4. décomposition – sulfureux – un atome libre – une réaction en chaîne – caustiques – au vitriol – savante chimie – catalyseur.

42
L'énergie

1. a)

	La fusion	La fission
Matériau	– hydrogène de l'eau (Bombe H) – deutérium – tritium	– uranium
Phénomène	– faire fusionner les noyaux d'hydrogène pour les transformer en hélium – chauffer le mélange pour obtenir du plasma – condenser le plasma	– cassure de l'atome
Avantages	– hélium : gaz inerte et inoffensif	– réaction maitrisée – efficacité
Inconvénients	– augmenter la température jusqu'à 100 ou 200 millions de degrés – opération très dangereuse et difficile à maîtriser	– uranium et sous-produits restent radio-actifs des milliers d'années.

b) • **Objets et matière** : l'énergie, la bombe, l'atome, le noyau, la couche électronique, le plasma, le mélange, la centrale nucléaire, la densité, l'uranium, l'hydrogène, l'hélium, le deutérium-titrium.
• **Phénomènes physiques** : la fusion, la fission, la réaction thermonucléaire.
• **Opérations scientifiques** : tirer de l'énergie, la cassure de l'atome, faire fusionner, transformer… en, augmenter la température, faire exploser, déclencher une réaction, régler le thermostat, condenser, rater une expérience, atteindre une limite, maîtriser la réaction, le laboratoire, la recette.

2. a) 1. résistance – 2. tonus, vitalité – 3. vigueur, force – 4. puissance – 5. intensité – 6. robustesse.
b) 1. profondes ≠ insignifiantes – 2. sonore ≠ faible, serré ≠ léger – 3. doué ≠ faible – 4. courageux ≠ lâche – 5. volontaire ≠ faible – 6. grosse ≠ mince – 7. scandaleux ≠ normal.
c) 1. abattu, réconforté – 2. affaiblie, dynamiser – 3. épuisée, fortifier – 4. mollit, stimuler – 5. défaillir, revigorer.

3. brûlant : très chaud (sens propre), qui soulève les passions (sens figuré) – **mettre le feu aux poudres** : faire exploser (s.p.), déclencher un conflit (s.f.) – **être en ébullition** : bouillir (s.p.), être très agité (s.f.) – **gril** : instrument pour préparer la grillade (s.p.), **être sur le gril** : être anxieux (s.f.) – **frileux** : qui craint le froid (s.p.), timide (s.f.) – **geler** : se transformer en glace (s.p.), **geler les prix** : bloquer les prix (s.f.) – **glacial** : très froid (s.p.), où règne le silence (s.f.) – **être chaud** : marqué par les grèves et les manifestations (s.f.) – **chauffer** : faire monter la température (s.p.), exciter (s.f.) – **la fièvre** : température du corps (s.p.), état d'agitation (s.f.) – **bouillir de colère** : être violemment ému (s.f.) – **être en froid** : avoir des relations moins chaleureuses (s.f.).

43
La géographie

1. a

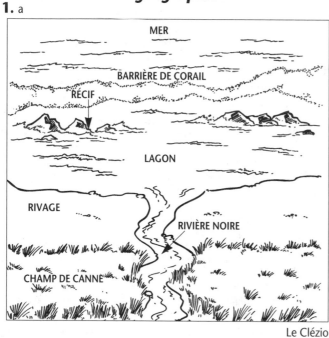

Le Clézio

Flaubert

b) • un îlot (petite île) – un atoll (île coralienne en forme d'anneau)
• une baie (petit golfe) – une anse (petite baie)
• une chute – une cascade (succession de petites chutes d'eau)
• une caverne – une grotte (petite caverne)
• une cordillère – une chaîne (ensemble de montagnes)
• une cime (partie la plus élevée d'une montagne) – un sommet (sommet effilé)
• une côte (bord de mer) – un rivage (zone soumise à l'action des vagues)
• un précipice (lieu très profond et escarpé) – une falaise (escarpement en bord de mer)
• un marais (étendue d'eau stagnante, peu profonde, envahie par la végétation – un marécage (terrain humide et boueux)
• une pente – un versant (pente qui borde la vallée)
• une rivière – un ruisseau (petite rivière)

2. (i) : une avalanche (4) – (j) : un cyclone (1) – (b) : l'érosion des sols (8) (9) – (f) une éruption volcanique (2) (4) – (h) un glissement de terrain (4) – (h) (c) : une inondation (7) – (g) : un raz de marée (5) (7) (6) (3) – (a) : la sécheresse (8) (9) – (e) : un tremblement de terre (6) (3) (1) – (d) : une tempête (1).

3. 1. torrentiel, émergé, sommets, cascades, un abîme – 2. le cap, une montagne – 3. raz de marée – 4. une faille.

44
La nature

1. (a) (d) (e) (k) : destruction des forêts (1) (2) (3) – (b) (d) (g) : pollution des eaux (3) (4) (8) – (e) (k) (l) : désertification (9) (10) – (n) : surpopulation (8) (9) (11) – (d) (i) : effet de serre (5) (6) (8) – (h) : trou d'ozone (8) – (e) (o) : risques nucléaires (1) (8) (12) – (e) (f) : marées noires (8) – (a) (j) : ordures ménagères (2) (3) (7) (8) (9) – (b) (d) : décharges dangereuses (2) (8) – (b) (d) (i) : fumées toxiques (5) (8) – (d) (o) : installations à haut risque (8).

2. a) 1. anis, ail, menthe, persil, romarin, thym – 2. riz, blé, maïs, mil, pois – 3. maïs, soja, tournesol, trèfle – 4. chèvrefeuille, lierre – 5. cactus – 6. olivier – 7. chrysanthème, glaïeul, iris, laurier, cactus – 8. chanvre, coton, lin – 9. champignons vénéneux, ciguë, hachisch, tabac – 10. thé, verveine.
b) 1. trèfle – 2. laurier – 3. lierre – 4. chrysanthème – 5. blé – 6. ciguë.

3. 2. un vieillard qui tremble – 3. on a bien ri – 4. elle s'est évanouie – 5. je n'ai pas d'argent – 6. faire un compromis – 7. améliorera l'ordinaire – 8. on ne peut plus gagner – 9. il raconte des mensonges.

4. Daudet : sapins, châtaignier, branche, genêt, herbe, plante, gazon, fleur (sauvage), campanule, digitale, calice, forêt, suc, feuille, maquis.
– Les végétaux personnifiés : sapins (voir), [on = la nature] (recevoir), châtaignier (se baisser), branches (caresser), genêts (s'ouvrir, sentir, pouvoir), montagne (faire fête). La nature personnifiée participe à la découverte joyeuse de la liberté.
– Deux décors réalistes s'opposent : le gazon du clos et la nature féérique de la montagne (herbe… savoureux, fine, dentelée, faite de mille plantes, les fleurs, de grandes campanules bleues, des digitales pourpres à longs calices toute une forêt de fleurs sauvages débordant de suc capiteux). Beauté de la nature sauvage. Impressions visuelles, odeurs, couleurs.

45
La zoologie

1. 1. antilope, chacal, éléphant, girafe, lion, rhinocéros, singe, serpent – 2. éléphant, singe, serpent, tigre – 3. crocodile, hippopotame – 4. cerf, loup, renard – 5. loup, renne, renard – 6. ours blanc, phoque, pingouin – 7. cerf, (loup réintroduit), renard, rat, serpent.

2.

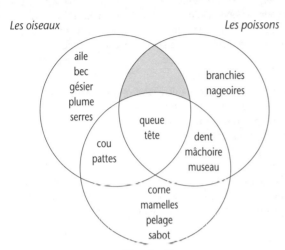

Les oiseaux　　　　　　　　　　　*Les poissons*

aile
bec
gésier
plume
serres

branchies
nageoires

queue
tête

cou
pattes

dent
mâchoire
museau

corne
mamelles
pelage
sabot

Les mammifères herbivores

3. Dormir comme un loir (profondément) – avoir une faim de loup (très faim) – avoir un œil de lynx (une vue excellente) – une vie de chien (difficile) – se faire aussi gros qu'un bœuf (être prétentieux) – passer par le trou de souris (se cacher par honte) – rusé comme un renard (très rusé) – un cheval de bataille (thème, argument favori) – gai comme un pinson (très gai) – léger comme une plume (très léger) – faire le pied de grue (attendre debout) – être comme l'oiseau sur la branche (occuper une position incertaine) – poser un lapin (ne pas aller à un rendez-vous) – un froid de canard (un grand froid) – avoir la puce à l'oreille (se douter de quelque chose) – ménager la chèvre et le chou (ne pas prendre parti) – prendre le mors aux dents (se laisser emporter par l'impatience) – prendre le taureau par les cornes (affronter une difficulté) – faire l'âne pour avoir du son (faire l'imbécile pour obtenir une information) – avaler des couleuvres (croire n'importe quoi) – avoir d'autres chats à fouetter (d'autres affaires en tête) – malade comme un chien (très malade) – avoir une fièvre de cheval (beaucoup de fièvre) – muet comme une carpe (silencieux) – bavard comme une pie (très bavard) – mettre un bœuf sur sa langue (garder un silence obstiné) – un drôle de zèbre (un drôle de personnage).

4. a) 2. cheval de Troie, fièvre (de cheval) – 3. Gaule, France, clocher, orgueil – 4. printemps, voyage, police (mot populaire) – 5. force, royauté (roi des animaux), agressivité, orgueil – 6. faim (faim de loup), agressivité (le grand méchant loup), ambition (un jeune loup), le masque (de velours noir) – 7. multitude, comportement uniforme, stupidité, les moutons de Panurge : personnes qui adoptent les opinions des autres sans réfléchir, saleté (mouton : amas de poussière d'aspect laineux), gogo – 8. voyage (messager), gogo – 9. vendredi (poisson autorisé), phospore (le poisson en contient) – marché, 1er avril (on accroche un poisson dans le dos des gens en guise de plaisanterie) – 10. saleté, excitation (être excité comme un pou), agressivité – 11. la femme, la fortune (la poule aux œufs d'or), le sommeil (se coucher avec les poules), Henri IV (promit à ses sujets

qu'ils pourraient mettre la poule au pot tous les dimanches) – 12. police (mot familier) – 13. saleté, vendredi (pas de porc) – 14. carte de crédit (une puce = un microprocesseur), marché aux Puces (vente d'objets d'occasion) 15. fortune (le veau d'or, symbole de la richesse), stupidité (injure) – multitude uniforme.
b) **Exemples :** – **Chien** : amitié fidèle, comportement protecteur – Défaut : soumission.
– **Chat** : charme, élégance, grâce féline, esprit d'indépendance, mystérieux et secret, observateur malin – Défaut : imprévisible, cruel, égoïste.
– **Éléphant** : force physique, franchise, mémoire – Défaut : lenteur, lourdeur.
– **Chameau** : sobriété, tempérance, grande résistance et volonté opiniâtre, serviable – Défaut : mauvais caractère.

46
Les outils et les ustensiles

1. a) 1. faire un trou dans le mur avec un **ciseau à pierre** et un **marteau** – 2. scier les barreaux à l'aide de la **scie métallique** – 3. couper le fil de fer avec les **pinces** – 4. dévisser le boîtier où sont connectés les fils électriques pour les débrancher. Utiliser le **tournevis** – 5. arracher les clous des montants grâce aux **tenailles** – 6. Creuser un trou pour atteindre la canalisation en se servant de la **pioche** et de la **pelle** – 7. desserrer les boulons qui maintiennent la plaque de sortie avec la **grosse clé**.
b) **le maçon** : marteau, brouette, ciseau à pierre, pelle, truelle, pioche, scie, tenailles.
le menuisier : perceuse, rabat, tournevis, ciseau à bois, marteau, scie, tenailles.
le plombier : clé, pinces, tournevis, ciseau à pierre, perceuse.
le jardinier : bêche, pelle, brouette, pioche, rateau, scie.

2. a) 1. **au fil de l'eau** : le long de l'eau – 2. **le clou de la soirée** : la principale attraction – 3. **ratisser la campagne** : fouiller méthodiquement – 4. **rabotées** : usées – 5. **traîner des casseroles** : avoir un passé plein d'échecs – 6. **un four** : un échec – 7. **être pris en tenailles** : être pris des deux côtés – 8. **piocher à droite et à gauche** : prendre ici et là – 9. **un pot de colle** : une personne ennuyeuse dont on ne peut se débarasser – 10. **gommer** : supprimer – 11. **avoir les nerfs en pelote** : être énervé – 12. **la fourchette des prix** : la gamme des prix.

b)

Cuisine	Buanderie «coin couture»	Bureau	Atelier	Jardin
– la casserole (cuire, chauffer, faire bouillir) – un four (cuire, rôtir, griller) – la fourchette (manger, remuer)	– l'aiguille (coudre, repriser, raccommoder) – la pelote de laine (tricoter)	– le pot de colle (coller) – la gomme (effacer, gommer)	– le clou (clouer) – le rabot (raboter, égaliser) – les tenailles (arracher)	– le rateau (ratisser) – la pioche (piocher, creuser)

3. un encrier – un saladier – un cendrier – une salière – un poivrier – une soupière – une saucière.

47
L'artisanat et le bricolage

1. a) **les coussins** : tissus de maison – **un vase en verre** : verrier – **un petit miroir** : encradreur – **une grande glace avec cadre sculpté** : sculpteur sur bois – **de petites boîtes marquetées** : ébéniste – **un panier en osier** : vannier – **un tapis persan** : marchand de tapis – **une commode Louis XVI** : antiquaire – **une nappe** : dentelles et broderies – **une cruche en terre cuite** : potier – **fleurs séchées** : fleuriste – **nature morte** : artiste peintre – **cendrier** : émaux et bibelots.
b) Exercice ouvert.

2. a) 1. R. Garmy quitte le nord de la Loire. Il s'installe en Provence. – 2. En 1970, jeune musicien, il s'oriente vers la lutherie. Ce sera le lien entre sa passion et sa vie professionnelle. – 3. Il fait son apprentissage aux côtés d'un maître-luthier. Huit années de formation. – 4. Il vend sa production à de grands musiciens étrangers.
b) 1. Choix des bois (épicéa, érable) – 2. Fabrication de la caisse de résonance (taille des tables et éclisses – parties latérales –, découpe des ouvertures de la table d'harmonie) – 3. Confection du manche – 4. Sculpture de la partie courbe – 5. Vernissage des bois (jusqu'à 18 couches !). – 6. Fixation des chevilles pour tendre les cordes. – 7. Mise en place des cordes.
c) la sensibilité musicale – la compétence, le savoir faire – la patience – le goût de la précision, de la minutie – le soin – le goût du beau – la sensibilité aux qualités du bois.
d) la courbe délicate, la pureté des lignes, l'absolue finesse de la réalisation, la profondeur du vernis, la meilleure réalisation, le meilleur vernis, la qualité, la beauté, attirer les convoitises, succomber.
e) **Une belle voiture** : une voiture idéale, rêvée, superbe, irréprochable – elle a une belle ligne, elle a fière allure, un design réussi, l'esthétique des formes, l'élégance des formes, la qualité des matériaux, la qualité des finitions – le chic de l'intérieur, etc.
Un beau tapis : un tapis fait main – une excellente qualité de laine – la beauté et l'originalité des motifs – des dessins harmonieux – la douceur au toucher – agréable au toucher – des couleurs chaudes – le caractère typique de la décoration.
Un beau verre en cristal : la perfection des courbes – une forme simple et parfaite – la finesse admirable du verre – la transparence, la limpidité du cristal – l'éclat, la pureté du cristal – un objet d'art réussi.

3. 1. la méthode est simple : s'engager comme matelot – 2. utiliser une ruse : se cacher dans le sac des draps sales qui vont être lavés à l'extérieur – 3. au moyen d'un vieux truc : éternuer (ou mâcher une feuille fraîche d'estragon) – 4. grâce à un subterfuge : le soir du bal masqué – 5. en étant utile à tous, en utilisant la séduction, par des manœuvres subtiles – 6. à l'aide d'une méthode d'auto-apprentissage, en recourant à un cours particulier – 7. au moyen d'un livre de recette – 8. en recourant aux moyens du bord.

4. 1. fabrique – 2. créer, conçoit, élabore – 3. mesure – 4. produit – 5. réaliser, accomplir – 6. commettre – 7. élaborer, concevoir – 8. accomplir, réaliser – 9. coûter – 10. consommer.

48
Les machines

1. a) **membres** : articulation, pattes, griffes – **organes** : tête, yeux, antennes, abdomen, mandibules.

b)

Vocabulaire de la machine, du mécanisme	
Noms (objets)	Verbes (fonctionnement)
les lignes – l'aérodynamisme – la mécanique – l'ordinateur – le désigner – la suspension – la voiture de sport – la vision panoramique – l'information – le message – les plaques – le marteau – le sas – le compartiment – le produit chimique – le réseau – la tuyauterie	épurer – s'emboîter – assister – grincer – frotter – creuser – saisir – permettre – servir de – remplir – stocker – couper, pincer – attraper – déposer

une voiture : ses lignes, son aérodynamisme, sa carrosserie, merveille mécanique, les plaques, une suspension confortable.
un robot : les plaques s'encastrent, jamais ça ne grince, jamais ça ne frotte, une vision panoramique à 180°.
une machine fantastique : les antennes saisissent des milliers d'informations qui nous sont invisibles, leur extrémité peut servir de marteau, l'abdomen est rempli de poches, de sas, de compartiments où stocker des produits chimiques, un formidable réseau de tuyauterie lui permet de déposer des messages odorants.

2.

Objet	Fonction	Détérioration	Réparation
vis, écrou	fixer, maintenir	se rouiller; se desserrer, se bloquer, se coincer	changer, serrer, débloquer, décoincer
tuyau	faire couler, conduire	se percer, se boucher	boucher, déboucher
fil, ressort	transmettre	s'user, se casser	changer
levier	mettre en marche, arrêter, transmettre	se bloquer, se coincer	débloquer, décoincer,
bouton, touche, interrupteur	transmettre, mettre en marche, arrêter	se bloquer, se coincer, se casser	débloquer, décoincer, changer
voyant lumineux	contrôler	s'éteindre	décoincer,
roue	tourner	s'user, se bloquer se coincer, se rouiller	changer, débloquer décoincer,

3. 1. lave-linge – 2. lave-vaisselle – 3. calculette, ordinateur – 4. locomotive – 5. billeterie, distributeur – 6. projecteur – 7. transistor, tuner – 8. téléviseur, récepteur – 9. platine – 10. camescope.

4. 1. tous les fonctionnements, il a le pouvoir – 2. restreindre ses plaisirs, ses sorties – 3. l'économie donne des signes alarmants – 4. un bon conseil – 5. marche arrière.

49
Les véhicules

1. bébé : landau – bédouin : dromadaire – facteur : voiture de service – forain : roulotte, caravane – gendarme : «panier à salade» (fam.), voiture de service – légionnaire romain : char – loubard de banlieue : moto ou vélomoteur – magicien : tapis (volant) – navigateur : voilier – paysan : tracteur – poste au XVIIIᵉ : diligence – prisonnier : panier à salade, hélicoptère (fuite) – roi fainéant : char – routier : poids lourd – SAMU : ambulance – sauveteur de montagne : hélicoptère – touriste : moto, vélo, voilier, caravane – sorcière : balai – cycliste : vélo.

2.

```
1  A C C E L E R A T E U R
      2 C O F F R E
   3 R O U E
4 F R E I N
5 R E S E R V O I R

      6 E M B R A Y A G E
      7 V I T E S S E S
         8 C O N T A C T
         9 P H A R E S
10 C E I N T U R E
      11 V O L A N T
      12 M O T E U R
```

3. a) – Guide de navigation : le trajet est matérialisé sur un écran. Le conducteur constate sa position réelle. L'itinéraire peut être changé en fonction des embouteillages.
– Programme vert : voiture fabriquant elle-même son énergie électrique. Une turbine à gaz produit de l'électricité grâce à un alternateur pour la route ; batterie électrique pour la ville.
– «Vigilux» anti-dérive : deux détecteurs à infrarouges lisent le changement de couleur de la route. Une alarme lumineuse et sonore avertit le conducteur qui s'écarte de la route normale.
– Embrayage électronique : supprime la troisième pédale libère le pilote de toute action sur l'embrayage en lui laissant le choix des rapports.
– Radar pour manœuvrre : sorte de radar qui se monte dans le pare-choc avant côté trottoir. Si le capteur décèle un obstacle, une lampe avertit le chauffeur du danger.
– 4 roues directrices : 4 roues motrices. Confort et sécurité.
b) • Parties et accessoires : l'embrayage, la boîte (de vitesse), la pédale, l'alarme, le détecteur, le capteur, la centrale électronique, le dispositif, le signal, le radar, le pare-choc, la lampe, la cabine, la roue motrice, l'écran, la batterie, la turbine, l'alternateur.
• Conduite automobile : le pilote, le conducteur, le chauffeur, le routier, le rapport (de vitesse), le passage (de la vitesse), l'accélération, le rétrogradage, le danger, la sécurité, l'écart, avertir, somnoler, se perdre, la trajectoire, la route, le trajet, la direction, l'itinéraire, le trottoir, le point de départ, le point d'arrivée, la position, la marche arrière, le freinage, le confort, l'encombrement.
c) «le veilleur», système automatique qui interpelle le conducteur en cas de danger – l'auto-volante et submersible – un moteur non polluant pour la ville – la voiture solaire – la peinture anti-rayures – le pneu non-dérapant, non dégonflable, etc.

50
L'objet et le mouvement

1. a)

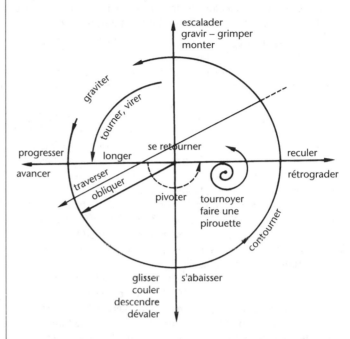

b) **Le skieur de fond** : monter, gravir, descendre, glisser, dévaler, contourner, virer – **Un voleur poursuivi par un policier** : s'abaisser, contourner, avancer, reculer, monter, gravir, grimper, escalader, descendre, éviter, traverser, sauter, longer, courir, fuir – **Un ballet moderne** : se retourner, tournoyer, sauter, s'élever, monter, baisser, traverser, se détendre, danser, se mouvoir, plier, déployer, (se) placer, enchaîner, lever, agiter, gesticuler – **Le mouvement des astres dans le ciel** : graviter, tourner, monter, baisser, traverser, se lever, se coucher.

2. a) **• Idée de mouvement**
– exécuter un ballet, le ballet – se déplacer, le déplacement – flotter, le flot – fusionner, la fusion – se mettre en mouvement, le mouvement – (s') enfoncer, l'enfoncement – (s') élever, l'élévation – pousser, la poussée – (se) plisser, le pli, le plissement – (se) glisser, le glissement – (se) soulever, le soulèvement – (se) briser, la brisure – (se) couper, la coupure – (se) rompre, la rupture – (s') éloigner, l'éloignement – (se) rejoindre, la jonction – (se) séparer, la séparation – (se) rapprocher, le rapprochement – évacuer, l'évacuation – (se) réduire, la réduction – (se) dérouler, le déroulement – (se) prolonger, le prolongement – (s') effacer, l'effacement – (se) rétrécir, le rétrécissement – (se) recouvrir, le recouvrement
• Vocabulaire de la géographie
continent, croûte terrestre, plaque, magma (interne), fusion, force, surface, montagne, chaîne, tension, faille, vallée, ligne de rupture, séisme, volcan (actif), lac (salé), océan, mer, carte, Alpes, Himalaya, Eurasie, Afrique, Inde, Asie, Rift, jourdain, Californie, Groenland, Nord, Ethiopie, Egypte, Europe, Méditerranée, Pyrénées, Tibet, Angleterre, Irlande, Atlantique.

3. a 4 – b 7 – c 10 – d 6 – e 1 – f 9 – g 11 – h 2 – i 13 – j 3 – k 12 – l 5 – m 8.

51
Le temps et les choses

1. 1. s'est cassé, recoller – 2. dévasté, replanter – 3. démoli, reconstruire – 4. arraché, recoudre – 5. détraquée, arranger – 6. bouleversé, reclasser – 7. détérioré, restaurer – 8. endommagé, réparer.

2. a) **Années 40** : essor du design – **Années 60** : époque glorieuse – **Aujourd'hui** : crise et mutation

b) mutation, bouleversement, révolution, tendance, style, crise, essor, fluctuation, remise en cause, secousse, se moduler, dépasser, s'élargir, faire suite à, prendre son essor, agiter.

c) l'altération, le bouleversement, le changement, le développement, la dénaturation, le devenir, la métamorphose, la modification, la mutation, la mue, le passage, le progrès, la progression, le renouveau, le renouvellement, la réforme, la rénovation, la révolution, la transformation, la transmutation, la variation, l'évolution, l'amélioration, le perfectionnement, l'adaptation.

d) 1. Il va **adapter** l'entreprise au marché. Il va lui faire subir une série de **transformations**. Il va **renouveler** la direction, **remplacer** le directeur des ventes, faire **rénover** les machines, **modifier** les méthodes de travail pour **augmenter** la productivité, **développer** les ventes, **réduire** les dépenses.

2. Il va de **plus en plus mal**. Sa fièvre **monte**. Son état **s'aggrave** encore : sa température atteint 40°. Son état **empire** : il a 41°. La maladie **n'évolue** plus : son état est **stationnaire**. Grâce aux médicaments, la santé du malade **s'améliore** un peu. Mais il **fait une rechute** : sa température **remonte** à 41°. Puis, la fièvre **baisse**. Le malade **va de mieux en mieux** . Il se **rétablit**. Il est **guéri**.

3. Le père a perdu toute sa fortune au jeu. La famille **appauvrie** ne peut plus entretenir le château. La façade ne peut pas être **ravalée**. Les deux tours ne seront pas **restaurées**. Elle ne peut pas payer l'entreprise qui a **rénové** les deux grandes salles. La famille doit changer sa façon de vivre. Elle **diminue** ses dépenses. **La situation se dégrade encore**. Il faut vendre le château et **passer** des beaux quartiers à l'immeuble populaire. La mère **devient** amère. Elle a du mal a supporter **cette déchéance**.

4. Il veut **transmuter** le fer en or, **métamorphoser** le singe en homme. Pour lui, ces **transformations** sont possibles. Il veut faire **évoluer** la science. Il veut être à l'origine de nouveaux **progrès**. Ses découvertes vont **bouleverser** la recherche scientifique. Les méthodes de travail vont **révolutionner** les sciences. **En modifiant** la structure de l'atome de fer, il obtiendra de l'or. Par **mutation** génétique, il pense **perfectionner** l'intelligence du singe.

3. a) 1. a pali – 2. verdit et épaissit – 3. se rafraîchira – 4. ont élargi – 5. ralentissez

b) vieillir – blanchir – jaunir – grandir – rapetisser – faiblir, affaiblir – rétrécir – assombrir

• En **vieillissant**, le corps **s'affaiblit**. La neige **blanchit** les sommets. En automne, les feuilles **jaunissent**. Paul a **grandi** de 15 cm, cette année. Quand on s'éloigne les montagnes **rapetissent**. Son pantalon a **rétréci** au lavage. Cette tapisserie **assombrit** la pièce.

52
Les sons

1. a) • **Sources de bruits** : chaussée déformée, trafic, embouteillages, klaxons, radios, métro, syndicats d'employés, piécettes dans les gobelets, fous, poubelles, armes à feu, sirènes, ambulances.

• **Mots qui caractérisent le bruit** : fracas, tintamarre, clameur, cliquetis, cri, rire, coup de feu, ululement, hurler, s'engueuler, invectiver, rire, à tue-tête.

b) le claquement d'une porte – le clapotis des vagues – le craquement d'une branche – le cliquetis de la vaisselle en argent – le crissement des pneus – la détonation d'un coup de fusil – l'explosion d'une bombe – le grincement d'une porte – le murmure d'une source – la pétarade d'une moto – le sifflement d'un serpent – le tintement d'une clochette – la vibration d'une corde de guitare – le vrombissement d'un moteur.

c) 2. porte qui grince – fenêtre qui claque – craquements des escaliers de bois – silence – hibou qui ulule – chien qui hurle à la mort – battements d'ailes de chauves-souris – bruits de chaînes sur le sol – long râle plaintif – sifflement du vent dans les rideaux…

3. • **Marché** : litanies des marchands qui proposent leurs produits et leurs prix – vendeurs qui s'égosillent, qui s'époumonent – battage du bonimenteur – poissarde qui braille des noms de poissons – dispute et grands cris : vociférations d'un client mécontent, protestations du commerçant, éclats de voix, cascades d'injures, vacarme des camions qu'on décharge, rumeurs de la foule qui circule.

• **Avenue principale** : crissement des freins au feu rouge – vrombissement des voitures qui démarrent – ronflements poussifs d'un vieux camion surchargé – crépitement d'une automobile au pot d'échappement percé – pétarade de mobylette – déflagration d'une moto qui accélère brusquement – sirène d'une ambulance – bruit de tôle froissée qui accompagne un accident – brouhaha de la circulation…

• **Jardin public** : cris d'enfants qui jouent – gémissements et pleurs d'une fillette qui est tombée – clameur et applaudissements qui saluent l'arrivée de Guignol (spectacle de marionnettes pour les petits) – aboiements d'un chien – pétard qui éclate – enfants qui rient – ramage et gazouillis des oiseaux dans les arbres – grondement d'une maman qui met fin à une bruyante querelle.

2. 1. caverneuse, gutturale, profonde
2. claire, fraîche, légère, pure
3. cassée, chevrotante, tremblante
4. chaude, charmeuse, harmonieuse
5. aigüe, criarde, nasillarde
6. grave, sonore, tonitruante

3. 1 : 3, 8, 5, 11, 12, 14, 6 – 2 : 4, 1, 2, 10, 9, 7, 13.

a

activité ; 16
amélioration ; 31
amour ; 14
anatomie ; 38
animaux ; 45
antipathie ; 13
appareils ; 48
apparence ; 12
architecture ; 22
argent ; 27
arme ; 24
armée ; 24
artisan ; 47
artisanat ; 47
association ; 28
assurance ; 28
atome ; 42
attitude ; 12 ; 38
authenticité ; 33
automobile ; 49

b

banalité ; 33
banque ; 27
biologie ; 39
bionique ; 39
bonheur ; 14
botanique ; 44
bricolage ; 47
bruit ; 52

c

cachet ; 12
caractère ; 11
caricature ; 12
catastrophe ; 43
cause ; 36
chaleur ; 42
chance ; 29
château ; 22
chimie ; 41
chocs ; 50
classements ; 35
concert ; 52
conduite ; 49
connaissance ; 36
conte ; 21
corps d'animal ; 45
corps humain ; 38

couleur ; 10
courage ; 16
coutumes ; 25
création ; 31
crimes ; 26
croyances ; 21
culture ; 37

d

débrouillardise ; 27
découverte ; 30
déduction ; 32
défense ; 24
définition ; 1
dégradation ; 51
délits ; 26
déshonneur ; 17
dictionnaire ; 1
différence ; 37
discours ; 6
dispute ; 13

e

écologie ; 44
écrire ; 7
écriture ; 7
édition ; 7
effet ; 36
électricité ; 40
émigration ; 19
emprunts ; 2
énergie ; 16 ; 42
ensemble ; 34
espéranto ; 4
état politique ; 19
étymologie ; 1 ; 2
euphémisme ; 4
événements ; 20
évocation ; 9
évolution ; 51
exactitude ; 33
existence ; 34

f

faiblesse ; 42
faire ; 47
fantaisie ; 31
fleur ; 44
foi ; 21
folie ; 32

fonctionnement ; 48
force ; 42
forme ; 10
froid ; 42
fruit ; 44

g, h

gêneur ; 13
géographie ; 38 – 43
géologie ; 50
geste ; 38
groupement ; 28
guerre ; 24

habitant ; 19
habitude ; 25
haine ; 14
harmonie ; 35
hasard ; 29
histoire ; 20
honneur ; 17
honte ; 17
humeur ; 18
humour ; 18

i, j, l

identité ; 37
ignorance ; 30
image ; 10
imagination ; 31
immigration ; 19
influence ; 9
information ; 8
informer ; 8
innovation ; 49
instruments ; 46
intelligence ; 30
interdiction ; 25
interjection ; 15
invention ; 31

jalousie ; 14
jeu ; 29
jugement ; 33
justice ; 26

langue ; 4
lettre ; 7
litote ; 4
logement ; 23

m, n

machines ; 48
magnétisme ; 40
maison ; 40
malheur ; 14
manque ; 34
métaux ; 41
mine ; 41
modèle ; 37
morale ; 17
mot ; 2
mouvement ; 50
moyen ; 47

niveau de langue ; 5

o

obéir ; 16
obligation ; 25
opposition ; 33
optique ; 40
ordinateur ; 3
ordres ; 35
organisation ; 35
originalité ; 33
outils ; 46

p

pardon ; 21
parler ; 6
parties ; 34
passé ; 22
passivité ; 16
pays ; 19
paysage ; 43
péché ; 21
pensée ; 30
personnalité ; 11

peuple ; 19
peur ; 15
physique ; 40
pièces (machines) ; 48
pose ; 12
possession ; 34
pouvoir ; 16
presse ; 8
preuve ; 26
procès ; 26
programme ; 35
protection ; 28
publicité ; 9

r

raison ; 32
raisonnement ; 32
réaction ; 15
réalisation ; 31
recherche ; 30
réconciliation ; 13
réflexion ; 32
règles ; 25
relations ; 13
religion ; 21
réparation ; 51
représentation ; 10
ressemblance ; 37
révolution ; 20
rire ; 18

s, t

sentiment ; 14 – 15
signification ; 3
sons ; 52
sorcellerie ; 21
style ; 5 – 7
superstition ; 21

sympathie ; 13

technologie ; 40
temps ; 51
tests ; 11
totalité ; 34
traduction ; 3
transformation ; 41 – 51

u, v, z

urbanisme ; 23
ustensile ; 46

valeurs ; 17
végétation ; 44
véhicules ; 49
vérification ; 26
vérité ; 33
vestiges ; 22
vie collective ; 28
ville ; 23
voitures ; 49
voix ; 52
volonté ; 16

zoologie ; 45

• Préfixes

– pro-, anti-, contre-, non- ; 28
– d'opposition : in-, im-, ir-, il-, a-, dé-, des- ; 33

• Suffixes

– -ir, -iser, -ifier (conséquence) ; 36 – 51
– -u, -eux (aspect et matière) ; 38
– -ier, -ière, -oir (objets) ; 46

Références photographiques : p. 24 : CNDP ; p. 30 : Institut International d'Administration Publique – Duclos ; bas : Rapho – Steve Murez ; p. 53 : haut et milieu haut : Viollet ; milieu bas : Charmet ; bas : Viollet ; p. 60 : Doisneau – Rapho ; p. 84 : gauche et milieu : Viollet ; droite : Édimédia ; p. 110 : Viollet ; ADAGP : Miró – SPADEM : Picasso.

Couverture : François Huertas – Illustrations : Philippe Burel – p. 106 : Gabs – Recherches iconographiques : Atelier d'Images
Composition et mise en page : CND International – Édition : Corinne Booth-Odot

N° d'Editeur : 10011407 - I - (6) - (OSB 80) - Avril 1993
Imprimerie Jean-Lamour, 54320 Maxéville
N° 93040011

Career Focus Canada

A PERSONAL JOB SEARCH GUIDE

Fourth Edition

Helene Martucci Lamarre

Karen McClughan
Lambton College

PEARSON

Prentice
Hall

Toronto

Library and Archives Canada Cataloguing in Publication

Martucci Lamarre, Helene
    Career focus Canada / Helene Martucci Lamarre, Karen
McClughan.—4th ed.
    Includes index.
    ISBN-13: 978-0-13-227991-8
    ISBN-10: 0-13-227991-6
        1. Job hunting—Canada. I. McClughan, Karen, 1956-
II. Title.
HF5382.75.C3M37 2007   650.140971   C2006-906379-6

Original edition, entitled *Career Focus: A Personal Job Search Guide*, published by Pearson Education, Inc., Upper Saddle River, New Jersey, USA. Copyright © 2006 by Pearson Prentice Hall. This edition is authorized for sale only in Canada.

ISBN-13: 978-0-13-227991-8
ISBN-10: 0-13-227991-6

Editor-in-Chief, Vice-President of Sales: Kelly Shaw
Acquisitions Editor: Chris Helsby
Sponsoring Editor: Carolin Sweig
Marketing Manager: Toivo Pajo
Associate Editor: Shelley Pollock
Production Editor: Katie Hearn
Copy Editor: John Firth
Proofreader: Susan Broadhurst
Senior Production Coordinator: Patricia Ciardullo
Composition: Laserwords
Art Director: Julia Hall
Cover Design: Geoff Agnew
Interior Design: Geoff Agnew
Cover Image: Getty Images

All photo objects from Hemera Technologies, © 2001.

1 2 3 4 5   11 10 09 08 07

Printed and bound in the United States of America.

CONTENTS

Preface   *v*

About the Authors   *viii*

SECTION 1
INTRODUCTION AND
PERSONAL ASSESSMENT

Chapter 1 Introduction   *1*

Marketing Yourself   **1**

Job Search Process   **3**

Chapter 2 Self-Assessment and Promotion   *5*

Self-Assessment   **5**

Marketing Readiness Quiz   **6**

Self-Awareness Checklist   **14**

Ability Assessment   **15**

Transferable Skills Checklist   **17**

Work Environment and Life Preferences   **19**

Self-Assessment Summary Sheet   **20**

Self-Promotion   **20**

SECTION 2
MARKETING TOOLS

Chapter 3 Marketing Strategies   *24*

Take Advantage of Personal Marketing   **24**

Arrange Informational Interviews   **25**

Use Electronic Marketing   **27**

Determine the Best Approach   **28**

Develop a Positive Attitude   **29**

Use a Systematic Strategy to Pursue Companies   **29**

Chapter 4 Marketing Techniques   *32*

Networking   **32**

Telemarketing   **38**

Career Fairs   **43**

Global Job Search   **46**

Chapter 5 Resumés and References   *49*

Preparing to Write Your Resumé   **49**

Types of Resumés   **50**

Resumé Sections   **53**

Representing Education Activity   **54**

Work Experience Exercise   **57**

Resumé Guidelines   **60**

Resumé Tips   **62**

Resumé Checklist   **64**

Resumé Samples   **65**

References   **73**

Internet Resumé Sites   **76**

Chapter 6 Career Correspondence and Applications   *78*

Career Correspondence   **78**

Job Applications   **86**

Chapter 7 *Professional Portfolios*   *92*

Portfolio Skills Assessment   **92**
Selection of and Types of Samples   **94**
Planning the Portfolio   **95**
Formatting the Portfolio   **98**
Assembling the Portfolio   **100**
Tips for Increasing Your Portfolio's Impact   **101**
Electronic Portfolios   **101**
Using Your Portfolio   **104**

SECTION 3
INTERVIEWING

Chapter 8 *Before the Interview*   *106*

Company Research   **106**
What Should be Investigated?   **108**
Gathering Information   **108**
Preparation: The Key to Interview Success   **110**
Types of Interviews   **111**
Forms of Interviews   **111**
Interview Stages   **113**
Dressing for Interview Success   **113**

Chapter 9 *During and After the Interview*   *116*

Stages of the Interview   **116**
Questions Asked During the Interview   **118**
Illegal Questions   **125**
Interview Questions for You to Ask   **126**
Using Your Portfolio   **128**
Etiquette   **128**
Testing   **129**
Negotiating   **131**
Thank-Yous   **133**

Chapter 10 *After the Offer*   *135*

Work Realities   **136**
Criteria for Evaluating a Job Offer   **136**
Confirmation   **137**

SECTION 4
CAREER SUCCESS

Chapter 11 *What to Know and Do*   *139*

Fitting In   **139**
What's Important   **140**
Assessment   **140**
The Value of a Mentor   **140**
Good Things to Do in a New Job   **141**
Things to Avoid Doing in a New Job   **141**
Computers: The New Pitfall   **141**
Job Safety   **142**
Closing Advice   **142**

Chapter 12 *Career Success Skills*   *145*

Basic Skills   **145**
Specific Skill Sets   **147**

Index   *151*

PREFACE

Welcome to the fourth edition of *Career Focus Canada: A Personal Job Search Guide*. In this book, you will be introduced to the world of personal assessment, personal marketing, and job search know-how. By using this comprehensive yet easy-to-follow guide, you will gain a better understanding of who you are and the skills you offer employers, learn how to launch your own personal marketing campaign, and develop the all-important tools necessary for a successful job search in this competitive and complex world. You will also learn what it takes to be successful after you get the job, identifying the skills and traits that are essential for success in any company or field of endeavour.

This personal marketing and job search guide will help you focus more clearly on your abilities, your career aspirations, and your goals for the future. With its winning combination of career development theory and individual application, this book will assist you as you seek your first professional position, begin a new career, change careers, or even re-enter the job market after an absence. Whatever your career circumstances, through self-reflection and personal dedication, you can be on your way to career satisfaction.

This exciting new edition retains most of the basic information that has been used so successfully by many job seekers, but it is enhanced with a new approach, improved organization, new information, and new features.

WHO SHOULD USE THIS BOOK?

Career Focus Canada: A Personal Job Search Guide, Fourth Edition, is a useful resource for everyone interested in employment. It is used as a textbook for college and professional career development courses. It is a valuable resource to individuals who are reassessing their careers and the effectiveness of their current job search strategies. It has been a welcome companion to recent university, college, and technical school graduates who need career assistance as they make sense of the job market they are about to enter. Anyone who wishes to be successful in today's competitive employment market needs to understand and apply the ideas and techniques found in this guide.

HOW TO USE THIS BOOK

Use it actively. Don't just read the words—think about them. React to ideas, challenge your current ways of thinking, and energize yourself while you spend time with this book. As you think about how to use this guide most effectively for your individual situation, you may want to focus on particular sections, such as resumé writing, researching companies, or interviewing. Or, you may want to study the information and suggestions chapter by chapter as a comprehensive guide to personal marketing, successful job searching, and career planning. Learn about marketing tools, using the Internet in your job search, developing paper-based and electronic professional portfolios, and many other topics. No matter what your approach, you'll benefit from the experience, and this book will be a valuable tool for you today and in the future.

WHAT DOES THIS NEW EDITION HAVE TO OFFER?

New Approach

This fourth edition focuses on *self-marketing*. In fact, marketing yourself successfully is the focus of all the information found in the first two sections of the book. Experience tells us that today's job seekers are most successful when they understand basic marketing concepts and use dynamic marketing strategies and techniques for themselves.

New Organization

The book's organization is improved, particularly the material on interviewing. For easy access to information, the interviewing material is divided into three chapters: Before the Interview, During and after the Interview, and After the Offer. Each chapter is a comprehensive guide to the knowledge and techniques needed in each step of the interviewing process.

New and Enhanced Information

The information in this book has been updated with the most timely career advice and strategies. New and expanded topics to this edition include:

- Marketing strategies and techniques
- Types and styles of resumés, including electronic, scannable resumés
- Paper-based and electronic professional portfolios
- Web-based company research
- Types of interviews, including stress, panel group, telephone and video conferencing
- Effectively handling behavioural-based interview questions
- Important questions for the interview candidate to ask
- Interviewing etiquette
- Negotiating salary and benefits
- Career success on the job, including tips for new employees

New Features

This fourth edition includes several exciting new features:

- *MY Focus.* Because self-marketing is a central theme in this edition and is so central to a successful job search and career, marketing tips and other helpful information are highlighted in a special feature called "Marketing Yourself Focus," or MY Focus. MY Focus, found in Chapters 2–12, encourages the practical application of the ideas and suggestions in that chapter.

- *Finding Your Focus.* Chapters conclude with unique chapter questions, called Finding Your Focus. These questions encourage the reader to recall key concepts from the chapter and to reflect and apply these ideas on a personal level. Both MY Focus and Finding Your Focus help move the owner of this book from mere reader to active user of these critical concepts and job search strategies.

- *Layout and design.* The design of this new edition highlights important information and allows the reader to see key points and ideas in the chapters at a glance. Improved graphics and use of colour also enhance the look of this new and improved guide.

■ *Companion Website.* One very important new feature of this fourth edition is the Companion Website. This interactive tool provides a new on-line dimension of interactivity and self-exploration. The Companion Website features chapter objectives and highlights, test questions, useful Internet links, special worksheets, and further support information for the chapters in this book.

Career Focus Canada: A Personal Job Search Guide remains an essential guide for anyone who is currently searching for a job or is about to begin a job search. Its no-nonsense approach and easy-to-read style make it a must for the busy individual who needs sound job search advice in a resource that is quick and easy to use.

ACKNOWLEDGMENTS

I would like to thank the following reviewers, who offered helpful suggestions:

1. Jennifer Auld-Cameron, School of Access – General Arts and Science Program, Nova Scotia Community College, Truro Campus

2. Phil Bialobzyski, Department of Computer Technology, Northwest Community College

3. Kimberly Byrne, IT Works for Women Project, WEE Society

4. James Ellis, Department of Agriculture and Environment, Assiniboine Community College

5. Rob Fahlman, Director of Curriculum Development, Sprott-Shaw Community College

6. Kevin Reinhardt, College Vocational Program, Seneca College

Finally, I wish to thank the editors at Pearson Education Canada, for their encouragement and support of the fourth edition of *Career Focus Canada*.
—Karen McClughan

DEDICATION

This book is dedicated to all my wonderful canine companions who have brightened my life: Pepper, Muffin, Tara, Molly, and Abbey. They have demonstrated the meaning of loyalty and have taught me to take myself less seriously.

—Helene Martucci Lamarre

I would like to dedicate this text to the students that I have had the pleasure to work with. I hope I have contributed in a small way to your career success. May you all achieve your goals and dreams!

—Karen McClughan

ABOUT THE AUTHORS

Helene Martucci Lamarre has successfully assisted job seekers for more than 20 years. As a senior professor, she has developed curricula and taught courses in career development and business communications to thousands of students who have attained an average placement rate of 97 percent. She is a distinguished professor, recognized for her creativity and academic contributions.

As a successful speaker, she has delivered numerous presentations to educational, civic, and private groups on career development and business communications topics. She also advises and coaches private clients in their personal job searches.

As an author, she has completed five books covering personal marketing, job search techniques, and career portfolios published in both the United States and Canada.

She is a member of the Association for Business Communication and the Midwest Association of Colleges and Employers.

Karen McClughan has worked as a Co-op & Career Consultant for over 18 years at the college level in Ontario, assisting both Co-op Students and Graduates to successfully secure employment. During this time she has also developed curriculum and delivered job search courses and workshops.

Recently she has attained certification in Profiling Occupational Essential Skills.

She is a member of the following organizations:

- Ontario College Career Educators
- Education at Work Ontario
- Canadian Association of Career Educators and Employers
- Canadian Association for Co-operative Education

CHAPTER 1

Introduction

CHAPTER OBJECTIVES

After completing this chapter, you will be able to:

- Begin the journey toward career fulfillment.

- Learn about marketing yourself effectively.

- Review the steps of the job search process.

Making Your Dreams Come True

All our dreams can come true—if we have the courage to pursue them.

—WALT DISNEY

You are about to take the first steps of one of the most important journeys you will ever take . . . the journey toward career fulfillment. Although you will travel many miles to make this dream come true, you know that the goal is worth the effort. This book will help you realize that dream. It will help you gain a clearer focus of yourself, your goals, your methods of achieving those goals, and your satisfaction with what you have achieved.

The various chapters teach you about self-assessment and promotion; the tools necessary to market yourself; techniques to consider before, during, and after an interview; tips on what to do after the job offer including evaluating the offer; and suggestions for job success for the career changer as well as the new entry-level employee.

Because marketing yourself is so critical to your career success, this idea appears as a theme throughout the book with reminders of why and how self-marketing should be integrated into your career campaign. So, let's take a closer look at marketing yourself.

MARKETING YOURSELF

If you have ever taken a basic marketing course, you already know that to be a good seller of a product or service (or yourself!), you must understand the five Ps of marketing:

- product
- place
- promotion
- price
- presentation

In an introductory marketing course, these concepts serve as a springboard for discussing and developing marketing strategies. If you developed a product and were preparing to sell it, you had to consider the five Ps:

1

- What exactly is your product and how is it different from (or better than) other similar products?
- Where will you sell your product?
- Who are the potential buyers of the product and where are they?
- How much should you charge for your product and how does that price compare to similar products being offered?
- How will you let others know about your product and how will you develop its presentation to appropriate markets?

These marketing basics are just as applicable to marketing yourself as they are a new product. Following is a discussion of these marketing concepts as they relate to your personal career development.

Product

That's you! Although you are not a commodity, you should start looking at yourself as a product: What are your features? What can you do well and how will hiring you be money wisely spent? What are some things you can't do? How will you get people interested in knowing what benefits there are to hiring you?

Place

Where do you intend to market yourself? Globally? Nationally? Regionally? Locally? Where will your buyers be? Is there anywhere you are unwilling to go? Must you keep your career search local? That's ok, but remember, the more broad-based your marketplace, the better.

Promotion

How will you introduce yourself to your markets, and how will you get people interested in considering you for employment? Although you won't take out a full-page advertisement in a national newspaper, you do have to use various ways to let your buyers know that you have something to offer them. The first two promotional pieces that come to mind are the cover letter and resumé. Another is your career portfolio, or the networking you do with various individuals who can help sell you to others.

Price

This can be tricky. Of course, you want to earn the highest salary possible. At the same time, your buyers want value and do not want to overpay for the employees they hire. While most buyers will pay a competitive price for a good product, there are some employers who want to employ an individual for the lowest salary possible. So, how do you price yourself so you are able to close the sale? If you are a new graduate or entry-level employee, you don't have much of a yardstick to measure how much you are worth; however, you do want to be paid the same salary as someone else with your education and qualifications.

If you are making a career move or change, you want to be paid commensurate with your previous experience and responsibilities. A future salary range may be a bit easier to determine for the experienced employee based on current or previous salary. Regardless of your career level, however, you should have an idea of how much you need to earn, the average incomes for someone with your training and experience, and the average incomes found in your present or future geographical area. This information will help you determine what salary range you should use during the negotiating process.

Presentation

This P of career marketing is how you and your marketing tools will look and be judged. For example, how will your product be packaged (what will you wear to the interview)? How will you be groomed? How professional looking will your resumé be? How about your cover letter and list of references? What kind of positive impression will your portfolio make during an interview? How about the manner and ease with which you answer various interview questions?

You can see how important it is to use the five Ps of marketing while planning a strategy to successfully market yourself. Planning and follow-through are critical to a successful marketing plan. Unfortunately, many job seekers merely post their resumés to online databases or send their resumés in response to newspaper ads and wait to see what happens. Most of the time, nothing does. The only result of this misguided approach is the job seeker spends many an empty hour waiting for something to happen—not a good way to get the job you want.

Throughout this book, you will find self-marketing reminders and activities. They appear under the heading MY Focus. The "MY" means your own focus and a focus on *marketing yourself*. Assessing yourself and marketing yourself come into play in almost every aspect of your career campaign, from successful resumé writing to acing the interview.

JOB SEARCH PROCESS

Now that you have looked at some marketing concepts and discovered how they relate to career success, let's put the job search process in a visual perspective. Exhibit 1.1 depicts the steps of a successful career campaign that track with the various sections and chapters of this book. Look over the chart. Think about the

EXHIBIT 1.1   **The steps of a successful career campaign**

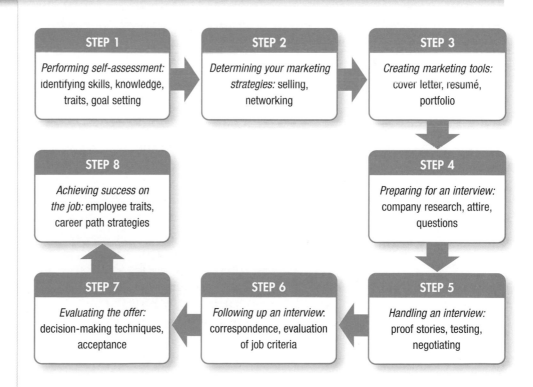

STEP 1
Performing self-assessment: identifying skills, knowledge, traits, goal setting

STEP 2
Determining your marketing strategies: selling, networking

STEP 3
Creating marketing tools: cover letter, resumé, portfolio

STEP 4
Preparing for an interview: company research, attire, questions

STEP 5
Handling an interview: proof stories, testing, negotiating

STEP 6
Following up an interview: correspondence, evaluation of job criteria

STEP 7
Evaluating the offer: decision-making techniques, acceptance

STEP 8
Achieving success on the job: employee traits, career path strategies

importance of these steps and how each one will take you closer to your destination: getting the job you want.

By completing this book, you will gain the knowledge, skills, and strengths necessary to ensure success at this and any stage of your career. The theories, advice, and tools are yours. The fun, the work, the achievements, the frustrations, and the triumph—it all starts here. With determination, perseverance, and a positive attitude about yourself and your talents, you *will* succeed.

Self-Assessment and Promotion

CHAPTER OBJECTIVES

After completing this
chapter, you will be able to:

• Determine your degree of
  readiness to sell yourself.

• Better understand who
  you are.

• Identify your abilities,
  skills, work values, and
  preferences.

• Apply your self-knowledge
  to your job search.

• Design a promotional
  strategy for your job
  search.

Knowing Yourself

Only those who risk going too far can possibly find out how far one can go.

—T.S. ELIOT

SELF-ASSESSMENT

To be successful in any career search, it is imperative that you know yourself. Would a salesperson try to sell a product about which he or she knew little? Of course not. The same is true for a personal job search. First, take some time to think carefully about yourself. Unfortunately, many people are too busy, or perhaps too uncertain, to conduct a self-examination. This is a mistake. You must not skip this step of the process. If you do, your resumé will be weak, your research unfocused, and your interviewing skills substandard. That is not any way to conduct a successful job search. So, take some time to examine some important things about yourself and your life. You may be a young student with little experience, or a mature student making a career change, or a mature student without much of an employment history, but it is important to realize that all experience, whether life, employment or volunteer, is relevant information to market yourself.

This chapter provides you with several self-assessment tools. A word of caution: these tools will not tell you everything you should know to make good career decisions; however, the insights gained from thinking about the issues raised in these self-assessment exercises can help you establish a strong, knowledgeable approach to your career development. You are encouraged to complete the following self-assessment tools:

- *Marketing Readiness Quiz:* Explore your views about selling yourself in the job market.
- *Self-Awareness Checklist:* See how you perceive yourself and others.
- *Ability Assessment:* Learn to recognize your talents and abilities.
- *Transferable Skills Checklist:* Compile a useful list of current skills that can transfer to new careers.
- *Work Environment and Preferences:* Identify lifestyle desires and work environment preferences that are important when choosing a job or career.

Once you have worked through each of them, complete the Self-Assessment Summary Sheet on page 20. In addition to these tools, several online self-assessment instruments are linked from the **Companion Website**.

MARKETING READINESS QUIZ

Do you have a "marketing or sales personality"? Are you "market-oriented" and "sales-minded"? According to career personnel, those are the qualities you must have to get the job of your choice. What follows is not a test of your sales knowledge; it is a quiz to evaluate your sales personality and your attitude toward selling in general by asking you questions about selling yourself in the job market. Be honest with yourself as you take this quiz. Go with your instincts, not with what you think the answer should be. You can't fail this quiz; it is only meant as a guide to help you judge your sales readiness.

Directions

For each question, circle the response that best describes you. Then, use the Quiz Rating Scale at the end of the quiz to determine your score. Finally, use the Marketing Readiness Categories to determine how your score reflects your sales readiness.

1. You are planning a vacation with a friend. You want to go to Paris, and your friend wants to go on a cruise. Would you:
   A. Talk dynamically about Paris and what you love about it?
   B. Debate or ignore every reason he presents for going on the cruise?
   C. Try to find out what it is about the cruise that appeals to your friend the most?

2. What is the most difficult aspect of getting a job?
   A. Finding the right job opportunities
   B. Asking for the job at the interview
   C. Calling to make the appointment

3. When you picture a salesperson in your mind's eye, do you see:
   A. A person who is trying to help you solve a problem?
   B. An arm-twisting, aggressive salesperson?
   C. A smooth persuader whose main motive is to sell a product or service?

4. Your main goal at a job interview is:
   A. To get the job
   B. To get as much information as possible
   C. To ask questions

5. When you solve a major problem at work, do you:
   A. Go in and ask for a raise?
   B. Write it down and bring it up at performance appraisal time?
   C. Give it little notice and assume your boss is keeping an eye on all of your accomplishments?

6. You are planning to buy three pairs of expensive shoes in a small store, or three pieces of expensive electronic equipment. Do you:

   A. Pay for them without any discussion?

   B. Ask at the outset whether you will get a discount if you buy all three?

   C. Say, after trying on shoes or examining the equipment for some time, "I might buy all three if you give a discount"?

7. The last time someone said no to you, did you:

   A. Ask why she said no?

   B. Take the no as an irrevocable decision?

   C. Keep trying to persuade her to say yes?

8. When you are in a group of very aggressive, talkative people, do you:

   A. Hold your own comfortably?

   B. Sit back timidly, content to listen?

   C. Speak up occasionally because you don't want to be left out?

9. If someone asks you to describe your best feature, do you:

   A. Talk nonstop for hours?

   B. Blush and not know where to start?

   C. Briefly discuss two or three admirable traits?

10. If you hear about a job opening, do you:

    A. Send a resumé?

    B. Call personnel to get more information?

    C. Try to contact the person you'd actually be working for?

11. How do you prepare for a job interview?

    A. Role-play with friends or colleagues

    B. Develop a list of questions to ask

    C. Think about what you'll be asked and prepare some answers

12. When sending out a letter with your resumé to a prospective employer, do you:

    A. Send a form letter?

    B. Think about not sending a letter?

    C. Write a tailored letter for each job?

13. If you call a prospective employer and he immediately says, "We're not hiring today," what do you think is the reason for that statement?

    A. The employer took an instant dislike to you

    B. It's not the right time

    C. He doesn't have a good reason to talk to you

14. If you are selling computers and need customers, do you:

    A. Call up all of your friends?

    B. Attend a seminar on "Computer Basics for Small Business Owners"?

    C. Open a phone book and start cold calling?

15. You applied for a job you really wanted and were turned down by personnel. Do you:

    A. Call and try to get another appointment?

    B. Accept the decision and try another company?

    C. Try to find out to whom you would report and make an appointment directly with that person?

16. Why do you think people "buy"?

    A. Because it makes them feel good

    B. Because their buying is based on a logical decision

    C. Because they like the salesperson

17. You are going on an important interview. Do you:

    A. Research the company?

    B. Wing it?

    C. Decide that you'll ask questions during the interview to learn what you need to know?

18. A friend gives you a referral. Do you:

    A. Take the name and number and say, "I'll call next week"?

    B. Take the name and number and call immediately?

    C. Ask your friend for more information about the job and the boss?

19. Why is listening such an important part of the sales process?

    A. To get important information

    B. To find out the hidden concerns

    C. To show that you care

20. What is the best way to stay in control during a sales presentation or a job interview?

    A. Always have planned questions

    B. Keep talking in a very persuasive manner

    C. Answer every objection or concern raised

21. At the end of a job interview, do you:

    A. Say thank you and leave?

    B. Ask for the job?

    C. Ask when you'll be hearing from the employer?

22. You've been searching for a job for six months and have been rejected twenty times. Do you:

  A. Get angry and take it out on friends and family?

  B. Begin to doubt your own abilities?

  C. Reevaluate your interviewing skills?

23. In an interview situation, which do you view as a strong signal of acceptance?

  A. If the interviewer asks, "When can you start?"

  B. If the interviewer says, "This would be your desk."

  C. If the interview goes on for a long time.

24. You receive a memo from a colleague complementing your performance. Do you:

  A. Show it to your family, friends, and colleagues?

  B. Acknowledge it, feel good, and stash it away?

  C. Make copies and send it to your boss, her boss, and even the company president?

25. Who do you think gets to the top in most organizations?

  A. People who work the hardest

  B. People who fit into the corporate culture

  C. People who sell themselves most effectively

Quiz Rating Scale

For each response, assign the point value indicated. Read the related discussion for each, then add up your total points.

1.   A = 3   B = 1   C = 5

The worst way to sell anything is to ignore or argue with the other person (B). This only hurts his feelings or makes him want to cling stubbornly to his position. Talking dynamically about Paris (A) may help, but the real secret to selling is to appeal to what the other person wants or needs. By finding out what's most appealing about the cruise (C), you'll learn what the other person really wants. If he says, "There's a lot of dancing on board ship," for instance, you can counter with a list of places to go dancing in Paris.

2.   A = 3   B = 5   C = 3

Even the most experienced salespeople sometimes have difficulty "asking for the order" (B). When you're in an interview (the ultimate sales situation), an essential sales skill is knowing how to be assertive without being aggressive. Finding job opportunities (A) is not difficult if you take advantage of research tools available in the papers and the library, and personal contacts. Calling to make the appointment (C), also an important skill, is not difficult if you use three Ps: patience, practice, and perseverance.

3.   A = 5   B = 0   C = 1

Your own notion of what a salesperson is determines your ability to succeed in today's job market. If you see salespeople as arm twisters (B), you won't feel very good about having to sell yourself. If you see a person who's trying to help you solve a problem (A), that's the kind of salesperson you'll be during your job hunt. Smooth persuaders (C) usually do well in this world, but they typically finish second to someone genuinely concerned with solving other people's problems.

4. A = 5 B = 5 C = 5

All three of these answers are good, but one is better than the others. You want to come away with a job offer so you can decide whether or not to take the job (A). You want to get as much information as possible so you can make a smart decision about the job (B). The best answer is to go in prepared to ask questions (C) in order to accomplish A and B.

5. A = 5 B = 3 C = 1

If you go right in and ask for a raise, you're sales oriented and interested in building your value (A). This is the best approach, in step with today's more assertive approach to life. Waiting for performance appraisal time is good (B), but that may be a long time off. One philosophy is that it's more important to keep yourself in the eye of the organization. You do this by letting people know when you've done something valuable. If you give it little notice (C), no one else will notice it either. If you don't sell yourself, nobody else will.

6. A = 1 B = 3 C = 5

Negotiation is an important selling skill. The best time to ask for a discount is after a salesperson has invested time showing her wares (C). At that point, she'd rather give you a deal than lose the sale. You get three points for asking for a discount when you come in (B). You're on the right track, but you don't want to tip your hand at the beginning. You get one point for being successful enough to afford paying full price for three (A).

7. A = 5 B = 1 C = 3

It's important to know why someone says no (A) if you want to get a yes the next time. It might even tell you how to change the no to a yes this time. If you keep trying to make the sale (C), you're not easily dissuaded and have enough confidence in yourself to try again. If you take every no as an irrevocable decision (B), you're not giving yourself a chance to learn what your mistake might have been.

8. A = 5 B = 2 C = 3

Congratulations on holding your own (A) and feeling comfortable about it. Competition for jobs will be great, and the better your communications skills, the easier you'll find it is to sell yourself and increase your chances of getting the jobs you want. Speaking up occasionally (C) gets you three points for realizing that you should make an effort to participate. You get two points for listening (B) because you may gain valuable information. But you have to learn to hold your own in a conversation if you're going to compete in the job market.

9. A = 1 B = 3 C = 5

Talking nonstop about your product (in this case, you) is not a very effective sales technique (A). Your customers will see you as pushy or unconcerned with their welfare. If you blush and don't know where to start (B), it means you're unprepared for the question. You wouldn't start selling cars without knowing anything about them, so prepare yourself for the questions your customers will most likely ask. If your answer was (C), it shows you think enough of yourself to discuss your good qualities without being obnoxious.

10.   A = 1   B = 2   C = 5

If you emulate successful salespeople, you'll take the initiative, be more assertive, and go directly to the person who makes the final hiring decision (C). Because you've heard about the position, use your source to get your foot in the door: "Johnny Jones suggested I call." Calling personnel to get more information (B) is less helpful but shows you're willing to do some research. If you just send a resumé to personnel (A), you're not taking advantage of your inside knowledge.

11.   A = 5   B = 5   C = 5

This is a question where all three answers are good. Doing well at job interviews takes skill, and the way to build a skill is to be prepared and practise, practise, practise.

12.   A = 2   B = 0   C = 5

Sending a resumé with no cover letter at all (B) tells a potential employer that you have no special interest in him or his company. The sales-oriented approach is to let the employer know why he should read the resumé and call you in for an interview. You do this by sending a letter tailored specifically for him (C). Sending a form letter is almost as bad as no letter at all (A).

13.   A = 1   B = 3   C = 5

In selling terms, you've encountered *sales resistance* in this situation, which occasionally occurs when the customer doesn't like the salesperson (A). But in this case, you haven't spoken long enough for the employer to dislike you (unless you were rude or obnoxious). It's possible that the employer was busy and you caught him at a bad time (B). But the most common reason for resistance is that the salesperson hasn't established the value of the product or service (C)—in other words, hasn't presented a strong enough reason for the customer to buy (or for the employer to keep talking to you). If this happens often when you call, it means you should change your approach.

14.   A = 4   B = 5   C = 1

Calling all of your friends (A) is an excellent way to start because networking is one of the best ways to find buyers for your product. Attending a seminar for new business owners (B) shows you have strong sales sensibilities. People who attend such seminars are "qualified" buyers; they're definitely in the market for your product, so your chances of making a sale here are very good. Just opening the phone book (C) and making calls may bring you a few customers, but you'll probably waste most of your time and effort. In the job search, the more qualified buyers you reach, the better your chances of getting the job you want.

15.   A = 3   B = 0   C = 5

If you have been turned down by personnel and just accept this decision (B), you are too easily discouraged. Successful salespeople try to close the sale (get the person to buy) at least five times before they even consider giving up. Going directly to the decision maker (C) demonstrates sales smarts and persistence, both necessary and desirable qualities for the job search process. Trying to get another appointment through personnel (A) is not as effective, but does show you're resilient and not easily put off.

16.   A = 5   B = 1   C = 3

Emotions play a big part in both the selling and hiring processes. People buy (or hire) for emotional reasons (A); the product fulfills a need or desire they have. That's why, in order to sell yourself to an employer, you'll have to show him how you'll solve his problems or fulfill his needs. People also buy from people they like, trust, and respect (C). You can't make someone like you, but you can show that you are a person worthy of trust and respect. Logic almost always plays a lesser role in the decision-making process (B).

17.   A = 5   B = 0   C = 3

Although asking questions (C) is an essential part of the interview process, most people are impressed by what you already know about them. Before you go on a "sales call," learn as much as you can about the company and the person you're going to see (A). You'll stand out from other applicants. If you try to wing it (B), you put yourself at a definite disadvantage—you'll know nothing about the company or the job before sitting down with the interviewer.

18.   A = 1   B = 3   C = 5

The best answer in this case is to ask your friend for more information before you make the call (C). You want to find out something about the person you'll be calling (who she is, what her position is in the company, etc.), what the job is like, and why this job is open. Calling immediately (B) shows you have initiative, but you'd be better off researching the company first. If you say, "I'll call next week" (A), you're probably just putting it off and may lose the opportunity.

19.   A = 5   B = 5   C = 5

All three answers are good. There's an old saying that "Customers don't care how much you know until they know how much you care." In a hiring situation, the interviewer wants to know how much you care about the job and the company (C). Listening carefully also gives you important factual information (A) and may reveal the hidden concerns of the individual interviewer (B), the real reasons you will or won't get hired.

20.   A = 5   B = 1   C = 3

Here is an important sales maxim: "The person who asks the questions controls the conversation." Going into the interview with a series of planned questions (A) keeps you in control of the situation and makes sure you get all of the information you need to make a smart decision. What you think is talking in a persuasive manner (B) may come across as conceited and pushy. Without asking questions, you could end up talking for hours and never satisfy the employer's real concerns. Clearly, answering objections or concerns (C) is essential to a successful interview, but that doesn't give you the same control that asking questions does.

21.   A = 1   B = 5   C = 3

It's important that you "ask for the sale" or, in this case, the job (B). Ask in a pleasant, civil way so that you don't turn people off. Saying thank you and leaving (A) is not going to help you get the job unless you're the most sought-after person in the world. Asking when you'll be hearing from the employer (C) shows a little more assertiveness and is better than just saying thanks and leaving. But more than likely you'll be told, "We have several candidates to choose from. We'll call you."

22.   A = 0   B = 1   C = 5

The best answer here is to reevaluate your interviewing skills (C). Twenty interviews can give you a lot of good experience in different situations that may arise. Go over your experiences and ask yourself what you did right and what can be improved. If you begin to doubt your own abilities (B), you're taking rejection too personally. A negative decision may have nothing to do with your personality. Getting angry at yourself or at anyone else (A) doesn't improve your skills or your chances at the next interview. Don't give up trying; the next interview could be the one you've been waiting for!

23.   A = 3   B = 5   C = 1

Most people take a long interview as a sign of definite interest (C). In fact, this often signifies nothing more than a disorganized interviewer, someone who doesn't really know what he's looking for. Don't assume an hour-long interview means you're going to be hired. If, however, the interviewer starts to visualize you in the job and refers to "your" desk or "your" co-workers (B), that is a pretty good clue that there is a strong interest. "When can you start?" (A) is a possible sign of interest, but it may also indicate that the employer is in urgent need of someone and may not be able to wait until you're available.

24.   A = 3   B = 1   C = 5

Are you secure enough to take hold of your future and make sure the right people see what others think of you? Because only the rich and famous have public relations agents, you have to assume that role for yourself. The best answer is (C). Showing the letter to your friends and colleagues (A) will make you feel better and perhaps add to your reputation but may not do much where your boss is concerned. Feeling good is always nice (B), but why pass up opportunities to increase your visibility?

25.   A = 3   B = 4   C = 5

Although we're in the middle of the information age, we're also at the beginning of the age of marketing. Even political candidates have to "sell" themselves if they want to get elected. You must be well versed in sales and marketing skills to get ahead (C). Corporate fit is and will continue to be important (B), but work is becoming less structured in many situations. Hard workers (A) are not to be discounted, but they are not necessarily the people who get ahead. In a small or newly organized company, this may be the case, but unless other people know how hard you work, or unless you "fit in" with the rest of the team, your hard work will not always be appreciated.

Marketing Readiness Categories

96–125 points

Good for you! You've scored high in sales readiness, which means you're one step ahead of the competition already. You have a positive attitude toward selling and a personality that makes you a natural for marketing yourself!

71–95 points

You are well on your way toward the sales and marketing orientation required for success in today's market. You're thinking in the right direction, and with just a little improvement, there'll be no stopping you!

46–70 points

You're not quite at the level you should be, but you're getting there. You should be a bit more assertive and have more confidence in yourself. All it takes is a shift in attitude and a willingness to learn. You're on the right track.

45 points or less

You have to reevaluate your attitudes and perceptions regarding sales and marketing. Doing the exercises and following the advice in this book will help improve your readiness to market yourself and increase your job search know-how.

How well did you score as a salesperson or marketing expert? What did you learn about yourself? Are there any aspects of selling yourself that need improvement? Write your thoughts below, focusing on ways to strengthen your sales and marketing readiness.

SELF-AWARENESS CHECKLIST

An important part of self-assessment is self-awareness. How aware are you of the ways you perceive yourself and others? How much do you know about the ways you react to situations? To determine your level of self-awareness, read the statements below and place an X in the circle that corresponds to how often you feel this way. Use this page to help you think about how you perceive yourself and how you wish to be perceived.

	Always	Often	Sometimes	Rarely	Never
I am eager to learn.	○	○	○	○	○
My work is exciting.	○	○	○	○	○
I'm willing to listen with an open mind.	○	○	○	○	○
I constantly have new insights.	○	○	○	○	○
I like taking direction from people who know something I don't.	○	○	○	○	○
I try to look at the world through the eyes of the other person.	○	○	○	○	○
When someone is talking to me, I really listen.	○	○	○	○	○
I'm honest with myself and others.	○	○	○	○	○
I've thought about my own strengths and weaknesses.	○	○	○	○	○
I'm sensitive to others' needs.	○	○	○	○	○
I care for and am concerned about others.	○	○	○	○	○
I adapt easily to the environment and situation.	○	○	○	○	○
I am willing to take risks.	○	○	○	○	○
I am satisfied with the way I look physically.	○	○	○	○	○
I am satisfied with the way I feel physically.	○	○	○	○	○

ABILITY ASSESSMENT

In our day-to-day lives, we often don't take time to make a serious assessment of ourselves. This is critical to conducting a successful job search. In the following exercise, you will look at what you consider to be your talents and examine a variety of ability areas in an attempt to pinpoint your unique qualities.

The ability categories are defined on the following pages. Evaluate yourself on each of these according to the following scale:

1 = No ability at all
2 = Enough ability to get by with some help
3 = Some natural ability
4 = Definite, strong ability
5 = Outstanding ability

Try not to compare yourself with any particular reference group such as other students, other colleagues, or the general population. Just rate yourself according to your best assessment of your individual capability.

VERBAL/PERSUASIVE

_____ *Writing:* express self well in writing

_____ *Talking:* express self well in ordinary conversation

_____ *Speaking:* deliver a speech, address an audience

_____ *Persuading:* convince others of your view

_____ *Selling:* convince others to purchase a product or service

_____ *Negotiating:* bargain or assist in the bargaining process

SOCIAL

_____ *Social ease:* relax and enjoy social situations such as parties or receptions

_____ *Appearance:* dress appropriately and presentably for a variety of interpersonal or group occasions

_____ *Self-esteem:* maintain a positive view of self, including accepting negative feedback or criticism

_____ *Dealing with public:* continually relate to a broad cross section of people who need information, service, or help

TECHNICAL

_____ *Computational speed:* manipulate numerical data rapidly and accurately without using any mechanical device

_____ *Working with data:* comfortably work with large amounts of data; compile, interpret, and present such data

_____ *Computer use:* use electronic computers to solve problems, knowledge of programming, and familiarity with various computer capabilities

INVESTIGATIVE

_____ *Scientific curiosity:* comfortable with scientific method of inquiry, knowledge of scientific phenomena

_____ *Research:* gather information in a systematic way for a certain field of knowledge

CREATIVE

_____ *Artistic:* sensitivity to aesthetics, create works of art

_____ *Use imagination:* create new ideas or forms with various physical objects

_____ *Use imagination:* create new ideas by merging abstract ideas in new ways

WORKING WITH OTHERS

_____ *Supervisory:* oversee, direct, and manage work of others

_____ *Teaching:* help others learn how to do something or to understand something, provide insight

_____ *Coaching:* instruct or train for improvement of performance

_____ *Counselling:* develop helping relationship with another individual

MANAGERIAL

_____ *Organization and planning:* develop a program, project, or set of ideas with systematic preparation and arrangement of tasks; coordinate people and resources as well

_____ *Orderliness:* arrange items in a regular fashion so that information is readily retrieved and used

_____ *Handling details:* work with a variety or volume of information without losing track

_____ *Making decisions:* comfortably make judgments or reach conclusions about matters that require action; accept responsibility for the consequences of such actions

Now that you have reflected on your abilities, decide which you believe represent your most prominent strengths. Refer to those areas that have 4s and 5s. Now, choose which are your most outstanding and noteworthy abilities and list them below. Remember these as you continue to focus on the personal abilities and skills you have to offer an employer.

_____

_____

_____

TRANSFERABLE SKILLS CHECKLIST

Transferable skills are those general competencies that you have developed from previous jobs, volunteer work, or life experiences. These competencies are very valuable when marketing yourself to employers—especially if you are a recent college graduate with little direct business or industry experience. These skills, gained in other settings, are transferred into the new position you seek. Review the list of transferable skills that follows and check the ones you feel you have. Keep these transferable skills in mind because you will use a similar checklist when resumé preparation is discussed later. Use the two checklists to help you write a resumé that will promote your worth to a potential employer.

___ Advise people	___ Check for accuracy
___ Analyze data	___ Coach
___ Anticipate problems	___ Collect money
___ Arrange functions	___ Communicate (in writing)
___ Assemble things	___ Communicate (verbally)
___ Audit records	___ Construct
___ Budget money	___ Consult with others
___ Buy products or services	___ Coordinate activities
___ Calculate and manipulate numbers	___ Cope with deadlines

(continued)

____ Correspond

____ Create

____ Delegate

____ Demonstrate

____ Demonstrate responsibility

____ Design

____ Develop

____ Direct others

____ Do precise work

____ Drive a vehicle

____ Edit

____ Encourage

____ Endure long hours

____ Enforce

____ Evaluate

____ Examine

____ File records

____ Find information

____ Follow directions

____ Follow through

____ Handle complaints

____ Handle equipment

____ Handle money

____ Help people

____ Implement

____ Improve

____ Install

____ Interpret data

____ Interview people

____ Investigate

____ Lead people

____ Learn quickly

____ Listen

____ Make decisions

____ Make policy

____ Manage a business

____ Manage people

____ Mediate problems

____ Meet deadlines

____ Meet goals

____ Meet the public

____ Memorize information

____ Mentor others

____ Negotiate

____ Nurture

____ Observe

____ Organize

____ Pay attention to detail

____ Perceive needs

____ Perform customer service

____ Perform public relations duties

____ Persuade others

____ Plan

____ Program

____ Protect property

____ Raise money

____ Research

____ Sell

____ Set goals

____ Solve problems

____ Write reports

WORK ENVIRONMENT AND LIFE PREFERENCES

When making a career decision, it is important to look at work environment and life preferences. If you identify areas that are important to you, this can guide you to a position with which you will be satisfied.

The following inventory lists work environment and life preferences. Reflect on what is really important to you in these areas and indicate your preferences. Place an X in the circle that reflects the degree of importance for that item. If you strongly prefer to be self-employed, for question #1, put your X over the 2 on the left. If you are neutral about whether you work alone or with people, place your mark for question #2 over the zero. If you have a strong preference for a structured environment, place your mark for question #3 over the 2 on the right.

	2	1	0	1	2	
1. Self-employed	②	①	⓪	①	②	Work in a company
2. Work with others	②	①	⓪	①	②	Work alone
3. Creative environment	②	①	⓪	①	②	Structured environment
4. No supervision	②	①	⓪	①	②	Close supervision
5. Extended work hours	②	①	⓪	①	②	Standard 8-hour day
6. Similar duties daily	②	①	⓪	①	②	Variety of duties
7. Structured work	②	①	⓪	①	②	Creative work
8. Flexible hours	②	①	⓪	①	②	Regular hours
9. Overtime desired	②	①	⓪	①	②	No overtime work
10. Security	②	①	⓪	①	②	Challenge, risk
11. Slow pace, little pressure	②	①	⓪	①	②	Fast pace, high pressure
12. Little, no travel	②	①	⓪	①	②	Frequent travel
13. Opportunity for relocation	②	①	⓪	①	②	No relocation
14. Small business	②	①	⓪	①	②	Large business
15. Live in rural area	②	①	⓪	①	②	Live in urban area
16. Desire culture/ community	②	①	⓪	①	②	Little need for culture/community
17. Spend money	②	①	⓪	①	②	Save money
18. Material things matter	②	①	⓪	①	②	Material things don't matter
19. Live close to family members	②	①	⓪	①	②	Live anywhere
20. Marry/children	②	①	⓪	①	②	Single life

SELF-ASSESSMENT SUMMARY SHEET

Now, let's take a look at how you did with your self-assessment work.

1. What was your score on the Marketing Readiness Quiz? Based on this sales ability score, will you have to make adjustments in the way you approach marketing yourself for a job?

_____

_____

_____

2. Now that you have completed the Ability Assessment, in what ability area(s) are you strongest? How can you use this knowledge to market yourself in your chosen career? What ability area(s) are your weakest? How can you work at improving these?

_____

_____

_____

3. Using the results of the Transferable Skills Checklist, what are the top three transferable skills you possess? How might you showcase these on your resumé or during an interview?

_____

_____

_____

4. What work environment and life preferences are most important to you? In what ways might these preferences affect your career decision making?

_____

_____

_____

SELF-PROMOTION

All of the self-assessment in the world won't help you achieve your career goals unless you know how to promote yourself. The tighter the job market, the greater the need to market! Later chapters will help you prepare the marketing tools necessary for a successful marketing campaign, but for now let's take a look at some other aspects of selling yourself.

When you were young, you may have been taught by your parents not to boast or brag about yourself because it wasn't appropriate or polite. So, somewhere deep in your psyche, you may feel that you just can't toot your own horn; it is not what you should do. Maybe you think that your actions speak for you. This may be true for people who know you and like you and your work, but what about those who don't know you? What about those whom you are trying to convince to give you a job? How are these individuals going to learn about you and what you are capable of doing unless you tell them?

Self-promotion is essential if you wish to secure the job you want and, in the future, if you wish to advance in that job. You must get past any thoughts you have about not talking or bragging about yourself. Indeed, that's basically what a job search is all about: bragging about yourself! But it is bragging with facts to back up what you say. As indicated earlier, throughout this book the MY Focus feature (MY Focus = marketing yourself focus) will highlight ways to market yourself. To implement MY Focus, read the advice in the box on page 22.

Just what is it that employers are looking for? Of course, they want you to be qualified for the positions they have open. Your basic qualifications are probably your diploma or degree, additional training, and work experience. But what other skills or traits do employers seek? The list of skills in the box on page 23 was developed by Randall S. Hansen and Katharine Hansen for their article "What Do Employers Really Want? Top Skills and Values Employers Seek from Job-Seekers." The entire article can be found on their Website, Quintessential Careers, at www.quintcareers.com/job_skills_values.html.

Finally, you should start thinking of where you can promote yourself and who can help you. This is discussed in detail in the chapter on selling techniques. For now, however, think about the people who can help you in your job search. Certainly, immediate family, friends, and current or previous employers can assist. But also think about the not-so-obvious people you may encounter on a daily basis, especially those who also see many people because of the type of work they do.

For example, what about your doctor or dentist? How about the person who cuts your hair or your dry cleaner? What about the people who work at one of your favourite restaurants or the person who fixes your car? These are people who might know someone in your field or someone who knows someone else. The more people you tell that you are engaged in a job search, the more your network can grow. And the more your network grows, the closer you are to getting the job you want.

Understanding Essential Skills

Essential Skills are the skills needed for work, learning and life. They provide the foundation for learning all other skills and enable people to evolve with their jobs and adapt to workplace change.

Through extensive research, the Government of Canada and other national and international agencies have identified and validated nine Essential Skills. These skills are used in nearly every occupation and throughout daily life in different ways and at different levels of complexity.

There are nine Essential Skills:

- Reading Text
- Document Use
- Numeracy
- Writing
- Oral Communication
- Working with Others
- Continuous Learning
- Thinking Skills
- Computer Use

These Essential Skills are important for you to be aware of and will be useful in a number of areas. You should use the Website below to search for your career choice or positions you have held in the past. The descriptions and ratings will be useful in creating your marketing documents for your job search. Once you become familiar with Essential Skills you will also notice that many employers and job posting sites will use Essential Skills in job postings.

In addition you will also find that some employers will test for competency in pre-employment testing or to determine promotions within a company. You will be hearing much more about these skills in the future.

Internet Sources

Human Resources and Social Development Canada Essential Skills Website: http://srv108.services.gc.ca/english/general/Understanding_ES_e.shtml

---

MY Focus   MARKETING TIPS

- It is critically important to get to know yourself. Be self-aware, assess your abilities, identify personality traits and personal skills, and figure out what you value in work and life.
- Understand that no one else can get the job for you. You must market yourself successfully. In order to do that, you must brag about yourself and support your bragging with facts and experiences.
- Realize that most job openings (and this is especially true in a tighter job market) are discovered through personal networking and marketing.
- Discover what employers are looking for when they commit to hiring new employees. Then, develop an effective way to convince the hiring authority that you have the qualities they seek and that you are the best person for the job!

Skills Most Sought After by Employers

- *Ability to communicate:* Listening, speaking, and writing

- *Ability to analyze/research:* Assess a situation, gather information, draw conclusions

- *Ability to use technology:* Computer literacy, technical competence

- *Ability to be flexible, adaptable, and able to multitask:* Adjust to change, manage multiple tasks, set priorities

- *Ability to build good interpersonal relations:* Relate and inspire others, handle conflict

- *Ability to lead or manage:* Taking charge when necessary and supervise people and/or tasks

- *Ability to be sensitive to multicultural issues:* Handling diversity and being aware and sensitive to others from different cultures

- *Ability to plan and organize:* Design, plan, and implement projects and tasks

- *Ability to work in a team:* Use a professional approach when working with others and build trusting relationships with co-workers and others

FINDING YOUR FOCUS

1. Why is it important to do a self-assessment before beginning a job search?

2. How does a self-assessment improve the job search process? What tools benefit from good self-reflection?

3. Based on the Self-Assessment Summary Sheet, what are two or three of your strongest skills or traits that you can use to market yourself?

4. Are you open to aggressive self-promotion? If so, how will you develop your network? If not, what issues must you overcome in order to be open to self-promotion?

Marketing Strategies

After completing this
chapter, you will be able to:

- Develop a personal
  marketing plan.

- Use informational
  interviewing to secure
  information and develop
  relationships.

- Use electronic resources
  as an effective means of
  self-marketing.

- Apply a proactive
  approach and positive
  attitude to your career
  development.

- Develop and use a
  systematic strategy for
  marketing yourself to
  companies.

Focusing on Your Market

Keep your face to the sunshine and you cannot see the shadows.

—HELEN KELLER

A marketing plan or selling strategy has many components. The aspects of selling yourself covered here include personal marketing, interviewing for information, tapping into electronic resources, determining the best approach, developing a positive attitude, and examining a systematic strategy to pursue various companies or hiring authorities.

TAKE ADVANTAGE OF PERSONAL MARKETING

Earlier chapters discussed the need for personal marketing, but how is it really accomplished? How will you let others know about you, your skills, and your talents? Every day thousands of job seekers circle classified advertisements in newspapers and find potential positions in online databases. And every day the same thousand people send off cover letters and resumés, hoping to receive replies. Usually, they don't. There is nothing personal about this approach, and, for the most part, it just doesn't work.

Nothing beats personal contact. There are two obvious benefits of personally contacting people and developing leads: you become aware of openings that are not placed in newspapers and online, and you are a specific person with an identity, not just a face in the crowd. Case in point, consider the hidden job market. Ever heard of it?

The hidden job market is the market that few people really know or think about. It is the opposite of the published job market. The published job market is the one that those thousands of people mentioned earlier are trying to use. You know the one: the job market that is advertised through classified ads and postings, online databases, recruiter listings, and marketing Websites. Job search experts say that only about 20 percent of available jobs are advertised through these means. Another problem with this marketplace is that most people use it and, oftentimes, the best jobs are not marketed through these channels at all.

In contrast, the hidden job market is very real and vibrant. This is the marketplace where up to 80 percent of the openings exist. This is the marketplace that you can tap by making yourself known to many people through networking and other means. You can do this face to face, using the telephone or e-mail, and attending professional organization events in your field. You see, this market is exclusive to those who come recommended or referred by others, oftentimes others who are already in the company or field. These individuals are given preferential treatment as candidates. They are already "prescreened," so to speak. So, where would you rather spend your time? Trying to get a job in the advertised job market or the hidden job market?

Where Do You Want to Be?

- *Advertised job market:* Used by 80 percent of candidates; includes 20 percent of the jobs
- *Hidden job market:* Used by 20 percent of candidates; includes 80 percent of the jobs

Where are your chances better to get the job you want?

ARRANGE INFORMATIONAL INTERVIEWS

Informational interviews are defined as non–job-seeking interviews set up by job seekers in order to learn more about a certain position, company, or industry. A related goal is to establish a contact, perhaps even a mentor, in a company who can help you with future networking and job search endeavours.

Ideally, informational interviewing should take place before you begin your job search interviewing in earnest. The beauty of this type of interviewing/marketing method is that you can do it anytime—and you should! Tap into your existing network to see if any individuals you already know might know someone who could help you with making contacts.

While using your existing network is an excellent way to make new contacts, you may not always find that it meets your needs. You may also contact the company you are interested in directly and ask for the proper contact or individual. Talk to the person about setting up a mutually convenient time for the interview.

Finally, the most comfortable part of informational interviews is that they are not stressful because there is no immediate job to be awarded. Also, many people are flattered when others come to them with questions or ask for advice, and many of these people willingly help out. It is a good idea to research the company ahead of time so you will be more knowledgeable in your conversation. So, don't forget to use informational interviews early and often as a way to market yourself, acquire valuable help, and even as a good practice environment for the real thing—the job search interview later on. Follow up on the interview with a brief but formal thank-you letter.

Here are some typical questions you might find useful for informational interviewing. You may come up with more on your own that are more relevant to your career or the information you wish to secure. You must avoid asking questions that are too personal, such as questions about the salary or career direction of the person you are interviewing.

1. Can you describe a typical day in your position?
2. What do you like best or least about your job?
3. What steps did you take to gain this position?

4. What are the most prominent skills used in this position?

5. What is a typical career path for someone in your job?

6. What is your work environment like in terms of pressure? Deadlines? Routine assignments and activities?

7. If you could, what are some things you would change about your job or the company?

8. What advice would you give to someone like myself interested in pursuing a career in this industry?

9. Does your company hire (co-op students)(recent graduates)?

10. Can you refer me to someone else who can provide me with further information?

MY Focus

There are two very useful methods of self-promotion. One is the old-fashioned technique of telling two friends about yourself and your job search and asking them to tell two friends, and so forth. In addition to just asking people to tell others that you are in the job market, send along copies of your resumé or small personal business cards that show your degree or experience areas and how you can be reached. Marketing yourself in this manner builds a substantial network in no time!

The second is developing a 30-second script of self-introduction to use whenever you are with a potential networking individual. A template for developing your own script and sample introductions are found on the **Companion Website.**

MY Focus — ESPECIALLY FOR COLLEGE STUDENTS

Many college students believe that the only time they should think about their future careers is during or at the end of their senior year. That's too late! There are some techniques that will lead to better self-awareness and self-promotion that you can, and should, be using right now! Check them out and get started.

- Make an appointment to talk to your campus career advisor. Don't wait until the last minute to do this.

- Check out newsletters and other publications in your placement or career services office and attend job search workshops or other seminars.

- Write or update your resumé and have it evaluated by the staff in the career services office or a trusted faculty member.

- Collect information on cooperative education programs (co-op), internships, and other opportunities for part-time work that relate to your future career goal.

- Consider volunteer positions (either in your field or in charitable or philanthropic organizations) that you can list on your resumé.

- Subscribe to or check out from your school's library some of the professional journals in your chosen career field.

- Join student chapters of professional associations on your campus or in the community and become active in programs and in networking with association members.

- Join organizations that offer you diversity in activities and opportunities for future leadership roles.

- Arrange to shadow someone in your field to learn more about the position, the company, and the industry. Your career services office may be able to supply contacts with alumni.

USE ELECTRONIC MARKETING

How can you use e-mail and the Internet to help with self-promotion? Use your imagination as you consider ways this technology can assist you. The Internet is global, so you have the world at your fingertips! Interested in talking to the head of a company or department manager about the company? Do some research and contact these people directly (if possible), or arrange an interview (either in person or by telephone) through their public relations office or the company's Website. Many in management are willing to share their knowledge and wisdom with people just starting out.

Check the Internet for Web groups or discussion boards that include people in your career interest areas. Sometimes these sites can provide some great insider information. Don't forget to find out if your college or university has its own alumni Web board as well. Professional associations usually have a Website. Join and participate in the organizations that interest you. You may be able to post questions or comments to online association discussions. Use the site's information to begin networking with other members.

A Note of Caution

The list of job and career resources on the Internet grows every day. It can be exciting, exhilarating, amusing, confusing, exhausting. In any event, it can be time-consuming and perhaps addictive. A note of caution is probably a good idea at this point. It might be best to think of the Internet as a huge library that gives you access to materials and services from a wide range of sources. Evaluate those sources. Do they have a history of producing accurate and trustworthy information? Evaluate the services. Are they designed to help you? Are there fees involved? You may find that many sources and service agencies fit your needs, but you simply don't have the time to read or use them all. Be selective, and use your time wisely. Your career centre at your college or university often will have a list of good resources to use. Also, talk to other job seekers and share information about good sites. There are so many of them, and so many that come and go, that keeping current is a real challenge in itself. My advice is usually to stick with the main ones, along with the specialty ones for your career type and geographical area.

Internet and E-mail Etiquette

With job search sites and job applications becoming so prevalent on the Internet and through e-mail, there are some major pitfalls that you can fall into if you're not careful. Chat rooms and e-mail have created their own lingo which is seeping into other areas of life. You need to fully understand that it is not acceptable to use this lingo in the business world. This means in your everyday writing, e-mailing, and job applications.

When you e-mail a company to inquire about potential opportunities, you need to communicate in a businesslike manner. If you don't, you may be ignored. Don't waste time asking questions that may already be answered on the Website. Your e-mail should be short and to the point, using these elements:

- Proper sentence structure
- Your full name
- Contact information
- Proper e-mail name (not hotlover@hotmail.com)
- Spell/grammar check
- No use of Internet/chat room slang

When you apply to a company through e-mail, the common practice is that you use the e-mail as a short note to notify the recipient that you are applying for a position. Let the recipient know that you are attaching documents, how many you are attaching, and the format they're in, as well as providing proper name and contact information in a signature line.

You then attach your cover letter and resumé, often as separate documents. Make sure you give them file names that will make sense when saved on the other person's computer, such as JohnSmithResume.doc.

When applying online at either the company Website or employment sites, you should have your cover letter and resumé ready in a text format that you can copy and paste on the Website. Often there will be a number of questions if it is an employer site. Read this information carefully and answer all of the questions.

These are often weeding-out questions. If you don't answer them correctly, your resumé will not be forwarded to the proper person. Take your time. Watch for deadlines, because after the deadline your resumé will not be processed.

DETERMINE THE BEST APPROACH

What is the best way to sell yourself? The best way to compete in any tough job market is to be *proactive* rather than *reactive*. *Proactive* means acting in advance—taking anticipatory action. Reactive is acting in response to something else. How do these two terms relate to self-marketing?

To market yourself well, you must take control. Make the first contact, spread the word, go after what you want, call the shots. Proactive candidates use the phone to make contacts and follow-up calls. They talk to people in person to network or follow up on leads. They are willing to go after what they want, knowing that in today's marketplace they can't wait around for the job to come to them!

Unfortunately, many people entering the job market are either unwilling or uncomfortable being proactive. These are the individuals who wait around for an employer to call or rely on other people to get interviews for them. These people only act in response to something or someone else. This approach takes the control and overall effectiveness of a job search away from them. They are passive and unmotivated, and they stay unemployed longer.

DEVELOP A POSITIVE ATTITUDE

Attitude is everything. You can't accomplish very much unless you have the right kind of attitude. What is the right kind? Well, the right kind of attitude for a job search is to be willing to undertake the job search process. That may sound strange, but there are some who say they want to get good jobs, but when the hard work begins, they don't follow through. These people have cultivated a negative attitude. If you want to get a good job, but are unwilling to do the work it takes, you are ensuring that you won't meet your goal. Negative thoughts lead to negative actions.

Thinking negatively prevents you from getting the things you want. To change negative thinking, you must recognize it, remove it, and replace it with a positive attitude. Sustaining positive thoughts is the only way you can gain the success you want. For example, when a person says, "There is no job out there for me" or "I'll never get the job I need," he has ensured that he and the good job he is seeking will never meet. This person has paralyzed himself—he can't really go after what he wants because his thoughts are keeping him from it. His thinking becomes his reality.

On the other hand, if you continually play a positive tune in your head, one that tells you that you are worthwhile and helps give you confidence, you are bound to make that thinking a reality. So, when you are tempted to become negative, change your thoughts—substitute thinking that will help you believe in yourself. Replace "There's no job for me" with "This may be a pretty tough market, but I have the qualifications and skills that employers need. I am confident the position I want is out there, and I'm going to find it." That's developing a positive attitude.

There is a job search book called *Your Attitude Is Showing*.* Interesting name for a job search book, right? This book's theory is that you must have a positive attitude before, during, and after the job search if you are to succeed. For example, your attitude is showing when you attend a career fair, when you answer interview questions, and when you network with people. Your attitude is "on" all of the time! So, you must have positive thoughts and positive actions if you are to win the job search game.

USE A SYSTEMATIC STRATEGY TO PURSUE COMPANIES

The final suggestion in the selling strategies discussion is to use an organized method to go after the job you want. Before you can develop a strategic plan for contacting companies, you must have a personal plan with very specific goals and desired outcomes. The first step is to define your long-term or career goal. Next, determine what intermediate goals must be met in order to achieve that career goal. Finally, identify the short-term daily or weekly goals that must be accomplished to match the intermediate goals. Additional discussion and a Personal Goal Strategy are on the **Companion Website**.

Now, let's look at the details of a strategic plan for companies. How many companies should you contact? 10? 25? 50? The answer is that you should contact as many as possible. The more you advertise, the more likely you are to make the sale. Let's say you decide to contact 40 companies; how in the world can you do this short of hiring a staff and opening a campaign headquarters? The way to successfully market yourself to as many firms as possible is to use a strategic plan. The following demonstrates how a typical plan works.

Your Attitude Is Showing, by Chapman & O'Neil, copyright © 2001 by Prentice Hall.

You want to contact 40 companies, but you don't have time to call each one. How do you manage? Begin by prioritizing the companies into an A list, B list, and C list. Your A list includes the companies that you *really* want to work for, including your all-time dream company. Your B list has the companies that are also very attractive to you, but these firms are not your top 10. Your C list is composed of companies you would work for, those you have some interest in, but these are firms you do not want to spend a great amount of time pursuing. For each company, list the name, address, phone and fax numbers, and e-mail address. Include the names or position titles of people to contact, if possible. Consider the following as you develop your lists.

The A List

Think about the most effective ways for you to reach those firms you'd most like to work for. Perhaps you will call first for informational interviews or contact recruiters to set up interviews. Follow up any efforts with personal phone calls. Ask individuals to review your resumé, then send a copy with a cover letter to each firm. Follow up with letters or calls. Determine which companies will be involved in career fairs in the near future, talk to hiring authorities about current or future openings. These are your best job prospects and you should devote as much time and energy as you can to them.

The B List

Now, let's look at the second list. This list includes companies that are good prospects but are not ones you will pursue with the same intensity as those on the first list. You might send your resumé, check to see if these firms will be interviewing in your area soon, or call some of the hiring authorities. For some companies on this list, you may want to follow up your resumé with a quick call to the firm's human resources department.

The C List

Companies on the C list are still ones you are interested in, and they'll be good practice companies if you're uncomfortable with your job search skills. These companies will be an excellent starting point for you. Often when you start a job search you are not as confident in yourself as you would like to be. This is a good chance to develop your skills on companies you are less interested in. You can develop your ability to cold call, to follow up, to overcome objections, etc.

Today's job searches are challenging. More candidates are competing for fewer jobs. More media are involved in job searches—from newspapers to the Internet. At the same time you are conducting this sophisticated search, you are attending to your usual responsibilities, whether they be finishing college, working, or taking care of a family. You *must* have a plan for your search. A well-thought-out job search strategy is not a luxury, it is a necessity! Found on the **Companion Website** is a template for creating your own A, B, and C lists. Complete the lists and your strategy for going after these companies to create a dynamic strategic plan.

Internet Sources

Of all the electronic sources at our command today, the Internet is probably the fastest-growing research tool. Its potential is truly amazing.

Note: Sites on the Internet change constantly. Therefore, some of the locations mentioned below may have relocated to different addresses or may have disappeared by the time you read this. Also, the listing of Internet sites in this book in no way indicates recommendation or endorsement by the authors or the publisher. These references are informational only.

Job Futures:
www.jobfutures.ca

Media Corp:
www.mediacorp2.com

WorkopolisCampus:
www.workopoliscampus.com

Workopolis:
www.workopolis.com

Canada Jobs:
www.canadajobs.com

Human Resources and Social Development Canada:
www.hrsdc.gc.ca/

Monster.ca:
www.monster.ca

Quintessentials Careers:
www.quintcareers.com/

FINDING YOUR FOCUS

1. Why is it important to learn about and use the hidden job market? How will you plug into it?

2. What are some specific ways you can use the Internet as an electronic means of marketing (other than resumé submission)?

3. How will you stay positive during your job search? Who can help you?

4. Name several of the A list, B list, and C list companies you plan to pursue in your job search.

4

Marketing Techniques

After completing this chapter, you will be able to:

- Demonstrate the importance of networking in self-marketing, and use typical networking methods.

- Explain the role that telemarketing plays in personal networking, and use standard telemarketing techniques.

- Realize the importance of career fairs as a method of personal marketing, and fully participate in area career fairs.

Spreading the Word

If opportunity doesn't knock, build a door.

—MILTON BERLE

Now is a good time to point out the differences between marketing strategies and marketing techniques. The previous chapter on strategies discussed methods used to market yourself, such as informational interviews, electronic sources, strategic plans for companies, and even the importance of attitude. This chapter covers the most popular marketing techniques: networking, telemarketing, and career fairs. Because these three techniques are so effective, they are often called "the fast tracks to employment."

How do you find out about job openings? Where is the best place to look? The breakdown of how jobs are acquired looks something like Exhibit 4.1.

What does this say about the most effective way to learn where the jobs are? Although you should put some effort into answering help wanted or classified ads, conducting mass mailings, and even using the services of search firms, the most effective way to learn about job openings is through networking—all kinds of it. This chapter discusses just what is meant by networking and three important ways to contact those who know about job openings: personal networking, telemarketing, and career fairs.

NETWORKING

Networking is defined as developing and keeping relationships with others. It involves staying connected to people to learn about such things as new ideas, services, advancements, and, of course, job openings. Networking is most successful when done consistently over time. When it works, networking can "net" many gains for you personally and in your job search. Important aspects of networking include how to go about it, plan development, sample questions to use when talking to people about positions, and some networking do's and don'ts.

How to Go about It

"But I don't really know anyone; how can I network?" This is a common concern among those who realize the importance of networking but really aren't sure how to go about it. Everyone knows someone, and that someone knows

EXHIBIT 4.1   **How jobs are acquired**

someone else. Just as computers are linked to one another to share information, people have always been connected in some way. The most obvious people who have a prominent place in your network are immediate family members. Next come your friends, associates, classmates, professional people such as doctors or lawyers, members of associations to which you belong, and maybe your former coach or your children's coach.

You must consider everyone you meet as a potential contact. The person who cuts your hair, the counter person at the deli or coffee shop, everyone! To help you explore just how many individuals you really do have in your network, complete the Network Planning Sheet below. Remember, you are listing people in your life who know other people, who know others, and so on.

Network Planning Sheet

Use this list to identify people who will become your first level of contact. It can be an effective starting point for your expanding network of people.

Family Members

Parents _____

In-laws _____

Sisters _____

Brothers _____

Others _____

Contacts from Previous and Current Jobs

Employers _____

Co-workers _____

Customers _____

Clients _____

Competitors _____

Others _____

Contacts from School

Administrators _____

Professors and teachers _____

Alumni _____

Classmates _____

Sorority/fraternity members _____

Others _____

Contacts from Religious Organizations

Clergy _____

Religious community leaders _____

Others _____

Contacts from Leisure Activities and Hobbies

Club members _____

Card/game groups _____

Physical fitness club members _____

Sports team members _____

Others _____

Contacts from Having Children

School administrators _____

Teachers _____

Parents of child's friends/classmates _____

Parents in carpool _____

School coaches _____

Parent–teacher association members _____

Parents in school-sponsored groups (Boy Scouts, Girl Guides, etc.) _____

Others _____

People I Know from the Past

Neighbours _____

Friends _____

Customers and clients _____

Former employees _____

Others _____

People I Know from Public Service and Charitable Organizations

Community fund _____

Chamber of commerce _____

Local government groups/committees _____

Environmental groups _____

Public safety groups _____

Service clubs (Jaycees, Rotary, etc.) _____

Other volunteer groups _____

Professional People I Know Who Know a Lot More People

Doctors and dentists _____

Accountant _____

Banker or financial advisor _____

Insurance agent _____

Hairdresser/barber _____

Mechanic _____

Other repair personnel _____

Developing a Plan

Now that you've determined the people to include in your network, you must devise a plan or schedule for contacting them. Where and how can you do this? As you are sitting in the hairdresser's chair, the accountant's office, or the grade school auditorium during the Christmas program, start a conversation with some of these people about your job search. Sometimes, opportunities to network arise during idle conversation; for example, your hairdresser asks you about your plans after college or your child's friend's parent asks you what line of work you are in. These are perfect opportunities to develop the conversation and include a statement about your current career goals. Following are some examples of such statements.

Hairdresser: "Well, Bill, what are you planning to do after graduation in June?"

Job seeker: "After graduation, I hope to become a Webpage designer for a small- to medium-size company. Do you know any Webpage designers or anyone who is involved in Webpage design?"

* * * * *

Father of son's friend: "So, what do you do when you're not coaching T-ball?"

Job seeker: "Currently, I am in electronics sales. But I'm planning to make a career move and am interested in telecommunications. What line of work are you in?"

Father: "Actually, I work in the cellular communications industry. We're a pretty big operation."

Job seeker: "Really? What is your company's name? Who is the Human Resource Director there?"

In addition to bringing up your career goals in casual conversation, you can be more direct. A physician, a sister-in-law, or a minister may already be aware that you are looking for employment. Therefore, in these circumstances, all you have to do is initiate a conversation. Instead of just asking about any firm that is hiring, ask whether your contact has any acquaintances who are in your field of interest. For example, your dog's groomer may have another client who has a sister who works for a software company. Or, you may have an uncle who serves on the town's water commission with a woman whose daughter works for a major insurance firm that is looking for a Webpage designer. The key is to "spread the word." Ask questions, strike up conversations, and ask your contacts if they know of other potential contacts. This type of personal networking is efficient and effective. Try it!

Before you get started you need to think a bit more about your approach. Often people without a job think of themselves as unemployed. This can be a critical error. Think about the word. It is negative. It doesn't give anyone a reason to even want to help you because it is totally passive. Starting now, you must change the way you think about yourself. You are actively "looking for employment." If you identify yourself in this way to people it gives them permission to assist you. It also makes it necessary for you to develop your plan and proceed with your networking and your job search.

There are some basic questions to have in mind in any networking circumstance, especially questions to ask people who have been referred to you by others.

Basic Questions to Ask Referrals

- Do you know anybody who might have or know of a job opening in my field?
- Can you refer me to someone who knows a number of people in my field?

Basic Questions to Ask a Contact Who You Don't Know

- How did you obtain your position or get into this field?
- What do you like (or dislike) the most about your job?

- Do you have any suggestions on how a person with my qualifications and skills might find a job in this field?

- What trends do you see in this field or how does the future look in this field?

Consider everyone you know or meet as potential contacts. Look for things you have in common with each person. Develop and use a short career goal statement that you can easily share with people. It's probably also a good idea to carry extra resumés with you. You never know when they may prove handy to have. Keep some extras in your briefcase or in the car! And remember, 70 percent of all positions are found through networking. It is challenging work, but it does pay off handsomely.

Networking Cards

While you're looking for a job, you'll want to take advantage of every opportunity to network and increase your network. Another technique for doing this is to create a networking business card for yourself. You can easily do this on a computer by picking up some blank business card stock from your local office supply store.

On the card you will have your name, address, phone number, e-mail address, Website address, degree or diploma, and several key words that identify your top skills. You will always keep these cards with you, and whenever you meet someone you'll give him or her a card. This is an excellent way to start a conversation and increase your network of contacts. Don't be afraid to ask each person for new contacts that may be able to assist you. Remember one of the keys of networking is gaining additional contacts from current contacts. Using the name of the current contact makes it much easier to speak to the new contact.

The box on the following page lists some of the do's and don'ts of networking. These hints are adapted from the book *Networking* by Mary Scott Welch.

EXHIBIT 4.2   Sample networking card

JONATHON SANDERS
645 Main St., London ON N2L 3H5
519 242 1047
jsanders@internet.ca

Hospitality Management Diploma
Customer Service♦Front Desk♦Bartending♦Serving Experience
Excellent Microsoft Office & Computer Skills
Smart Serve Certified ♦Valid CPR♦French Bilingual

Networking Do's and Don'ts

1. Try to give as much as you get from your network.

2. Keep contacts informed of your job search progress, and keep in touch with your network over time.

3. Follow up on any leads or names you have been given.

4. Be professional in your approach and behaviour.

5. Continue to expand your circle of contacts.

6. Be clear about what you are looking for when making contacts.

7. Include people of all ages and job descriptions in your network.

8. Don't be afraid to ask for advice and assistance.

9. Don't expect your network to function as a job search firm for you.

10. Don't be discouraged if someone doesn't have time for you.

11. Don't be shy; speak out and be assertive.

12. Don't pass up any opportunities to develop your network.

TELEMARKETING

We've discussed why networking is so important to your job search and made some suggestions about those people to include in your network and how to contact them. Indeed, the telephone is an integral part of a successful job search.

How many ways can the telephone be used in your job search? For what purposes might you call someone? If you reflect on this question for a few minutes, you will discover that there are many ways the telephone can and should be used during a job search: do your networking, seek information, answer a classified ad, follow up on a mailed resumé, follow up on an interview, contact references, follow up on leads received from contacts, thank contacts, thank references, and call family and friends to tell them that you got a job!

Telemarketing Guidelines

At this point, you may be asking yourself, "Just how do I call people? What do I say? What if someone hangs up on me?" These are very good questions. Keep in mind that calling a potential employer not only saves you time, but also gets people's attention. Because everyone is busy (including you) and can't waste time on the phone, you must list the companies you want to contact, plan your calls, write down the key points you want to cover, practise your plan, and be willing to follow up and follow through. Following are some important guidelines to successfully telemarket.

List Companies

Before you let your fingers do the walking, do your homework. Make a list of the companies where you would like to work (use the A, B, and C lists you

Using the Phone to Your Advantage

- Contact many employers in a short amount of time.

- Get information faster and easier than with conventional mail.

- Contact the person doing the hiring.

- Obtain information so you will be more comfortable when it's time for the interview.

- Communicate your personality; you'll be more than just a name on a resumé, or a signature on a letter.

- Save money and time (and none of us have enough of these!).

developed in Chapter 3). Ask people you know for suggestions and phone numbers; use the Internet, Yellow Pages, and reference books or directories.

Plan Your Calls

Good planning pays off when using the telephone. When is the best time to try to reach businesspeople? 8:00 a.m.? 12:30 p.m.? 5:00 p.m.? To some degree, the old rule of not calling at the beginning, middle, or end of the day doesn't apply anymore. In this era of nontraditional or flexible hours, many people have rather unusual work schedules. However, you should still try to stay away from the first hour or so of the workday. Would you want job seekers calling you at that time? The midday may not be an effective time to call either. Again, with varying hours, people may be taking lunch anytime between about 11:00 a.m. and 2:00 p.m.

So, when *is* the best time to call? Typically, 10:00 a.m. or 3:00 p.m. are good times to call. If that isn't always convenient for you, call during other times—it's better than not calling at all. Be careful about calling on Mondays and Fridays if you can avoid it. The very worst times to call are at 8:00 a.m. on Monday or 5:00 p.m. on Friday! However, there are some who feel that calling very early or late may just find the hiring authority at her desk working alone.

Write Down What You Want to Say

When contacting a company, you don't want to forget anything important, and you want to be as confident as you can. Therefore, it is a good idea to write down what you want to say. Some believe a script is appropriate; others feel that just the key points are necessary. It doesn't really matter; do what's most comfortable for you. However, if you do use a script, don't read it word for word or sound like you memorized it. A potential employer wants to know three things about you right away: who you are, why you are calling, and what you can do for him. Outline your answers to these and any other related questions. Remember, you only have a short time to get your message across.

Practise

Before making your first calls, practise. After completing your script or outline, say the ideas out loud in complete sentences. Listen to your words and how your voice sounds. Do you sound professional and confident? Next, practise with a friend. Call her and role-play being a job seeker and an employer. Ask for feedback and adjust your message if necessary. You can also audiotape yourself to hear how you actually sound over the phone.

Follow Up and Follow Through

If you are fortunate enough to make an appointment with someone you have contacted, be sure to confirm the appointment as it draws near. If you reach message machines or voice mail, be patient. Call back at a different time. Don't bother to leave a message; you want to speak to people directly. If you keep getting a person's secretary, keep trying. Always be courteous to receptionists, secretaries, and assistants. These people often decide who gets to talk to their bosses and who doesn't!

Initiating Contact

Calling strangers without some type of referral can be a very scary prospect. How do you ask for the person you should talk to? Here are examples of how you might initiate contact:

- *"May I speak to the person in charge of your communications department?"*
- *"I would like to speak to the supervisor of your field technicians."*
- *"May I please speak to the manager of your engineering department?"*
- *"I am interested in speaking to the person in charge of your public relations department. Who is that?"*

You may also call a company and tell the receptionist that you have some correspondence (your resumé) to send to the head of the communications department, engineering department, and so forth. Ask for that person's full name and address. Then, wait a few minutes, call back, and ask for that person by name.

If a secretary answers when you call, and that person asks what your call is in regard to, just say you have to discuss (or follow up on) some correspondence (resumé) or make an appointment (interview). You may even say that you have a business matter to discuss. Don't ever consider saying that your call is personal; that's dishonest and won't get you anywhere.

One last tip regarding your telephone requests: When you do reach the hiring authority and introduce yourself, it's best to ask for an appointment, not a job interview. If you are requesting an informational interview, ask for only 15 or 20 minutes. If your contact is considering whether to meet you, try asking, "Is a Tuesday or Wednesday better?" or "Before or after lunch?" When busy people are asked questions like these, they often respond automatically (i.e., "Wednesday is better" or "Before lunch is more convenient"). Then you are on your way to finalizing a meeting. Before making your telephone calls, review the list of do's and don'ts in the box on page 41.

Sample Calling Script

Before looking at how to meet objections you may encounter when telemarketing yourself, let's review a sample calling script. This particular script ends with a positive response from the hiring authority. Even though you may not always get such a positive response, the script is a helpful model for your own telephone calls. Remember, it is all right to talk to someone in the personnel department

Telephone Do's	Telephone Don'ts
■ Prepare yourself before calling.	■ Drink a beverage, chew gum, or smoke.
■ Practise telephoning with a friend.	■ Allow background distractions or noises.
■ Set up a daily plan.	■ Sound as if you're reading a script.
■ Keep pen and paper handy for notes.	■ Speak too softly.
■ Keep a log of your activities.	■ Talk too technically.
■ Turn objections around.	■ Rush through your presentation.
■ Keep a smile on your face.	■ Interrupt your contact.
■ Time your call carefully.	■ Act as if your contact can't see you.
	■ Be overbearing.
	■ Leave a message.

about current or future openings, but the person you really want to speak to is the particular hiring authority for the specific position you are seeking.

Sample Calling Script

Switchboard: "Acorn Cellular. May I direct your call?"

Caller: "Yes, could you please tell me who hires the field service engineers at Acorn Cellular?"

Switchboard: "I believe that is Mrs. Creighton in personnel."

Caller: "I'd rather speak to someone in the field service department. Do you know who the manager is?"

Switchboard: "Well, that would be Mr. Kinsie."

Caller: "May I please speak to Mr. Kinsie?"

Switchboard: "Yes, one moment and I'll connect you."

Mr. Kinsie: "Field Service Department. This is John Kinsie."

Caller: "Good afternoon, Mr. Kinsie. My name is Carol Curtis. I'm very interested in employment at Acorn Cellular and was wondering if you are in need of an experienced field engineer."

Mr. Kinsie: "Well, I really don't have any openings at this time. Are you representing someone?"

Caller: "No, I'm looking for a field engineering position for myself. Do you anticipate any future openings?"

Mr. Kinsie: "There's a possibility we might be promoting some of our field service staff in a few months. At that time, we might look at your qualifications."

Caller: "Thank you very much, Mr. Kinsie. I will get my resumé in the mail right away. Again, my name is Carol Curtis. I really appreciate your time on the phone today."

Mr. Kinsie: "Sure, no problem. I'll expect your resumé in the mail."

Meeting Objections

Obviously, not all phone calls will be as smooth as the one in the script. For those times when you meet objections or rejections, you must have a plan for how to handle them. First, realize that the negative comments you may hear are not directed at you personally. Sure, they may say that they don't have any openings or that you do not have the right kind of experience or some other objection, but these are the responses they give to everyone, not just you. So, have a thick skin and don't take the negative responses to heart. Remember, the more "no's" you hear, the closer you are to hearing that inevitable "yes!"

One sure thing about calling businesspeople for information or appointments is that you will meet objections. It's natural. Don't be discouraged by them, and try to be persistent without being obnoxious. Try to get at least one thing from each call you make: some information, another contact, or an interview. Whatever your goal, there is a common communication technique for meeting objections. When met with an objection during a phone call, most people stop in their tracks, apologize, and back off or even hang up. That may be what you feel like doing, but don't do it. Instead, use the following technique (adapted from *Guerilla Tactics in the Job Market* by Tom Jackson).

How to Handle an Objection over the Phone

- Listen to and try to understand the objection. Don't pretend you didn't hear it or that it is untrue. Don't argue with the person making the objection. Be sure the other person knows that you did hear and understand the objection.
- Respond to it with a positive statement. Reply with a statement of benefit that can overcome the objection without denying it. Let the other person know that although their objection may be true, you still have something of value to offer.
- Repeat your original request.

Below are some examples of how this technique might work.

You: "Is it possible for us to meet next week?"

Contact: "I don't think so. You don't have the kind of experience we are looking for."

You: "Yes, that's probably right. However, I think that the experience I do have could be very valuable to you in several ways. If we could talk for 20 minutes, I could demonstrate what I mean, and how I feel I could contribute to your department. May I have 20 minutes of your time next Tuesday or Wednesday? I would like to stop by and discuss this with you further."

Contact: "Well, I can't talk to you today. I'm going out of town on a sales trip."

You: "Yes, I know you must be very busy. However, if you could find a few minutes to meet with me when you return, I think I can help your staff with sales incentives and motivational techniques. Please tell me when you will be returning so we might discuss this further."

Two very important parts of this process are to acknowledge that you heard the objection, and to respond with a positive statement. Don't overlook either of these important steps. To help you feel comfortable meeting objections on the telephone, use the practice script found on the **Companion Website.**

Cold Calls

A cold call is when you go directly to companies to apply for a position that has not been advertised. You will do this in person and hope that you get an opportunity to speak to the person who makes the hiring decisions. Your goal is to make a strong impression so that you will secure an interview. At the very least, if you can get some contacts who may be hiring, your time will have been well spent. This method will work best with smaller companies.

Often after a first cold call, you find yourself sitting in the parking lot, with resumé in hand, wondering how it was that you got there. You didn't make an impression at all—even though you had the script in your head. What happened? Reality took hold and you now realize you need to be more aggressive. Here's what you should do next time:

- Ask for the appropriate person or the hiring manager; research ahead if possible.
- Have that 15-second intro ready when you walk in the door; shake hands, introduce yourself, tell them the key points quickly, grab their attention.
- Dress in a businesslike manner.
- Have your resumé, portfolio, etc. ready to present.
- Be ready for them to tell you they are not hiring; overcome objections.
- Leave your resumé, tell them you will follow up—and do it.

Cold calls are not easy, but with some practice you will develop techniques that will work for you. You'll discover ways of overcoming objections, of getting to speak to the person who really counts. You'll be able to start anticipating challenges you will encounter. As you go through this process, your confidence will improve and you'll find yourself ready to move forward from your C list to your A and B lists.

A bonus along the way is that you may get a job offer, and you may discover that the company should have been on your A list all along.

CAREER FAIRS

Career fairs are excellent opportunities to meet and greet a large number of potential employers at one time. Although there are fewer career fairs these days due to increased recruiting over the Internet, there is still no substitute for face-to-face marketing. By all means, take advantage of the Internet to market yourself and learn about companies; however, don't pass up the opportunity to meet someone, shake her hand, and explain what you have to offer her company.

Career fairs are usually formal gatherings of recruiters held at area hotels or large meeting facilities. Typically, many recruiters who have immediate openings to fill, as well as some recruiters who are there to publicize their companies and gather resumés for future openings, attend career fairs. Regardless, career fair attendance is useful for any job seeker. Why? It gives you an opportunity to network personally and pass out many copies of your resumé. Fair attendance also improves your social communication and interviewing skills. At the same time, you may meet other job seekers who can become contacts for you.

Career fairs are usually advertised in the classified section of major newspapers, through mailings, and even through the Internet. Some ask a small admission fee, while most are free. Career fairs usually run from morning to night, allowing both the unemployed and currently employed to attend. Some fairs are specifically designed for job seekers in a certain discipline such as engineering, medicine, or sales. Also, some fair organizers focus their events on people with some experience rather than recent college graduates, who usually meet recruiters on their campuses. In any event, consider attending as many fairs as possible.

Some career fairs are not for the faint of heart. You must be willing to walk up to a booth, stick out your hand, and introduce yourself. You must give a concise career statement and talk to the recruiter about the company and the position. You must also answer questions about your skills, qualifications, and goals. And you must be willing to compete with a large number of people who are trying to do the same thing!

Sample Career Fair Conversations

Look at the following sample conversations and the career fair tips to give you an advantage when using this direct marketing method for your job search. Remember, nothing takes the place of speaking directly to a person about your education, skills, and talents. Use career fairs to your fullest advantage!

Sample Career Fair Conversations

Candidate: "How do you do? I'm John Sutton. I'm happy to see a representative from Collin Systems here."

Recruiter: "Pleased to meet you, Mr. Sutton. Are you interested in our telecommunications coordinator position?"

Candidate: "Yes, I am! I am currently employed as a LAN administrator and am looking for greater challenge in a new position. Here's my resumé. You'll see I have a related degree and five solid years of experience in this field. I'm very interested in hearing more about your opening."

This example gives you an idea of how easy it is to approach a recruiter at a career fair. Be friendly, be natural, and be direct.

The following sample conversation might occur when a potential candidate, a student, attends a career fair to make contacts and get information rather than apply for a position.

Student: "Hello, Mrs. Norausky, my name is Taylor Lawrence. Although I won't be graduating from college until June, I am interested in learning about career opportunities in hotel/motel management. Can you tell me about your organization?"

Recruiter: "Why, certainly. Highsmith Incorporated is an international firm that owns hotels in 10 major cities across the United States and Canada. We are always interested in competent people trained in hospitality management. If you would like, you may take some of the literature on our organization that I have here."

Student: "May I take one of your business cards in case I have a question later on?"

Recruiter: "Help yourself. Good luck with your future career, Taylor."

Career Fair Attendance Tips

Even though career fairs may seem intimidating, remember, employers are there to meet you. That's why they came. Put on your best suit, smile, and get ready to start selling yourself! Following are some important tips on career fair attendance.

- Come dressed as you would for an interview (clothes, shoes, hair, jewelry). Don't be tempted to dress down because it is "only a career fair." First impressions count—no matter where they occur!

- Take copies of your resumé to distribute and a supply of your personal business cards if you have them. Depending on the fair size, you should have between 25 and 40 resumés. Make it a goal to distribute all of the resumés you bring!

- Take a pen and portfolio for note-taking and collecting materials. Don't bring a bulky briefcase or backpack. Remember, you want to appear businesslike and professional at all times.

- Take a smile, a firm handshake, a positive attitude, and a lot of energy. All of these things are essential. Be up, be positive, and be confident!

- Find out in advance which employers will attend the fair and know something about the ones in which you are particularly interested—thoroughly research three to four of your top companies. Recruiters are impressed when candidates go out of their way to learn about their firms before they come to the fairs.

- Talk to every employer about immediate openings or networking opportunities. Of course, you should visit the tables or displays of firms that have positions you are qualified for, but don't forget to do other networking. For example, if you have a degree in accounting and are interested in payroll or auditing, visit the firm advertising for a computer programmer—firms doing technical recruiting also have an accounting or payroll department. This is one way to network and get more mileage out of your career fair attendance.

- Approach employers as an individual, not in a group. Although it is more comfortable to attend fairs with friends, make sure you split up. Recruiters want to talk to individuals, not packs.

- Take advantage of times that are less crowded; for example, noon or 5:30 p.m. But be careful you don't arrive near the end of the fair. Recruiters may be tired and just want to pack up their materials and go home!

- Look the recruiter in the eye and use a firm handshake. Listen carefully to what the recruiter has to say and don't be distracted by other things around you.

- Prepare a brief introductory statement about yourself that includes your name, degree or major, type of position you are looking for, experience, goals, skills, and talents. Tell the recruiter why you wanted to come to that company's table. To help you prepare the introductory statement, a 30-second script can be found on the **Companion Website**.

- Be prepared for an on-the-spot interview.

- Prepare insightful questions or comments for the recruiter. Maybe you recently read an article about the firm that generated some questions. You might say something about how the open position contributes to the overall goals of the company or its mission statement.

- Maintain your energy and enthusiasm.

- Take short breaks but don't break your momentum. If you have a cup of coffee or a bottle of water during your break, don't carry it around with you even if you see others doing it.

In addition to the tips for a successful career fair experience, there are two more issues to address: follow-up and current trends in career fairs.

Career Fair Follow-Up

Within a week of the fair, follow up with a letter to each recruiter you met. Your letter should include the following:

- A thank you for the information and the recruiter's time.

- A review of one or two of your primary qualifications, with a reference to your knowledge of the company.

- A request for an interview and a statement that you will follow up the letter with a phone call within a week or two.

Experts disagree on the use of e-mail to follow up fair contacts. Some believe it appears the candidate has not invested time in the follow-up. Others feel it is efficient because it saves time for the candidate and the recruiter yet achieves the same goals as a letter. The choice is yours. Very ambitious candidates may do both!

Current Career Fair Trends

The age of technology affects how business is conducted at career fairs. Although you should bring copies of your resumé to distribute at the fairs, be aware that with the advent of the Internet, many companies have Websites to market themselves and handle recruitment processes. What does this mean to the career fair candidate? Recruiters may tell you to go to the Website (the Web address may be printed on the recruiters' business cards) to learn more about the company. They may also tell you to submit your resumé online by attaching a file to an e-mail message or completing a form on their Webpage. How common is this practice? Although it's hard to gauge the percentage of firms currently doing this, more and more are moving to a paperless submission. So, don't be discouraged if a recruiter doesn't take your beautiful, well-crafted resumé. Distribute what you can in person, and when you get home from the fair, submit electronic resumés to the recruiters who requested them!

When you leave a career fair, make sure to take some things with you. Remember, you should get as much mileage as possible from every event you attend. When you leave a fair, you should have:

- The business card from each recruiter you met.

- Notes you took on the various organizations and your discussions.

- Materials from different booths and tables.

- Thoughtful ideas about just where you may fit into the employment field, as you realize the types of jobs you do and do not want to pursue.

Finally, you will take away from your job fair experiences those skills gained by talking to a variety of people about yourself. This valuable experience will serve you well at future career fairs and future employment interviews.

Keep your self-marketing skills fresh by making several phone calls a week and attending as many fairs as you can each month.

GLOBAL JOB SEARCH

Many Canadians are interested in foreign job opportunities. International experience is an excellent way to increase your marketability to employers, particularly these days, when we keep hearing about the "global marketplace." There are a number of ways to get this experience. You should be cautioned that landing an offshore job does take time, research, and persistence. If you have never lived or worked in another country, you may want to start with a program that provides assistance through each step.

One of the easiest ways that students and new graduates can secure visas to work in other countries is through the Student Work Abroad Programme

(SWAP). Most college and university career centres will have this organization's current program information. You can also find SWAP on the Internet under the Travel Cuts Website. We've had many students use this program with great success. While the program is not set up to provide the job for you, your travel arrangements, visas, and the first couple of nights in the foreign country can usually be arranged. Many of the countries have their own supports to assist you once you arrive. More information can be obtained at www.swap.ca and in the organization's brochure.

Be aware that getting work visas from some countries (even the US) may not be as easy as you think. We've provided some Websites below with information to get you started. You'll still need to do more research on your own, as the information changes frequently.

Travel Cuts (SWAP):
www.travelcuts.com

Overseas Jobs:
www.overseasjobs.com

JobBank USA:
www.jobbankusa.com

Cruise Services International:
www.cruisedreamjob.com

Castaway Cruise & Resort Hiring Agency:
www.cast-a-way.com

Canadian Youth Page (Department of Foreign Affairs):
www.dfait-maeci.gc.ca/youth/menu-en.asp

EuroGraduate:
www.eurograduate.com

Department of Foreign Affairs and International Trade:
www.dfait-maeci.gc.ca

IAESTE (International Association for the Exchange of Students for Technical Experience):
www.iaeste.org

MY Focus

Use these strategies, based on information in this chapter, in your personal self-marketing campaign.

- Using the Network Planning Sheet, begin to develop your personal networking list. Add three to five new contact names each week and continue a dialogue with most people on your list.

- Develop your own calling script modelled after those in the chapter. Call a relative or friend and practise your script. Next, call a company you have some interest in and use the script.

- Look at newspapers, professional journals, or college bulletin boards for upcoming career fairs.

- Develop your own 30-second script, select a fair, and attend. After working the fair, critique your experience, noting areas where you might improve for the next fair. Then, try again! Always follow up with any recruiters with whom you had promising discussions.

FINDING YOUR FOCUS

1. List three or four way to create your personal job search network.

2. Describe several advantages to using the telephone in your job search. What advantages do you plan to make the most of and why?

3. Describe the method for meeting objections on the telephone.

4. Review the career fair tips. Which will be the most challenging for you, and how will you meet these challenges?

5

Resumés and References

After completing this chapter, you will be able to:

- Identify resumé types and decide which is best for you.

- Create several versions of your resumé that sell you to an employer and accommodate the ways in which resumés are transmitted.

- Adapt to the scannable resumé technology.

- Appreciate the importance of reference selection and use.

- Be aware of the questions your reference contacts may be asked.

- Create your own personal list of references.

Critical Tools for Success

Always think in terms of what the other person wants.

—JAMES VAN FLEET

Developing a resumé is an important part of your job search and is usually one of the first steps taken in the job search process. Revising your resumé is something you should do frequently during your career to reflect any changes in your professional life and to include any new skills you develop and experience you gain.

PREPARING TO WRITE YOUR RESUMÉ

A resumé cannot get you a job; however, a good resumé can help you get to the interview stage. So, the goal of the resumé is to get the interview. With that in mind, a resumé should tell recruiters enough to make them eager to meet you, but not so much that they have no reason to talk to you in person. Also, your resumé should look appealing and be easy to read. Resumé writing can be challenging and requires considerable effort—the key is to achieve just the right mix of interesting content and engaging format.

Remember, your resumé will probably find itself in a pile of several hundred. Most resumé readers spend only a minute or two on each resumé. What will make yours the one chosen for consideration? What will be the first information they read about you and how impressive will it be? When recruiters first look at your resumé, they don't spend a great deal of time scrutinizing every word. They initially look for those key traits, technical skills, and previous experiences that satisfy the requirements of the open position. Their eyes are drawn to industry buzzwords and quantified statements. For example, a quantified statement about managing a local area network might say that the candidate managed a network of 130 Dell computers, handling user complaints, upgrades, security, and routine maintenance.

Also keep in mind that your resumé may be read first by a computer. Resumé scanning software is discussed later in this chapter. Finally, because the resumé often serves as a springboard for questions and discussions during the interview, all information must be truthful, accurate, and easy to follow.

As you can probably tell already, successful resumé writing is not just putting your education and work history down on a piece of paper. There are many

49

issues that you must consider. This chapter first covers the following resumé aspects and addresses the important issues for successful resumé writing:

- resumé types
- resumé styles, including electronic resumés
- resumé sections
- resumé guidelines
- resumé tips

The second section provides samples of the main resumé types and formats. The last section of this chapter discusses selecting and using references.

TYPES OF RESUMÉS

There are two types of resumés: chronological and functional. You may also hear of a combination resumé, but that is really just a chronological resumé with more emphasis on your skills, qualifications, and key traits. There is a tendency among job seekers to create a chronological resumé because it is perceived as the easiest to write, and most resumé samples are this type. Keep in mind that you want the best type for your particular circumstances and job search goals. So, think about the different types and decide which represents you the best. All of the sample resumés discussed below can be found in the section "Resumé Samples" (Exhibits 5.1–5.6) beginning on page 66.

In the *chronological resumé* format (see Exhibit 5.1), information is organized according to time, listing the most recent education and experience first and working back to earlier education and experience. This is by far the most widely used type because of its simplicity. It is an appropriate format to use if you have continual employment and are more interested in providing a rather historical view of your past. Chronological resumés focus on dates and individual job experiences. It is often the most suitable for students and recent graduates.

The *functional resumé* format (see Exhibit 5.2) organizes information according to types of experiences or functions. Rather than relying on dates and time frames as in the reverse chronological format, this format spotlights key traits or qualities, providing details and examples that demonstrate those qualities. This format requires a bit more thought and planning than the first; however, one of its strengths is that it is not like the majority of resumés—a fact that unfortunately can also be one of its main weaknesses.

This format is useful if you do not have continual employment experience or you want to focus the reader's attention on *what* you did rather than on *when* and *where* you did it. This resumé is also called an accomplishments or skills resumé. It allows you to reflect on the most prominent skills and qualities you bring to the career market, and provides a format for you to organize these skills and qualities in such a way that they become the focus of the resumé itself. It can be most useful for someone who is making a total career change.

Targeted Resumés

You may be hearing a lot about targeted resumés. Targeted resumés simply mean that they must be targeted toward your job objective and the position you are applying for. Industry key words and relevant skills are very important to highlight. Your resumé may need to be tweaked for every position you apply for. Another way you can target your entire application is through your cover letter, by addressing the specific skills and qualifications the employer is looking for.

What Is an Electronic Resumé?

The term *electronic resumé* is used to describe resumés that are scanned by a computer and those that are posted on the Internet. Both are electronic and differ greatly from the traditional paper resumé. Resumés that are scanned into software programs by employers are very focused, basic, and rely on key traits to promote individuals. Resumés posted on the Internet tend to look like traditional resumés initially, but the reader may discover that he or she can travel to additional areas of the resumé through hypertext or links.

Let's look further at the scannable resumé. To understand what is needed in a scannable resumé, you must be familiar with the capabilities of this new resumé scanning technology.

Resumé scanning software has been used by Fortune 500 companies as well as small firms for some time now. This software performs many functions, including resumé scanning and tracking. This specialized software can also generate response letters to applicants. In addition, some systems help firms track who has been hired and can store other personnel information in a human resources database.

How does resumé scanning software work? As a paper resumé is scanned into a computer (much the way a fax machine scans a document), the program looks for those key words identified by company personnel as important. For example, a department manager may have the database search for a candidate with certain accounting knowledge. In addition to the accounting key words that are programmed into the software for that particular position, some programs can identify desirable employee traits and place them in various categories such as "must have" or "important to have." Resumé software programs rank resumés according to the number of "hits" or "matches" between the key words listed and those appearing on a resumé. The next section discusses an example of how an employer might process an electronic resumé.

Processing an Electronic Resumé

Many employers process all incoming resumés electronically. Resumés are scanned as images and special software is used to read the text. The text is then entered into an electronic database. When an employer is ready to review the resumés, the employer searches the database for possible candidates by selecting appropriate key words. Resumés that match a specified score for the relevant key words are then selected and printed.

Because computers read resumés differently than people do, recruiters recommend that job hunters prepare at least two versions of their resumé, one for scanning and one for human readers. On an electronic resumé, key words can be listed in a separate key word section (see Exhibit 5.6) or they are integrated into the text. In general, action verbs like "managed" or "facilitated," which are highly recommended for use in paper resumés, are not effective in electronic resumés because most scanning software programs look more for noun key words than verbs.

Why do companies use these scanning programs? Mostly because they save time, energy, and money. A computer can scan and store a resumé in seconds and quickly retrieve it a year later if necessary. Scanning programs objectively review information on resumés. Employers feel this technology enables them to respond more quickly to applicants than the more labour-intensive methods of the past. Also, candidates who inquire about the status of their resumés can be given information quickly.

To help you determine which type of resumé is appropriate for a specific company, first call the company if possible to see if it uses scanning software. Find out if the company has an Internet site to further aid you in your application process. No matter how you transmit your resumé initially, remember to take an attractive paper copy of it to the interview.

Be aware that advice on the techniques of good electronic resumé writing varies. Some resumé scanning software has become sophisticated enough to handle such format elements as italics or underlining. Keep yourself informed of the latest technologies used in the job search arena and revise your own methods accordingly.

Additional Guidelines for Using Scannable Resumés

The electronic era has ushered in new considerations and techniques for those wishing to compete for positions in the current electronic age. Gone are the days when you could just stuff a resumé into an envelope and mail it. Applicants now must contact companies to see if resumé scanning software is used.

Resumé Scanning Advice

TIPS ON FORMATTING

- Make sure your name is the first readable item and is on its own line.
- Use plain white paper measuring 8.5 by 11 inches.
- Use standard fonts such as Helvetica, Times, New Century Schoolbook, or Courier.
- Use standard 10- to 14-point font.
- Original should be laser printed.
- Don't use italics or underlining. (You may use boldface and capital letters for emphasis.)
- Don't use shading, boxes, borders, or graphics.
- Don't staple or fold the resumé.

TIPS TO MAXIMIZE HITS

- Have plenty of key words for the software to pick up.
- Focus on using nouns (name of degree, software names, department names, etc.) rather than verbs as in a more traditional resumé.
- Use key words and industry jargon or buzzwords.
- Describe experience with concrete words, not vague ideas.
- Don't feel you must limit the resumé to one page.
- Use common headings found in traditional resumés.
- Consider including a cover letter identifying the position you are seeking.

If your resumé has been scanned, it is usually in that firm's permanent file. When following up on the disposition of your resumé, consider asking such questions as "Did you receive my resumé?" "Was I a match in your desired skill areas?" "Has my resumé been routed?" Some recruiters believe that the operative word for finding out if your resumé (and you) have made it to the next step of the screening process is "routed." If you follow the advice and recommendations discussed here and can demonstrate you are a good candidate for the position, you have a good chance of having your resumé routed to the right people in an organization. If you can achieve this, you are on your way to the next step in the job search process, the interview. Additional information and advice on scannable resumés is on the **Companion Website.**

No matter the type of resumé you create, you must do the best job possible for it to be an effective tool in your job search campaign. It is easy to put together an average resumé. It takes some thinking and good writing to create a dynamic, outstanding, successful resumé. Be prepared for the commitment it takes to craft an outstanding resumé if you want to successfully compete in the job market.

Uploading/Posting Resumés

On many employer and job search Websites you will be asked to upload (copy and paste) your resumé. It is best not to upload your Word-saved resumé. You will lose the formatting when it is uploaded and the information will be scattered. You will need to resave your resumé in a text-only (.txt) format. You should also rename the resumé to something like Alan Wong Text Resumé. Once you have done this you must reopen the file in a program such as Notepad. You will see that all of the formatting is gone. Your bullets should be replaced with asterisks. Then you must make sure that everything is left-justified and that there are no extra tabs, underlines, italics, bullets, or other formatting. Use spacing and capitals to highlight the titles and separate the areas. While this resumé will look very boring compared with your formatted resumé, it will work well for you in this context. If you have knowledge of basic HTML formatting, at this point you may wish to add some of this for impact, particularly if the resumé will be posted on an Internet job search site. Above all follow the directions on the Website. Some sites with newer technology will allow you to post a Word or RTF (Rich Text Format) resumé. Technology is changing so rapidly that you must take responsibility to ensure you are up to date.

RESUMÉ SECTIONS

Most resumé discussions focus on three basic sections: heading, education, and work experience. Other sections that can be included are career objective or personal/professional summary, qualifications, volunteer experience, interests and personal information. Let's take a look at the various sections.

Heading

Your heading includes your name, address, phone number, and e-mail address. Students sometimes find it useful to list both current and permanent addresses so they can always be reached. In the past, job seekers included both home and work phone numbers when possible. With the popularity of cell phones, many candidates are listing just one number: their cell phone number. This is fine, but remember, your cell phone could ring at any moment with a recruiter on the other end. If you include your cell phone number on your resumé, be prepared to respond to that call or defer it to your voice mail for later handling. Always remember to use postal codes and area codes.

Include your e-mail address on your resumé. Listing an e-mail address says that you are comfortable with this communication technology and use it in your everyday life. Just a couple of words of common sense here about e-mail addresses. If your current address name is not as professional as it should be, change it before you start using the address on your resumé.

What about including the URL for a personal Webpage? If you have a Webpage, don't automatically list it in the heading. Consider whether you want it to be seen by a potential employer. Webpage references on resumés are particularly appropriate for individuals desiring positions as Webmasters or Web designers. But remember: any Webpage referenced in a resumé should be professional looking and in good taste.

Objective

An objective is a clear and concise statement of the type of job you are seeking. Be original, and avoid phrases such as "wish to gain experience" or "desire for advancement." Mention the specific position or career area you are interested in. Your objective should tell the recruiter the purpose of your resumé. The rest of your resumé should provide the proof that you are qualified for your objective. It should be short and to the point.

Not all experts agree on the importance of stating your objectives, but you want to ensure the reader knows what you are applying for. Remember, this objective is for your current resumé—not where you want to be in five years.

Personal/ Professional Summary

Instead of stating a career objective, some people include a personal or professional summary. This section may say more about you than a typical career objective statement. This section focuses on what you have accomplished and what technical or personal traits you have to offer. Reflect on your past positions and your accomplishments to create a personal or professional summary. Producing succinct statements about yourself and your qualifications impresses most resumé readers, who tend to pay closer attention to the material at the beginning of the resumé. This section tends to be used more often by professionals who are midway into their career.

Education

How prominently you wish to display your education and how detailed you choose to be depends on how long it has been since you were in school. Recent graduates, who will spotlight their education, should include grade point average, honours, and campus activities. If you have been in the workforce for a while, you may merely include your degree, school, and year of graduation. For those who have been in the workforce for some time, listing education on the resumé may not be necessary or it may be lower down. To help you prepare an education section for your resumé, complete the following worksheet.

REPRESENTING EDUCATION ACTIVITY

This exercise is designed to help you think about aspects of your education. Answer the following questions to construct a complete educational and qualifications section for your resumé.

1. State the name of the educational institution you most recently attended. Include the city and province where the school is located.

_____

_____

_____

2. Give the correct name of the diploma/degree you are working to attain or have attained.

3. Supply the month and year of your graduation.

4. Indicate your grade point average (for recent graduates).

5. List any honours or academic achievements.

6. List several of your favorite courses in which you did well.

7. List those courses that involve the subject matter relating to the career you are pursuing.

8. Decide what additional course work you want to mention in your resumé. Consider grouping courses into several categories with appropriate headings.

9. Highlight any special equipment (computers or other types) and any software or computer languages you have learned in school or taught yourself.

10. List any other post–high-school educational institutions attended. Give names and locations.

11. If you obtained a diploma/degree from the institutions listed in question 10, indicate the title and the date of graduation.

12. List any honours or special comments about the course work listed in question 10.

13. If your high school graduation was recent, you may discuss any special course work, honours, programs, or projects.

Qualifications

This section has become a very important and useful part of the resumé. It should hold a prominent position in the resumé, even above the experience section. In this section you should highlight the important skills, certificates, and training that are relevant to employment and your objective. Computer skills, languages, and special licenses and certificates should all be included here. You may also want to highlight some of your transferable skills. Using proof statements can help market this area well.

Work Experience

When completing this section, provide job titles, company names, and the cities and provinces in which the companies are located. There is no need to include street addresses or the names of managers or other personnel. For each position, briefly describe your duties and responsibilities. When describing your previous and current jobs, use action verbs to demonstrate accomplishment. Simply listing duties and responsibilities is not enough for a superior resumé. For the best resumé possible, develop more insightful descriptions of your work experiences. Adding impact to your work experience is discussed later in this chapter.

How far back should you go when listing your employment history? That depends. The rule of thumb is five years; however, if you had some noteworthy experience previous to that time, you may include it as well. Certainly, if you have extensive work experience, you may want to include a greater number of previous positions.

For many, work experience is the most important section of the resumé. Unfortunately, this is also often the most poorly written section. Often job seekers merely create a list of work experiences by listing their duties. They miss the opportunity to grab the reader's attention with key ideas and specific references. All job seekers should know how to add impact to their work experience. The following discussion explains how to do this.

Adding Impact to Your Work Experience

To create a work experience section with more impact, include more in your job descriptions than simply the duties. Most resumé writers do a very good job of listing job responsibilities. The problem is, you are telling the reader what she already knows: salespeople deal with customers and handle accounts, secretaries create documents and schedule appointments, computer programmers program computers! Try thinking about your work experience a little differently. As you reflect on your duties, also think about the *scope of responsibilities* you have had and your *accomplishments on the job*. The box below shows two examples using the positions of computer programmer and sales representative.

See how this attention to scope and achievement in your job description is more powerful and more informative? Which person would you rather talk to: the salesperson who merely said he was in charge of outside sales or the person who said that she was responsible for a 30 percent increase in revenues over a six-month period? I think you get the idea. Don't despair if you don't have impressive achievements at this stage in your life. Just think about all aspects of your past and present employment, and determine how you can make your job experience section move beyond the mundane description of job duties by completing the work experience exercise that follows.

WORK EXPERIENCE EXERCISE Directions

Before you develop the work experience section for your resumé, try this exercise. It provides an opportunity to think creatively about the jobs you've held.

Using the list of action verbs found on page 62 and your imagination, create some innovative job descriptions for the positions described in Situations 1–3 (starting on p. 58). Pay special attention to the use of action verbs. Remember that a current job is described with phrases using present tense verbs; keep descriptions of your previous jobs in the past tense.

Highlighting Scope and Achievement

COMPUTER PROGRAMMER POSITION

Duty statement: Wrote code and performed troubleshooting using C language.

Scope statement: Worked as a member of a four-person project team to create code and solve programming problems in a PC-based environment.

Achievement statement: Wrote and maintained a C-based computer program that analyzed current work flow operations, reduced analysis time by 50 percent, and served as a model program for six divisional offices.

SALES REPRESENTATIVE POSITION

Duty statement: Supervised outside sales for computer division.

Scope statement: Sold electronic components to 140 clients in a five-province region of Canada.

Achievement statement: Maintained successful five-province sales region of 140 clients, averaged five new accounts monthly, and generated a 30 percent increase in revenues over a six-month period.

Example

You worked at Carlson's Cafe for three years while attending college. Your title was assistant restaurant manager, and your responsibilities included managing a staff of ten servers, scheduling your staff, taking care of any problems or disagreements that occurred with staff members or patrons, running the cash register and fixing it when broken, doing the banking, and training new servers as they were hired.

A creative job description for this example might include:

- Trained and managed a staff of ten employees
- Handled staff scheduling
- Provided friendly and prompt customer service
- Operated and repaired electronic cash register
- Handled daily cash receipts
- Communicated with restaurant staff and owners to improve restaurant operations

See what you can do with the following situations. Don't forget to use those action verbs effectively!

Situation 1

You worked for several years as a technical writer for a software company. Your duties included converting programming notes into plain English for user documents. You created appropriate graphics using several desktop publishing programs, solicited printing quotes from local printers, and handled ordering and the distribution of manuals and documents. You also created marketing brochures for the sales staff, and occasionally helped with other company promotional programs.

Description #1

_____

_____

_____

_____

_____

Situation 2

You are the owner and manager of a day care centre located in a mid-size town. You recruit and hire qualified day care providers; manage the centre's day-to-day operations; handle provincial licensing and compensation paperwork; and plan, purchase, and prepare food for your staff and the children. In addition, you plan special interest programs in art, music, and physical education for the children. You are implementing a "Computers for Kids" program that will be a model for centres across the province.

Description #2

_____

_____

_____
_____
_____
_____
_____

Situation 3

You currently work as a telemarketer with minimal supervision. You are responsible for keeping accurate records of the calls you make as well as tracking the outcome of each call. You were named "Employee of the Month" when you organized a mini-workshop for your co-workers on how to handle difficult customers. Your supervisor sometimes calls upon you to substitute for her. You volunteer to work extra hours when co-workers are sick. You have consistently scored as one of the top two salespersons in your division.

Description #3

_____
_____
_____
_____
_____
_____

Your Turn!

Using the job you currently hold (or the last one held), write a paragraph describing the position and the duties and tasks associated with it. After writing the descriptive paragraph, develop a creative job description suitable for inclusion in your resumé. Remember to use action verbs and use the correct verb tense.

Job Title

_____

Situation

_____
_____
_____
_____
_____
_____
_____
_____
_____

Description

_____

_____

_____

_____

_____

_____

_____

_____

_____

_____

_____

_____

_____

Now, write a description for all of the positions you intend to put in your resumé. Don't be shy about any of your accomplishments.

Personal

This is a section that not all job search experts agree on. If you have the space, you may want to include a line or two about some personal characteristics or activities. Sometimes, these comments help to make the person behind the resumé seem more real. At the same time, you must be careful not to mention anything in this section that could be controversial (e.g., political, religious).

When you put these sections together to form your resumé, remember that the most important information must go first. Therefore, if you are experienced, your work section follows the heading. If you are a recent graduate, education is your most prominent section. If you include a personal section, it should be placed near or at the end of the resumé.

References

If space permits, you may choose to have a statement that your references will be furnished upon request. If you have little space remaining, omit this statement. Employers expect you to furnish references regardless.

For more information on using references effectively, see the "References" section beginning on page 73.

RESUMÉ GUIDELINES

These guidelines reiterate and emphasize some points already discussed.

The resumé is a sales tool, and as the salesperson you must use this tool effectively. It is crucial that your sales tool be the best it can be. To ensure this, pay particular attention to the content (what you say) and the layout (how you structure your content on the page). The format should be engaging and easy to read; your content should be impressive, interesting, and promotional in nature, as well as honest and accurate. An impressive resumé is a blend of good content and attractive format.

Your resumé should read easily and quickly. As mentioned earlier, you may have only 10 to 15 seconds to attract the attention of the recruiter and encourage that person to read in more detail. Keep in mind that most of us read from the top of the page at the left margin down in a sort of diagonal direction when we are trying to scan a document to get the greatest amount of information in the least amount of time.

Resumés are quickly scanned because recruiters receive hundreds of resumés each day. They literally don't have time to read each one word for word during the screening phase of their resumé review. Because recruiters have these time constraints, it is important for your best and most important information to be close to the top of the page and for your format to be inviting and easy to read.

When readers scan a resumé, their eyes will be drawn to specifics that relate to the positions they are looking to fill. Because of this, be sure to highlight any technical terms, buzzwords, or personal characteristics that recruiters may be looking for.

Resumé Length

While many sources recommend that your resumé should only be one page, this goal is often not realistic. The main focus of your resumé is to attract the attention of the potential employer. If your resumé is too crowded on one page, nothing will stand out. White space is an important component of the resumé. Do not be afraid to use a second page, but make sure that the most relevant information is on the first page. If you do use two pages, make sure you put a header at the top with your name and phone number on the second page.

Remember: A resumé is not designed to be a complete personal history. Rather, it is a specification sheet about a product (you) written in such a way that the recruiter will want to learn more from you in person during the interview.

Because recruiters need to review resumés quickly, it is not a good idea to include attachments to your resumé, such as grade transcripts or letters of recommendation, unless asked. This extra information is not as important at this preliminary step of the job search process as it will be later on. Recruiters are concerned with seeing if you look like a good candidate on paper. Thus, provide only the material that is relevant to this stage of the job search process.

Resumé Writing Style

General writing style for a resumé is quite different from that used for a letter or a business report. Instead of using complete sentences and lengthy paragraphs, present information about yourself in as clear and concise a manner as possible. Remember, your resumé is a glimpse of you as a candidate for a particular position, not your life story! Use bulleted phrases that express complete ideas in a clear, concise manner.

Start new ideas or phrases on the left-hand side of the page whenever possible, and use bullets to make the lines of type easier to read quickly. To help sell yourself in your resumé, begin lines with action verbs. These are power words that grab the reader's attention and indicate what actions you have taken and what accomplishments you have. Action verbs are discussed in more detail below.

Resumé Accuracy

Is correctness that important? Yes! Your resumé needs to be accurate and correct. Do not estimate or approximate—be sure you are accurate with such things as titles, dates, and responsibilities. Today's recruiters are rather skeptical of what people put on their resumés, feeling there has been a growing tendency to lie or exaggerate what is being said. Make sure all details on your resumé are factual and accurate.

Using Action Verbs

To ensure a dynamic and powerful resumé, use action verbs to describe your school and work experiences. Read through the following list, circling the verbs that apply to your school and work activities. Then, use this list as you draft your resumé.

act/perform	direct	lead	recommend
adapt	distribute	learn	report
advise	enforce	listen	research
analyze	entertain	locate	resolve
anticipate	estimate	log	restore
appraise	evaluate	maintain	retrieve
arrange	examine	manage	review
assemble	exhibit	media	run
assess	expand	meet public	schedule
audit	explain	memorize	select
budget	explore	mentor	sell
calculate	find	motivate	service
check	fix	negotiate	set
collect	gather	observe	solve
communicate	generate	obtain	sort
compare	handle complaints	operate	speak
compile	handle equipment	order	study
compute	handle money	organize	supervise
confront	help people	perform	support
contact	illustrate	persuade	test
control	implement	plan	teach
coordinate	improve	prepare	train
cope	inform	process	translate
create	initiate	produce	troubleshoot
decide	inspect	program	understand
delegate	install	promote	update
deliver	instruct	protect	upgrade
demonstrate	interpret	question	verify
design	interview	raise	volunteer
determine	invent	read	work
develop	investigate	reduce	write

RESUMÉ TIPS

This section discusses a few tips to ensure the best possible resumé for your job search.

Personal Content

Stay away from mentioning anything personal that is not directly related to the job. This includes your age, date of birth, health status, and Social Insurance number.

Paper Choice

If you plan to send resumés by regular mail, the safe choice for paper colour is white or off-white. A beige, buff, or light gray colour can also be used. Avoid bright and unusual colours; the business community is still fairly conservative in nature. Resumés should be printed on good bond paper (at least 20 lb/75 g/m^2). When using special shades or types of paper, use corresponding sheets for cover letters and other correspondence. Special resumé paper and envelopes can be found in most office supply stores. If you plan to send a number of resumés by fax, the paper quality is not so important. Always select a type style and size that are easy to read.

Photos

The use of photographs is not recommended. For most people, photos are not relevant to the positions they seek. However, there is a growing trend to include photos on resumés displayed on the Internet. Most job search experts feel that photos can easily be used to discriminate against individuals. Therefore, unless your personal appearance is key to the position (such as jobs in the broadcast or movie industries), stay away from photographs.

Resumé Writing Templates

Today, the computer makes many routine tasks easier and less tedious. Resumé writing is one of these tasks. There are many resumé software programs on the market. Although you may look into these programs as an alternative to typing everything from scratch, beware. Nothing takes the place of a carefully created, well-planned, and well-implemented original resumé.

When you rely on these canned programs, your resumé ends up looking like everyone else's. A case in point is the Microsoft Office resumé template. Because it is part of a commonly used suite of software programs, its format and style are easily recognized. Resumé templates make some tasks easier initially, but the trade-off is originality. Do you want your resumé to look like all the others? You will also find these templates very difficult to edit or manipulate. They are almost impossible to convert to a text-based resumé to upload onto a Website.

Final Check

As mentioned earlier, accuracy and correctness are critical. Proofread your resumé meticulously, not only for clearly presented information, but for grammar and spelling. Because the resumé is such an important document for your future career, it cannot have any errors. Recruiters who see errors may conclude a couple of things about the writer. First, if there are mechanical errors, they may wonder how intelligent this writer is. Second, if there are obvious spelling mistakes or other errors, they may assume that the writer is a careless person and believe that this person may also be careless when performing the job.

Be a careful proofreader. Two techniques for proofing are reading backward and reading out loud. Read each word of your resumé, starting at the end of the last line and work your way to the left and to the top. This helps you uncover misspellings and typos. Reading your resumé out loud ensures readability and completeness. When proofing, examine the resumé for any mechanical errors. Word processing spellcheckers are a great way to catch the obvious mistakes, but they don't catch all of them.

Once you have finished proofing your resumé, show it to others whose opinions you value. Make any changes to improve the document at this point. Remember, resumé writing is very subjective. Everyone has an opinion, but there is no one right way to do it. Sometimes, it is useful to seek out the opinions of others; however, if you receive too much conflicting advice, it is easy to become confused. Remember, this is *your* document. You must be satisfied with it. After all, you and only you will be the one to distribute it and talk about it during the interview.

Now, it is time to create (or update) your own resumé. Use the following as a final check before you get ready to print your copies.

RESUMÉ CHECKLIST

OVERALL APPEARANCE

_____ Are all of the margins equal and does it appear balanced on the page?

_____ Is the content consistent in such elements as capitalization, verb tense, and punctuation?

_____ Are your key points either at the left margin or on the top half of the sheet?

_____ Does your name stand out, and are your address and phone number correct?

_____ Is your e-mail address professional and correct?

_____ Have you used bullets to make your statements easy to read?

CAREER OBJECTIVE

_____ If you have included this section, is the objective original?

_____ Is your objective specific to the position without limiting yourself too much?

_____ Did you put your statement in the third person and not use "my" or "I"?

PERSONAL SUMMARY

_____ If you have included this section, have you briefly described your accomplishments?

_____ Have you included specific personal skills?

_____ Have you included any experience with current electronic technology?

QUALIFICATIONS

_____ Have you listed your computer skills, including software you are experienced using?

_____ Have you included any special training courses?

_____ Have you included any valid certificates or licenses such as C.P.R. or W.H.M.I.S.?

_____ Have you included all relevant skills that may not have been mentioned elsewhere?

_____ Have you included any professional memberships that are relevant?

EDUCATION

> Have you included the name, city, and province of each post-secondary school you've attended?

> Have you included the correct title of your diploma/degree and the date it was granted?

> If a recent graduate, have you included your GPA?

WORK EXPERIENCE

> Have you included the names of the companies where you worked as well as the cities and provinces in which they are located?

> Have you included the terms of your positions, including the months and years?

> Have you remembered to include the titles of your positions?

> When you discussed your job responsibilities, were you descriptive and did you use action verbs whenever possible?

> Check through your job descriptions; do all the verb tenses agree with the time that you held the positions?

> Did you create scope and achievement statements?

> Did you omit managers' names, previous salary, and reasons for leaving?

> Have you included any co-op, field, or internship experience?

PERSONAL

> Have you provided meaningful and useful information?

> Have you included recent and relevant volunteer experience?

RESUMÉ SAMPLES

Now that you have learned about resumé writing, let's look at some samples. Remember, how you organize and lay out your resumé on the page is just as subjective as what you choose to put into it. You must decide what looks best to you and what showcases your traits and skills most appropriately. Also, remember that it should be attractive and easy to read.

EXHIBIT 5.1 Sample chronological resumé

RYAN H. SANDERS

416-495-8892

1221 Pleasant Hill Drive, Toronto, ON   M5P 2T9   rsanders@linkup.com

EDUCATION

May 2007

COMPUTER PROGRAMMER ANALYST - GRADUATE
Lambton College, Sarnia, ON

Honours:

GPA 3.90/4.00
Dean's Honour List
Computer Science Honour Society

QUALIFICATIONS

- Programmed various applications using COBOL, CICS, PASCAL, AS400
- Experience with DBASE II and Masterfile programs
- Assembler on IBM O/S
- French bilingual

WORK EXPERIENCE

2006–present

Operations Supervisor
SPEEDY PARCEL SERVICE CORPORATION, Toronto, ON

- Responsible for controlling production, efficiency, employee motivation, promotion and discipline
- Supervise 25 floor employees during second shift
- Train new employees, hold communications meetings
- Evaluate employees in performance reviews

Sept.–Dec. 2006

Co-op
ABC AUTOMOTIVE PARTS, Toronto, ON

- Served as project leader for co-op consulting project
- Designed and implemented an inventory tracking system for automotive parts dealers
- Gained experience with DBASE II and Masterfile programs

2004–2005

Destination Specialist
GROUND DELIVERY TRANSPORTATION, Toronto, ON

- Consulted with clients concerning systems operation
- Advised technical managers in operational techniques
- Conducted oral presentations for internal and external audiences

REFERENCES

Available upon request

EXHIBIT 5.2   Sample functional resumé

RYAN H. SANDERS
1221 Pleasant Hill Drive
Toronto, ON   M5P 2T9
416-495-8892
rsanders@linkup.com

EDUCATION

COMPUTER PROGRAMMER ANALYST - GRADUATE May 2007
Lambton College, Sarnia, ON

Honours:

GPA 3.90/4.00
Dean's Honour List
Computer Science Honour Society

SKILLS

Supervisory:

- Responsible for controlling production, efficiency, employee motivation, promotion, and discipline
- Supervisor of 25 floor employees during second shift
- Project leader for co-op consulting project

Technical:

- Programmed various applications using COBOL, CICS, PASCAL, AS400
- Assembler on IBM O/S
- Analyzed and designed systems case studies
- Designed and implemented an inventory tracking system for automotive parts distributor
- Experienced with DBASE II and Masterfile programs

Communication:

- Consulted with clients concerning systems operation
- Advised technical managers in operational techniques
- Trained new employees and held communications meetings
- Evaluated employees in job performance reviews
- Conducted oral presentations for internal and external audiences
- French bilingual

EMPLOYMENT

Operations Supervisor, July 2006–present
   SPEEDY PARCEL SERVICE CORPORATION, Toronto, ON

Co-op, Sept.–Dec. 2006
   ABC AUTOMOTIVE PARTS, Toronto, ON

Destination Specialist, 2004–2005
   GROUND DELIVERY TRANSPORTATION, Toronto, ON

REFERENCES

Available upon request

EXHIBIT 5.3 Sample two-page resumé

JANE SMITH
11245 Anystreet, #12, Sarnia, ON N2L 3H5
519-242-1047
jsmith@internet.net

OBJECTIVE	Hospitality Co-op position May–Aug. 2008
EDUCATION	
2006–present	**HOSPITALITY & TOURISM MANAGEMENT** Lambton College, Sarnia, ON GPA 3.78/4.00 Candidate to graduate August 2008
2006	OSSD St. Clair High School, Sarnia, ON

QUALIFICATIONS

- Smart Serve Certified
- Computer skills: Windows XP, Word, Excel, PowerPoint, Internet, e-mail
- Cash-handling experience
- 5 years' customer service experience
- WHMIS
- Valid CPR certificate
- Basic French

EXPERIENCE

2007–present **Front Desk Agent**
ANY HOTEL, Sarnia, ON

- Efficiently check guests in and out
- Accurately perform night audit
- Confirm reservations and determine appropriate nightly rate
- Provide excellent customer service
- Work efficiently and accurately under pressure and with little or no supervision

May–Sept. 2007 **Co-op Student/Server**
ANY RESORT, Huntsville, ON

- Served food and beverage in fine-dining restaurant in a friendly manner
- Familiar with all menu items and able to make recommendations for special diets
- Recommended appropriate wine with meals
- Advised guests on resort and local activities
- Received outstanding evaluation

Jane Smith   **519 242 1047**

2005–2006   **Food and Beverage Server**
                             ANY RESTAURANT, Sarnia, ON
                             • Served food and beverage in a busy family-style restaurant
                             • Provided friendly and excellent customer service
                             • Assisted with basic food preparation
                             • Learned the value of team work
                             • Developed excellent time management and organizational skills

VOLUNTEER

                             BIG SISTERS, Sarnia, ON
                             • Big Sister to 10-year-old girl for 1 year
                             • Active fundraiser for Big Sisters

                             CELEBRATION OF LIGHTS, Sarnia, ON
                             • Assist with set-up and take down of annual event

INTERESTS

                             • Active in team sports including basketball and volleyball
                             • Member of the Lambton College Women's Volleyball Team
                             • Work out to maintain physical fitness
                             • Photography

PORTFOLIO   Available upon request

REFERENCES   Available upon request

EXHIBIT 5.4 | Other sample format

CAROLYN STEVENSON

492 Middleton Lane
Calgary, AB TOM 3Y5

403-430-3758
stevenson@internet.ca

PROFESSIONAL SUMMARY

Areas of strength in accounting include:

- Cost Accounting, Federal Tax Accounting, Accounting Information Systems
- Word for Windows, Dbase II, DacEasy computerized accounting package
- Take pride in producing accurate calculation for data used by management for budgeting, forecasting, and sales projections. Capable of building excellent working relationships with professional staffs at all levels.
- Decision-making and leadership skills used to prioritize daily workload. Organize projects and written reports and records. Consistent follow-up on work environment to ensure meeting deadlines on time and to specifications.

EMPLOYMENT

Tax Associate   2007–present
CLARK AND LEWIS ACCOUNTING SERVICE, Calgary, AB

- Perform tax compliance, analysis, and research for consolidated companies
- Provide tax consulting to partnerships, trustees, and non-profit organizations
- Awarded excellent rating for customer service

Accounting Assistant   2003–2007
ASPEN HILL RETIREMENT COMMUNITY, Windsor, ON

- Responsible for developing and presenting financial topics to residents
- Counselled individuals concerning personal finances
- Provided assistance to corporate controller in financial statement matters

EDUCATION

Bachelor of Commerce   2003
University of Windsor, Windsor, ON

Accounting Diploma   2001
Lambton College, Sarnia, ON

References available upon request

EXHIBIT 5.5	Text resumé for applying online

RYAN H. SANDERS
1221 Pleasant Hill Drive
Toronto, ON M5P 2T9
416-495-8892
rsanders@linkup.com
* * * * * * * * * * * * * * *

EDUCATION

May 2007
COMPUTER PROGRAMMER ANALYST - GRADUATE
Lambton College, Sarnia, ON

* Honours
* GPA 3.90/4.00
* Dean's Honour List
* Computer Science Honour Society

QUALIFICATIONS

* programmed various applications using COBOL, CICS, PASCAL, AS400
* assembler on IBM O/S
* French bilingual

WORK EXPERIENCE

2006–present
SPEEDY PARCEL SERVICE CORPORATION, Toronto, ON

* Responsible for controlling production, efficiency, employee motivation, promotion, and discipline
* Supervise 25 floor employees during second shift
* Train new employees, hold communications meetings

Sept.–Dec. 2006
ABC AUTOMOTIVE PARTS, Toronto, ON

* Served as project leader for co-op consulting project
* Designed and implemented an inventory tracking system for automotive parts dealers
* Gained experience with DBASE II and Masterfile programs

2004–2005
GROUND DELIVERY TRANSPORTATION, Toronto, ON

* Consulted with clients concerning systems operation
* Advised technical managers in operational techniques
* Conducted oral presentations for internal and external audiences

REFERENCES Available upon request

EXHIBIT 5.6   *Sample scannable (key word) resumé*

Cynthia Salazar

1347 Quincy Road, Toronto, ON M5P 2X3
416-555-8981
Email: salazarc@quicklink.com

Key Words: Bachelor's Degree in Business, 8 years analyst experience, experienced report writer, developed sales performance guidelines, experienced financial analyst, excellent presentation skills, team player, effective manager and leader, excellent sales performance, experience with contract sales force. Received sales award, increased sales by 15 percent. Hired, trained, and managed sales staff.

Work Experience

2006–Present Sales Analyst, Comco Products, Toronto, ON
- Formulate recommendations relative to sales performance data
- Perform analysis of both internal and external sales history
- Create reports for upper and mid-level management
- Deliver presentations on performance data and national trends
- Supervise task force group evaluating current sales concepts

2003–2006, Senior Sales Representative, Office Solutions, Edmonton, AB
- Supervised 12 junior sales associates in a four-state region
- Hired, trained, and managed new sales associates; analyzed performance of current general sales staff
- Managed own sales region of 23 locations with an average increase in sales of 15 percent

2001–2003, Sales Associate, Leland Homes, Toronto, ON
- Developed marketing plans and media placement for new home construction company
- Developed leads, contacted sales prospects, presented three different residential communities to clients
- Received Sales Associate of the Year Award for increase in annual sales

Education

B.A. in Marketing, University of Toronto, Toronto, ON
Advanced Marketing Techniques Diploma, Sales Institute Inc.

REFERENCES

Although the resumé is critical to career success, another element to a successful job search must also be explored—finding and using references. Many questions such as these arise when thinking about selecting references:

- Do I really need to have references?
- Will they be checked?
- How many should I have?
- Whom should I select?
- What should they say about me?

Companies differ in their requirements for references, but most do want them and will check them. Employers want to ensure they are hiring the best people. They also want to know that they are hiring good people in general. When they begin checking references, they are fairly confident that you can handle the job and fit into the firm. They now want some reassurances from people who know you that their evaluation of you is correct. They want a final blessing, so to speak, before they continue with the hiring process.

So, when are references requested? Some companies want them upfront, others after the first interview or two. Others want them at the end of the interview process, but before they consider making a job offer. So, what should you do?

This information varies greatly depending on whom you speak to. Many experts suggest putting "References available upon request" at the bottom of your resumé. You would then take your references to an interview or wait for the potential employer to ask you for them. This is in fact the most common practice.

However, you need to remember that the purpose of submitting a resumé is to sell yourself by providing relevant information. Certainly references are part of this process, and providing them in advance indicates you are well-prepared in your application. Your reference list also gives additional insight to the employer and makes it easier to hire you.

Recruiters often expect that co-op students and recent graduates will provide references with the application. Because of the large volume of resumés they are looking through, often hurriedly, having references handy saves them a lot of time in the long run. There is also a growing trend among some employers to do reference checks prior to the interview. Even if your references are not needed at this time, submitting them in advance means at the very least that your application is complete.

The bottom line is you *do* need references, and they should be good ones. If recruiters ask you for references, they will be checked. Because it is not efficient to check references by mail, references are usually contacted by phone. E-mail is not an appropriate communication channel for checking references. The dynamics of a telephone conversation are the best way to achieve the goals of the recruiter and the person giving the reference. Therefore, there is no need to include an e-mail address on your reference sheet. Let's take a look at some answers to frequently asked questions about references.

How Many References Should I Have?

Many people use three to five individuals. Some may be personal references and others may be professional ones. Keep in mind, when recruiters check references, they may just call the first and second names on the list. Others may work their way down the list until they reach someone. Some recruiters may contact each one listed.

Whom Should I Ask?

References used to fall into three categories: managers or supervisors, professional contacts (co-workers or business associates), and personal friends (not family). Currently, we refer to four categories: employment (past employers, co-workers), professional (business contacts, professional or community organization contacts), academic (professors, instructors, counsellors), and personal (people who know you personally). Whether you use three or four categories, you must decide how many you want in each. Remember to focus on work-related individuals. Never use members of your immediate family, and always select people who are articulate and fairly easy to contact.

EXHIBIT 5.7   **Reference list format**

JANE SMITH
11245 Anystreet # 12, Sarnia ON N2L 3H5
(519) 242-1047
jsmith@internet.net

REFERENCES

John Smith
General Manager
Any Hotel
123 Any St.
Sarnia ON N7T 1L5
519 542 2995

Mary Jones
Front Office Manager
Any Resort
123 Anylake Dr.
Huntsville ON M3V 5P7
705 339 1234

Sam Black
Professor
Lambton College
1457 London Rd.
Sarnia ON N7S 6K4
519 542 7751 Ext. 4444

What Should They Say About Me?

Other Advice for Handling References

It depends. Professional references address your work ethic, the quality of your work, your personality on the job, and similar qualities. Personal references are asked about your character and personality in general.

Make a list of your references for your own use. Don't give this list to prospective employers and don't offer references until requested to do so. Have a second list of references on quality paper to give to potential employers. A sample reference list format is shown in Exhibit 5.7.

Get permission from your intended references before you give their names to prospective employers. Remember, you are asking these people to assist you in your job search. You want to be courteous about it, and you want them to be prepared. Tell your references about your job targets or your goals and make them aware of your most marketable traits. Alert them to any specific calls from employers they may receive. Inform them of the position that relates to the call and your qualifications for that position. Your references should speak as directly as possible to a particular opening and your ability to fill it. Ask your references if they prefer to be contacted at work or at home. It is also a good idea to find out the best time of the day or evening to contact them.

Determine which references will be most appropriate for you. Select people who are willing and eager to brag about you! At the same time, select people who converse easily and can handle potentially difficult questions. Also remember, people must be available to receive phone calls about you: don't select someone who is always out of town or in meetings.

Be careful not to overuse people who have agreed to be your references. It may be useful to select two individuals as your key references and rotate their names to the top of your reference list. Also, call your references to let them know each time you give their names to potential employers. Tell them to expect the calls.

Choose your references based on their knowledge of you rather than on their prestige. Don't select someone who has an impressive title or position but very little knowledge about you.

Keep your references reasonably updated on the progress of your job search. Finally, remember to thank the people who serve as your references. The best call your reference can receive is one in which you tell them how happy you are in your new position!

Questions Your References Should Expect

What are some typical questions that references are asked? Different employers want to know different things so they may have unique questions. However, there are some common ones that you should make your references aware of.

1. What is your relationship to the candidate?
2. How long have you known the candidate?
3. When and why did he/she leave the job?
4. What was the candidate's attendance like at work?
5. What were his/her duties?
6. How was the candidate's cooperation with supervisors and co-workers?

7. What are the candidate's strengths?
8. What are the candidate's weaknesses?
9. How adaptable is the candidate to changes in the workplace?
10. Was he/she self-motivated?
11. How does this candidate handle stress?
12. What are the applicant's interpersonal and communication skills like?
13. Would you rehire the candidate if you had the opportunity?
14. Is there anything else you would like to add?

These sample questions are most appropriately asked of an employer. While recruiters may ask some questions similar to these of personal references (such as "How long have you known the candidate?" and "What are the candidate's strengths?"), generally recruiters ask personal references questions about a candidate's personality, honesty, character, and so on. When speaking to your academic references they will want to know about attendance, participation, quality of work and consideration of classmates.

As you can see, selecting and using references goes well beyond casually asking a friend to be a reference. Exhibit 5.7 offered a format for your reference sheet that you may tailor to your own needs. Remember, have your reference sheet with you at all times while interviewing, but don't offer the sheet to an employer until he or she asks for it.

This concludes the discussion of two very critical tools for any job search success: resumés and references. Both deserve your time and effort to develop. Both will serve you well in getting that job or changing to that career you have always dreamed about.

INTERNET RESUMÉ SITES

The following is a listing of some interesting locations on the Internet for further tips, examples, advice, etc. Please remember this: Sites on the Internet change constantly; therefore, some of the addresses below may be relocated or may have disappeared by the time you read this. Also, the listing of Internet sites in this book in no way indicates recommendations or endorsements by Pearson Canada or by the authors. These are listed for information only.

WorkopolisCampus
http://campus.workopolis.com/index.html

Quintessential Careers
www.quintcareers.com/

Monster
www.monster.ca/

Job Web
www.jobweb.com/

College Grad Job Hunter
www.collegegrad.com

Job Hunters Bible
www.jobhuntersbible.com/

The Riley Guide
www.rileyguide.com/

MY Focus

1. How are resumés and references critical parts of your personal assessment and self-promotion? Describe how they contain assessment and promotion.
2. Focusing on a possible personal summary for your resumé, what would you include as your top three traits?
3. For your reference list, how will your reference choices be able to market you? What will their knowledge of you be based on?

FINDING YOUR FOCUS

1. With your knowledge of reverse chronological and functional resumés, which one is the best for you and why?

2. Select either a current or past position and describe that position using duty, scope, and achievement statements.

3. How do you feel about the trend to scan resumés into scanning software? Is it a good idea? How can it work for and against you?

4. Develop your list of references, deciding how many and who to include in each category: employment, professional, academic, and personal. Can you ever have too many references? What other assistance can references give you in your job search?

Career Correspondence and Applications

After completing this chapter, you will be able to:

- Apply the proper writing techniques to create successful career correspondence.

- Produce a cover letter for your job search needs.

- Produce other career correspondence as needed.

- Describe the role of the application in the job search process.

- Complete a job application accurately and correctly.

Job Search Necessities

Striving for success without hard work is like trying to harvest where you haven't planted.

—DAVID BLY

A successful job search cannot be conducted without a focus on the correspondence that's key to securing a position. This chapter discusses preparing cover letters and other necessary job search correspondence and completing a job application. Throughout the chapter, you'll find tips and techniques to help you prepare career correspondence and job applications thoroughly and accurately.

CAREER CORRESPONDENCE

When are job search letters necessary? Quite often. First, there are cover letters that accompany your resumés. There are also networking letters, prospecting letters, follow-up letters after the interview, and finally (and happily) the acceptance letter. Let's begin with one of the most important pieces of correspondence, the cover letter.

The Cover Letter

A cover letter, or letter of application as it is sometimes called, is the letter that covers your resumé, literally. A cover letter introduces you to the potential employer. It makes a first impression and serves to set the tone for your resumé. A well-crafted cover letter contains useful information not found in your resumé and spotlights important items that are included in the resumé. So, it is a fairly important piece of writing.

Characteristics of a Good Cover Letter

A good cover letter does the following:

- Makes a good first impression.
- Is original and specific to each job application situation.

- Provides an answer to the question "Why should I hire you?"
- Is direct and to the point.
- Is one page or less in length.
- Is written on paper that matches your resumé paper.

Writing the Cover Letter

Remember, a cover letter *must* be well written. Its purpose is to transmit and present your resumé to a recruiter. Because it establishes the very first impression of you, it must put your very best foot forward. Essentially, cover letters can be written in three or four basic paragraphs:

1. The introductory paragraph, in which you apply for the position, giving its title and how you learned about it.

2. The middle paragraph(s), which reference(s) your resumé and sell(s) you by mentioning your key attributes or traits. This section works well when it is divided into two separate paragraphs to highlight separate areas such as experience and skills and your education.

3. The closing paragraph, which asks for an interview and indicates the follow-up you will do.

These three parts of a successful cover letter are shown in Exhibit 6.1. A sample cover letter follows in Exhibit 6.2.

Sample Cover Letter (In Response to an Advertisement)

It is important to look at the advertisement and highlight the qualifications the company is looking for that you have. Do not address the qualifications that you do not have. Sometimes you will find it useful to bold key points or bullet a list of qualifications in the letter. If the company uses a job number in the ad, it is very important to highlight this in your letter. When responding to an advertised position you must follow the directions. If it says no phone calls you do not follow up or indicate that you will in your letter.

EXHIBIT 6.1 Cover letter guidelines

1412 Ontario Street
Toronto, ON
M5P 1L6

March 21, 2007

Mr. Jerry P. Smith, Vice President
Lakewood General Hospital
545 Weller Avenue
Toronto, ON M7N 2S3

Dear Mr. Smith:

Introductory Paragraph:

In this paragraph, give the reason for the letter, name the specific position or type of employment for which you are applying, and mention how you learned about the opening.

Middle Paragraph:

Indicate why you are interested in the position and company. Also state what you believe you can do for the company, what contributions you can make to it. If you are a recent graduate, talk about your degree/diploma and how you feel that it and your other experiences make you qualified for the position. If you are an experienced worker, point out your achievement or talents that make you a good candidate. You may be including some ideas similar to ones found in your resumé, but try not to use the very same wording. Finally, at the appropriate spot in this paragraph, refer the reader to your enclosed resumé, which further explains your qualifications and experience. This information is usually easier to separate into two paragraphs. These are the paragraphs that should make you appear the ideal candidate. Talk about the skills you have; don't mention what you don't have.

Closing Paragraph:

Here you thank the reader and state your desire for an interview and your flexibility. You should include telephone numbers where you can be reached as well. As far as indicating what follow-up you will take, it is highly recommended that you be assertive and active in the closing of the letter and tell the reader that you will be following up with a telephone call to arrange an interview time. You may also end the letter in a more passive way with a basic statement that you look forward to hearing from the reader; however, the only place that gets you is sitting by the telephone waiting for it to ring. Have more control than that; tell the reader when you will call and then do it, unless the advertisement or job posting indicates no phone calls.

Sincerely yours,

William H. Austin

William H. Austin

Enclosure

EXHIBIT 6.2   Sample cover letter in response to an advertisement

1225 Hampton Avenue
Edmonton, AB
T8L 2N5

March 12, 2007

Mr. Derik C. Stephenson
Director of Human Resources
Peterson Industries
1345 West Edmonton Mall Road
Edmonton, AB T9C 3S9

Dear Mr. Stephenson:

Please consider my application for the position of **Systems Analyst** which was advertised on March 10th with Career Services at St. Anne's College. The position is an excellent match with my education, experience, and career interests.

With a major in Management Information Systems at St Anne's College, I have training on mainframes, mini- and microcomputers, as well as training and experience with a variety of software programs and applications. My program provided both extensive theory and practical experience in computer systems analysis, troubleshooting and the programming that you have requested in your advertisement.

My hands-on experience as a computer laboratory assistant at St. Anne's and as a programmer and student assistant has given me valuable exposure to various hardware and software problems as well as enhanced my interpersonal communications skills. In addition, I have been employed as a student worker with a large credit union, where I gained valuable knowledge of financial systems software. As you will see in my enclosed resumé, my education, experience and career goals match your requirements well. I am extremely interested in the Systems Analyst position and in working for Peterson Industries.

Please consider my request for an interview to discuss my qualifications further. I will contact you in the near future to see if a meeting can be arranged. If you would like to reach me before then, please call me at 403-665-7828. Thank you for your consideration. I look forward to meeting and talking with you.

Sincerely,

Charles S. Parsons

Charles S. Parsons

Enclosure

Prospecting Cover Letter

Sending prospecting letters is one method to get your name and qualifications in front of a wide variety of people. Generally, these letters are used when there is no clear or advertised opening, yet you have an interest in the company and want to send a letter to check out your "prospects." While your job search should not be composed only of prospecting letters, they can enhance your chances of getting hired. While this is another type of cover letter, you must guess the type of qualifications they are looking for. It is also critical that you conduct follow-up with this type of letter.

EXHIBIT 6.3   **Sample prospecting cover letter**

---

850 Baldwin Avenue
Ridgetown, ON
N0P 2C0

December 12, 2006

Mr. Tony Lawrence
Director of College Recruiting
Northern Apple Association
1232 University Avenue
Toronto, ON M5L 6P9

Dear Mr. Lawrence:

In a recent issue of *The Globe and Mail* I read about your company. I would like to inquire into employment opportunities in your **sales trainee** program. My goal is to work in retail sales and management, and I would like to relocate to Toronto after graduation.

As an upcoming graduate from a three-year Business Marketing program, I am eager to apply my skills with a growing company such as yours. My education has provided a solid foundation in both the theory and practical aspects of the retail industry.

Sales opportunities have always interested me and I have held a variety of sales and marketing positions in high school and college, as you will see by my enclosed resumé. My co-op with Jones & Company, a large department store, convinced me that sales and marketing were the fields for me. As I read about your company, it seemed to me that it provides the kind of professional retail environment that I seek. My previous employers will tell you I have demonstrated a strong work ethic, creativity, and excellent customer service.

Thank you for reviewing my resumé. I look forward to meeting with you in person to discuss my qualifications. I will contact you in the near future to discuss a convenient time. I can be reached at (519) 666-9999.

Sincerely,

Craig Bandeau

Craig Bandeau
Enclosure

Networking Letter

Networking letters are an important part of your job search. This correspondence can increase your number of contacts and find people to help you in your job search. Exhibit 6.4 demonstrates a typical networking letter.

EXHIBIT 6.4   **Sample networking letter**

2929 Appleton Court
Woodstock, ON
N6P 3L5

October 20, 2006

Ms. Marlene Walker, Director
Jones, Walker, and Smith
1400 Commerce Dr. Suite 201
London, ON N7P 5B6

Dear Ms. Walker:

Dr. Myron Olsen, professor of law at the University of Western Ontario and a personal friend of my parents, suggested that I contact you. He thought that you, as a corporate lawyer, might be in an excellent position to assist me with a decision relating to my career.

As a law student, I am exploring different paths of employment. Corporate law, media law, and tax and financial law all sound interesting to me at this point, but I want to begin my job search next term with a clearer understanding of these options. I would like to hear your opinion of these areas and get a glimpse of a corporate law office in action.

I will be calling you in the near future to see if we can arrange a brief meeting at your convenience. Thank you for considering my request. I can be reached at (519) 333-1111.

Sincerely,

Janet R. Counsel

Janet R. Counsel

Thank-You Letter

All successful job candidates have one thing in common: spending time following up and following through. Developing skills lists, updating resumés, even having a good cover letter won't help if you don't follow up on contacts and interviews. Employers expect it. In fact, a recruiter once commented that he did not bother to call anyone who did not contact him after the interview. Recruiters want to know that you want them. They expect you to assert yourself and go after the position by being aggressive but not obnoxious. One way to accomplish this is to send thank-you letters after each interview. A typical thank-you letter is shown. Chapter 9 discusses thank-you letters further.

EXHIBIT 6.5 **Sample thank-you letter**

1225 Hampton Avenue
Edmonton, AB
T8L 2N5

April 20, 2007

Mr. Derik C. Stephenson
Director of Human Resources
Peterson Industries
1345 West Edmonton Mall Road
Edmonton, AB T9C 3S9

Dear Mr. Stephenson:

Thank you for the opportunity to interview with you yesterday for the position of Systems Analyst. I really enjoyed meeting you and learning more about your consulting operations and financial records systems.

As I stated in the interview, the requirements for your position and my qualifications are a match. I have training and experience with the systems you use, plus I have excellent communications skills and can deal effectively with individuals on a variety of levels. I'm certain that I would fit into your team and would ultimately make a significant contribution to your firm.

Again I would like to stress my strong interest in your company. Thank you for your continued consideration.

Sincerely,

Charles S. Parsons

Charles S. Parsons

Acceptance Letter

The most joyful letter you may ever write is the acceptance letter. What is it and when is it used? An acceptance letter is sent to someone who made you a job offer that you plan to accept. Many offers are made verbally, and it is always a good idea to have the particulars of the offer in writing. Therefore, if the potential employer does not put the offer in writing (either initially or as a follow-up to the verbal offer), it is a good idea for you to draft an acceptance letter. There also may be times when the potential employer does put the offer in writing, and you may still wish to respond with your own acceptance letter. A sample acceptance letter is shown.

EXHIBIT 6.6   **Sample acceptance letter**

34 Millbank Drive
London, ON
N2L 7X7

July 29, 2007

Ms. Jennifer Kutkowski
Senior Employment Specialist
Apex Communication Company
London, ON N5P 1X7

Dear Ms. Kutkowski:

Please consider this letter my acceptance of your July 28th offer of the position of network administrator for Apex Communication. I am delighted that I will soon be joining your fine firm. I look forward to making a contribution to your organization, and I appreciate the opportunity you have given me.

As we discussed on the 28th, I will report to work at 8:00 a.m. on Monday, August 24th, and will have completed the required physical examination by that time. My starting salary will be $40,000 annually, and I will receive a performance review after six months of service. I will be reporting to Mr. Harold White as one of his junior network administrators.

I look forward to working with Mr. White and joining the team at Apex Communication. I will report to your office on August 24th to fill in the required personnel forms. Thank you again.

Sincerely,

James Herrman

James Herrman

Final Tips on Letter Writing

Having examined the various types of job search correspondence, there are a few final tips to keep in mind when creating any type of business correspondence. When typing the name of the recipient, use the proper courtesy title. The abbreviation "Mr." poses no problem because it is used for both married and unmarried men. "Miss" will work for an unmarried woman and "Mrs." may be used for married women. However, if the woman's marital status is unknown or you don't care to make this type of distinction, use the abbreviation "Ms." Do not make assumptions; you are safe with "Ms."

In addition to the courtesy title, proper spelling is also very important. If you are uncertain as to the spelling of a person's name, call the company and ask for the correct spelling. Remember, even simple names like Smith or Johnson can be spelled different ways. Also concerning names, don't assume certain names are either masculine or feminine. Frances could be a man, and Taylor could be a woman. Call to make sure. Also, if the addressee has a title, use it. Most people like to see their names and titles in print, and they definitely want to see them spelled correctly!

Do you know why a letter has the writer's name typed at the end? This is included in case the recipient cannot read your signature. Whenever sending business correspondence, sign the letter above your typed name. Also, if you are enclosing your resumé, be sure to type the word "Enclosure" underneath the signature block. This tells the reader that there is something else in the envelope. Also, as you did with the resumé, punctuate correctly and check carefully for misspellings and typographical errors.

Finally, it is a good idea to keep copies of all your job search correspondence. When you are in the middle of a busy job search campaign, it is helpful to review items you sent. Keep photocopies or save them on your computer.

A Few Words on E-mail

With technology having such a big impact on business correspondence today, it is necessary to say a few words about e-mail as it pertains to business correspondence. Both e-mail and instant messaging are two popular ways for individuals to communicate practically instantaneously in both personal and professional settings. E-mail has become the accepted norm for all purposes and types of professional communications. So the question becomes "Is e-mail appropriate for career correspondence?" As mentioned previously, there are varied viewpoints. Some people feel e-mail is most appropriate for sending cover letters and resumés to recruiters because it is an efficient and contemporary technique. Others believe it is too casual a medium for this type of correspondence and is easily ignored.

You will have to decide on the most appropriate way to let potential hiring authorities know who you are and why they should pay attention to your correspondence. In some instances, the application process is done online, so there is no choice. In others, the decision is yours. The **Companion Website** provides links to Internet sites that discuss writing useful, effective cover letters.

Internet Sites

Use the Internet sites listed on page 76 of Chapter 5, Resumés and References, for additional information.

JOB APPLICATIONS

In addition to letters, another written component of the job search process is the job application. Will it be necessary to complete an application? In almost all cases, the answer is yes. Most companies still use job applications and must have completed applications on file before offers are extended. Because job applications are still a common requirement for employment, be prepared to fill them out at any point in the job search process.

When you apply for a position, whether in person or through the mail, you may receive a job application. The application may be mailed to you, or you may be asked to complete it online or when you arrive for your first interview. No matter when you are asked to complete the application, keep the techniques discussed below in mind.

Again we need to discuss the Internet, as many application forms are now online. Ensure you follow the same strategies for completing online applications as you would for pencil-and-paper forms. It is critical that you complete all sections properly. Many companies set up the application to weed out improperly answered applications; in other words, they never get to the recruiter.

Getting Ready

To help you in completing an application form, have a copy of your resumé with you, or even a prepared master application to refer to. It is not acceptable to leave an application blank and write instructions to see your attached resumé or to submit your own prepared application. However, having a copy of your resumé or a master application to refer to can save you time and help ensure accuracy as you fill out the real one.

Before completing the application, read it thoroughly, no matter how many you have submitted previously. Each company's application may be just a bit different, so pay attention. Fill out the application completely and honestly. Do not omit or misrepresent anything. The falsification of application information can be grounds for immediate dismissal. Most applications have a space for your signature and the date at the end. Don't forget to sign it. Signing an application indicates that you affirm the completeness and accuracy of the document.

Print clearly and do not skip lines or sections of the application. If a line or section doesn't apply to you, simply write NA for "not applicable" in the appropriate spaces or place a small line in that section or box. It is not necessary (and would be difficult at best) to try to type your responses on an application.

Some recruiters say that they notice how careful job candidates are (or aren't) when filling out applications. Be neat. Also, recruiters say they are interested in viewing personal handwriting, so be sure your writing is legible! Here are five tips to keep in mind when preparing to fill out a job application.

Tips for Completing a Job Application

1. *Always use black ink.* Although pencil can be erased, it smudges easily and is harder to read. Do not use markers or gel pens.

2. *Check directions carefully.* Does the application ask you to print or write? What other specific directions does it give you? Remember to read the entire application before writing.

3. *Use correct spelling.* Be very careful; make sure you can spell all of the terms and words connected to your work. Don't misspell names of companies. Don't guess at any spellings; be sure before you begin.

4. *Be careful how you handle sections on salary.* The best place to talk about salary is in an interview, not in an application. Therefore, it may be

best to write "Open" or "Negotiable" if requested to indicate salary expectations. Any information on past salary history should be accurate.

5. *Practice makes perfect.* Practise by filling out the application on pages 89–90 (Exhibit 6.7). Have it available when applying for jobs so you can ensure accuracy, correctness, and neatness when you fill in the actual application.

Illegal Questions

You may be asked illegal questions on an application form. You will have to decide for yourself what you will answer, but you need to know what it is illegal to ask you.

On application forms it is not acceptable to include questions about the following prohibited grounds: race, ancestry, place of origin, colour, ethnic origin, citizenship, creed, sex, sexual orientation, age, record of offences, marital status, same-sex partnership status, family status, or handicap. Questions pertaining to employment-related medical examinations or medical inquiries that are part of the screening process are also not allowed.

However, it is legal to ask if the candidate is legally eligible to work in Canada, or if the candidate has the skills needed to perform the job.

For further information, consult the Website of the Ontario Human Rights Commission at www.ohrc.on.ca/english/index.shtml. While this information is specifically for Ontario, the other provinces have similar laws.

EXHIBIT 6.7   Sample employment application form

ACORN CELLULAR

Personal Information   Date _____

Name Last		First	Middle
Present Address	Street		City
Province		Postal Code	
Permanent Address	Street		City
Province		Postal Code	
Phone Number		**Referred By**	

Employment Desired

Position	Date You Can Start	Salary Desired
Are You Presently Employed?	If So, May We Inquire of Your Present Employer?	

Education

Name & Location of School	Years Attended	Date Graduated	Major/Program
Post-secondary			
Trade, Business or Correspondence			
High School			

General

Subjects of special study or research work
What foreign languages do you speak fluently?   Read?   Write?
Are you legally eligible to accept employment in Canada?   ❑ Yes   ❑ No

Work Related Skills

Describe any relevant skills, certificates, licences, or training.

Former Employers (List below your last four employers, starting with last one first)

Date/Month/Year	Employer Name and Address	Salary	Position	Reason for Leaving
From To				
Responsibilities				
From To				
Responsibilities				
From To				
Responsibilities				
From To				
Responsibilities				

References (Give below the names of three persons not related to you whom you have known at least one year)

Name	Address	Business	Years Known

I authorize investigation of all statements contained in this application. I understand that misrepresentation or omission of facts called for is cause for dismissal.

Signature	Date

Whenever you fill out a job application, keep these three points in mind:

- Supply complete information.
- Be honest.
- Write legibly.

MY Focus

Your cover letter is a wonderful opportunity for self-promotion; that's the goal of this piece of career correspondence. Try this before you begin to craft your letter:

1. Find an advertisement for an opening in which you have interest. List three technical/business/career skills you have that qualify you for that position.

2. List three personal or nontechnical skills you could use to promote yourself for this position.

3. Examine the job description and match your skills to the traits desired.

4. Structure your letter in such a way that you are proving, point by point, that you have the requisite skills or experience for this job.

5. Finish by writing a "marketing" sentence that lets the company know that you are the candidate that they should interview.

Now, combine all of these steps for a tailor-made cover letter. Repeat the process for each position for which you wish to apply.

FINDING YOUR FOCUS

1. What are the functions of each of the paragraphs of the cover letter?

2. How should cover letters used in your job search be different from each other? Why?

3. What is the difference between a prospecting cover letter and a networking letter and how might you employ each in your job search?

4. What are the three key points to keep in mind when filling out a job application?

5. Complete the sample application form. Have a friend check it for errors or incomplete information.

Professional Portfolios

After completing this chapter, you will be able to:

- Illustrate the importance of the professional portfolio in today's job search.

- Outline the different types of portfolios and determine how to select appropriate samples.

- Plan, format, and assemble a professional portfolio.

- Define the electronic portfolio.

- Effectively use a portfolio in career interviews.

A Way to Prove Yourself

Every job is a self-portrait of the person who does it. Autograph your work with excellence.

—UNKNOWN

As a job candidate of today, you need all the ammunition you can get to succeed in your job search. There is more competition for available jobs, employers tend to be more skeptical of what candidates say they can do, and recruiters want to be sure they are making the best choices possible when they invite individuals to join their firms. An important tool to have in your job search is the professional portfolio. This tool contains samples of your finest work, whether taken from academic experiences and assignments or from previous work experiences and projects.

The use of portfolios by savvy job candidates is increasing. They realize that employers are very interested in seeing first-hand how and how well candidates can demonstrate their skills and perform their work. Tangible examples of these skills and capabilities are useful weapons.

The portfolio is an extremely effective tool to help achieve the important goal of proving yourself. It focuses the employer (and you) on your relevant skills and experiences. It moves you well past merely talking about yourself on paper as you did in your resumé. It is a powerful and dynamic interview aid. Portfolios are useful to the most confident of candidates as well as individuals who are a bit uncomfortable with selling themselves in an interview situation. Once you have a professional portfolio prepared, you will have numerous opportunities to use it in the interview process, and you will find that this tool helps you to be a confident, impressive candidate.

This chapter on professional portfolios addresses portfolio skills assessment, the selection of and types of samples, sample items, and portfolio planning, formatting, and compiling. Finally, there are discussions on electronic portfolios and using the portfolio you created.

PORTFOLIO SKILLS ASSESSMENT

The skills that employers seek have previously been discussed. Now, let's focus on critical skills and personal abilities that employers seek and are eager to see you demonstrate or document.

Skills and Personal Abilities to Demonstrate in Your Portfolio

1. Problem-solving skills. Can you assess circumstances and develop solutions? Can you develop plans to solve various problems?

2. Communication skills. Are you able to organize your thoughts clearly and communicate those thoughts effectively? Are you a good speaker and a good writer? Are you able to persuade others?

3. Resource allocation skills. Can you manage your time effectively? Can you manage resources well?

4. Technical skills. How proficient are you in the knowledge and skills in your course of study or technical field? How knowledgeable and skilled are you in the technology for your area, including any computer programs?

5. Teamwork skills. Do you work well with others? Do you shoulder your share of responsibilities in team settings? Do you demonstrate a commitment to the team or group?

6. Leadership skills. Can you inspire others and help them to bring out the best they have? Can you help those who work for you to meet stated goals and objectives?

7. Conflict management skills. How do you help others who are in conflict? Do you look for the best resolution for all parties involved? Can you deal with stressful situations and disagreeable people?

8. Self-confidence. How confident are you in your personal resources and abilities? How can you demonstrate your confidence?

9. Initiative. Are you able to see what needs to be done without having someone tell you? Do you initiate action? Do you follow up on commitments?

10. Quality. Are you committed to doing high-quality work? Do you work up to the standards given to you and do you set your own high standards?

11. Drive. Are you enthusiastic and motivated in your work and personal life? Do you have reserves of energy and enthusiasm that you can draw upon?

12. Imagination. Are you creative? Can you develop new and different ideas and solutions to problems? Can you see issues from different angles?

13. Flexibility. How adaptable are you to change? Are you open to and do you welcome new situations and ideas? Can you roll with things when necessary?

14. Goal achievement. Are you a realistic goal setter, and do you know how to work toward and meet those goals? Can you stay dedicated to goals and objectives when your abilities are challenged?

Once you have worked your way through this list of questions, you are ready to determine which portfolio materials will best reflect these skills and personal competencies. A Portfolio Skills and Personal Abilities worksheet is included on the **Companion Website** to help you generate answers to the above questions.

In addition to assessing your skills and personal abilities, it is important for you to examine your school, work, and life experiences to identify any accomplishments that are relevant to your job search and important in developing your professional portfolio. Ask yourself: What are the accomplishments of which I am most proud? These accomplishments may come from your activities that brought you the most satisfaction. These could be activities and accomplishments that occurred at school, at work, at home, in sports, in music or art, while volunteering, and so forth. Summarize three to five of your strongest accomplishments. This list is an excellent resource for the later steps of portfolio sample selection and development.

SELECTION OF AND TYPES OF SAMPLES

Depending on your specific skills and competencies, any of several types of sample materials can be included in the portfolio. As part of this portfolio preparation process, continue to develop lists of your prominent skills and abilities, both technical and nontechnical, and consider a variety of documents and examples that demonstrate these specific skills. For example, if your goal is to demonstrate computer programming skills, select a particularly challenging program you wrote or debugged. In addition to samples of specific skills or competencies, include some or all of the following typical samples. The samples that follow include suggested representative materials.

Resumé/Statement of Career Goals

The resumé is a good beginning for a professional portfolio. Also, listing your career goals helps potential employers understand what you are looking for and determine how well your plans match what they need in an employee. Goals are also a good way to demonstrate to employers that you are focused on future achievement.

Work Samples

Samples of your work might include materials from school projects, classes, or labs; on-the-job accomplishments that demonstrate your work skills, including professional presentations; work projects such as proposals, manuals, or other written documents; employer evaluations or summaries of performance reviews; and correspondence and multimedia presentations.

Certifications, Diplomas, Degrees, and Awards

This category covers copies of special achievements and recognitions of your work, technical certifications, diplomas from training programs, and newspaper or newsletter articles relating to your awards or achievements.

Community Service/Volunteer Work

Documents, letters of recognition, photos, brochures, or other items serve to show your contribution to community service projects. Include any written materials you developed as a part of your service or volunteer efforts.

Academic Record/Transcript

Include a copy of your program of study or unofficial transcript that shows the courses completed for your degree and grades achieved. Official course outlines could also be included, especially for technical courses relevant to your goal.

Letters of Recommendation/ Commendation

These are letters from professors, supervisors, managers, or colleagues who have worked with you and can testify to your accomplishments; and commendation letters or memos received in recognition of special performance or contributions. Included in this category may be customer letters of recognition as well.

Electronic Materials

These materials include CDs, disks, videos, Websites, or other electronic samples that show outstanding and unique achievements, including graphics, multimedia, and sound files.

Obviously if you are not a new graduate, you should supply a greater number of work samples and achievements and possibly omit your academic record, depending on how long it has been since you were in school. If you are a new graduate, include your academic record and any work achievements you have had while in school or over the summer. And don't forget that as a student you can generate impressive letters of recommendation as well!

PLANNING THE PORTFOLIO

The first step is to clarify your portfolio's message. Why are you putting it together? What does it say about you? What exactly are you stating or proving with the samples you have selected? What impression do you want this tool to make? By writing out your portfolio's message, you are organizing and selecting the materials to use. All samples in the portfolio should in some way support your written goal. This message does not go into your portfolio; it is for your own use and will help you put together the most focused portfolio possible.

Sample Message

My portfolio demonstrates that I can develop and implement networked computer systems that contribute to workplace efficiency. It proves that I am a good business communicator, effective problem solver, and valuable team member.

A message like this can not only help clarify your portfolio's goal, it can also be a handy statement to use when describing yourself to the employer!

In addition to developing your portfolio's message, you should make a solid statement of goals for the employer to see. Listing career goals in your portfolio can help potential employers understand you, understand what you want in a career, and see how you would make a good employee. Career goals also demonstrate that you are a career- and goal-oriented person who wants to continue to achieve for yourself and for your employer. The following are suggested guidelines for developing three to five goals for your portfolio:

- Focus on the professional skills, knowledge, and achievements you want to pursue over the next two to five years.

- Ask yourself where you see yourself professionally four to five years from now. What do you want your accomplishments to be?

- Make your goals more specific than career objectives, focusing on specific accomplishments whenever possible. These goals should be measurable so you can tell when you have accomplished them.

Sample Goals Statement

- To hold a team or leadership role in IT projects.
- To develop project management skills by working with project managers and project personnel and by successfully using project management software tools.
- To earn outstanding performance reviews and receive promotions.
- To mentor new employees or trainees in the IT department.

Sometimes, it is easier for an experienced individual to write goal statements because she has been working in the industry or field and is working from previous goals and performances. However, this should not deter new graduates. A new college graduate with a portfolio goals statement says to the potential employer that this is a person with vision and self-knowledge; the type of person he wants to employ.

Primary Skill Areas

As you plan your portfolio, you will see that the body, which includes your samples, must be organized in a logical pattern. This is the meat of your portfolio, so you must select your samples with great care and purpose. To do this, choose three to five primary skill areas that you want to demonstrate. These could include the following:

- Technical skills: computer programming, electronics engineering, project management, accounting, medical systems.
- Transferable skills: data gathering, analysis, planning, research, problem solving, conflict management.
- Functional skills: persuasion or sales, using technology, understanding business operations.
- Personal skills: writing, speaking, collaborating, leading, negotiating.

Once you have chosen the skill areas to emphasize, organize your samples into the appropriate categories. Use a separate category called "Other" for those materials, including electronic ones, that don't readily fit into any other category.

The next step in planning your portfolio is organizing your materials. Your message statement can help you organize the sections of your portfolio so they best represent you. Just like no one resumé format fits every candidate, no one portfolio format works for everyone. Let your own talents, strengths, and message be your guide.

Organizational Structure

Below is one organizational structure that may be useful in putting together your portfolio, but consider your own individual characteristics before adopting a format.

1. Resumé and/or Statement of Goals
2. Thematic or Skills Areas
3. Academic Record
4. Certifications, Diplomas, Degrees, Awards
5. Community Service
6. Letters of Recommendation/Other Correspondence
7. Other (electronic)

Remember, your portfolio may contain all or only some of these categories, depending on your personal needs. Avoid the tendency to put too much into your portfolio as this will get you nowhere. Busy recruiters don't have the time to wade through endless examples and documents. Choose your content carefully to support your portfolio's message.

Organizational Techniques

Your portfolio should have particular elements that make its organization clear to the reader. Consider the following and decide which one or ones will work best for you.

Table of Contents

This should come at the very beginning of the portfolio. It is useful because it gives the reader an overview of what is inside. List the categories and the samples by name and indicate the pages where they are located.

Annotated Table of Contents

Although this is similar to a regular table of contents, it includes a bit more. Underneath each entry in the table of contents, include a brief description of what the sample is and what skills or abilities it demonstrates.

Cover Pages

These are created to introduce each portfolio section. They might be tabbed sheets that unify the separate elements of the portfolio while allowing the reader to see all of the units or categories at once. This particular type of formatting is discussed later in the chapter.

Labelling Samples

These are short overviews written for each sample. (These overviews can also appear in an annotated table of contents.) Appearing at the top of each sample, include the following information:

- What the sample is.
- What it is for, why it was done.
- When it was done.
- Who else was involved.
- What skills it demonstrates.

Statement of Originality

Last, you may want to include a statement of originality or confidentiality in your portfolio. This helps to protect the contents from being duplicated and protect any proprietary materials that may be included. This statement may say that the portfolio is your original work and cannot be copied without permission. It may also state that some of the materials are private and proprietary and should not be copied without permission.

FORMATTING THE PORTFOLIO

Now that you have organized your portfolio, turn your attention to its format. Because we live in a very visual society, visual cues are important for getting attention. Therefore, you must pay particular attention to good visual design.

Good visual design achieves the following: gains the reader's attention, clarifies and supports the document's organization, helps the reader understand the message, adds credibility, and demonstrates professionalism. These achievements make it clear why it is so crucial to spend time on good visual design. The following tips will assist you with your visual design plan.

Visual Perception Tips

- When people read in our culture, their eyes move from upper left to lower right on a page.
- People tend to start reading where the strongest visual element is on a page.
- People notice illustrations before they notice text.
- People perceive larger items as more important than smaller ones. The same is true for larger headings as opposed to smaller ones.
- People pay attention to colour more than any other visual feature.

To discuss visual elements and your portfolio, let's examine typography, titles and headings, graphics or images, placement of elements, colour, and white space.

Typography

Your choice of fonts creates a look and feel for your portfolio. The two main font categories are serif and sans serif. Decorative fonts also exist but typically they are not suitable for resumé or portfolio use. Serif letters are accented with ornamental lines at the end. Examples of this font type are Times, Century Schoolbook, and Garamond. Serif fonts are commonly believed to be easier to read in large blocks of type. Sans serif letters are straight and lack ornamentation. Examples of this font type are Arial, Helvetica, and Optima. Sans serif fonts are often used for headings and as display type. Decorative fonts are more elaborate versions of either serif or sans serif fonts. Examples are Stencil or Onyx fonts.

Which font is best for your portfolio? As with many other aspects of personal portfolio development, you are best qualified to determine which fonts you want to use. However, there are guidelines for the good use of typography.

Typography Guidelines

- Body text is commonly a serif font in 10, 11, or 12 point size.
- Titles and headings are usually sans serif in 16 to 18 point size.
- Decorative fonts should be used sparingly, if at all. They tend to be difficult to read.
- Two fonts are the maximum for one page—one for text and one for headings.

In addition to these guidelines, here are a few additional suggestions for font usage and layout:

- Use all capital letters sparingly, and don't overuse bold and italics.
- Don't underline text; use bold or italics when necessary.

- Single-space body text; double-space before and after headings.
- Use one-inch margins all around.
- Don't cram a lot of text onto one page.

Title, Headings, and Captions

These components can be formatted to attract the eye. For your portfolio, use them to demonstrate a skill, show an action, or clarify something. Remember to use consistent formatting for each example of an element. For example, all titles should be treated consistently, all captions should be treated consistently, and so forth.

Graphic Images

Graphic images may include photos, illustrations, maps, charts, and other visual aids.

Use graphic images to break up text and provide variety on the page. Make sure your graphics are easy to understand and relay an important message. Always use high-quality images. Never frustrate your reader with a fuzzy or poorly rendered image. You might consider using borders around your graphic images to give them a formal, finished look.

Placement of Elements

A fact of visual placement is that the reader's attention can be directed by placing objects or visual cues in a sequence such as left to right or top to bottom. With that in mind, place the most important information near the top of the page. This was true for your resumé, and it is true for your portfolio.

When the eye is at rest, it tends to move to the bottom left section of a page, sometimes referred to as the visual hotspot. Place important messages in the visual hotspots for extra attention. Finally, a border or frame around a title or cover page gives it a more professional look and draws the eye inward on the page.

Colour

Colour is powerful and creates immediate impressions. Use colour to accentuate or differentiate elements. An example might be to colour code sections of the portfolio or highlight important elements or information in the same colour. However you decide to use colour, use it consistently to keep a professional look. Keep your colours easy on the eye, not garish or too bright. Don't overdo colour in your portfolio. This tends to make it look unprofessional and somewhat juvenile.

White Space

This is the blank area around text and graphics. The use of white space affects readability. Too little of it causes the page to look cramped and uninviting. Too much of it makes the page look unimportant or confusing, causing problems with where to focus first. If your pages look too crowded or incomplete and confusing, adjust the white space accordingly. Remember, a common problem with layout is placing too much information on a page.

A discussion of portfolio development is not complete without advice on presenting portfolio samples. The following tips should be kept in mind when you are preparing your samples for presentation.

Advice for Presenting Samples

Paper

Use the same paper throughout. Use high-quality, heavy bond paper, not thin photocopy or printer paper. You may want to use coloured paper in subtle shades to colour-code sections or accentuate important items.

Cropping

If you want to show just part of a sample, cut a window out of a blank sheet of paper and lay the new frame over your sample to crop what you don't want. Then, photocopy the new page for a finished look.

Videos, CDs, Computer Disks, DVDs

If you have to include a videotape, use VHS half-inch format, not 8mm or other formats. Make sure your tape is labelled. If supplying a computer disk, CD, or DVD, make sure the label identifies what is on the disk and clearly explains how to use or open it.

Clip Art

Use clip art only if it will enhance your message and look professional. Avoid cartoons or childish artwork. Stay away from overused, basic clip art that lacks imagination. All graphics in your portfolio must have a purpose and look professional.

ASSEMBLING THE PORTFOLIO

Now that all your hard work of planning and formatting is done, it's time to pull it all together. Find a clean, flat space to organize and assemble your items. Have all necessary supplies and materials nearby so you can put things together smoothly and efficiently.

Supplies

Supplies include a three-ring binder or zippered portfolio. These can be cloth, vinyl, or leather but not paper. A binder or portfolio two or three inches wide should be suitable, depending on the number of samples included. Try not to fit too many samples into a binder that's too small (one inch), and try not to use too large a binder (three inches) for too few samples, which may then look incomplete. If using a binder, select one with a clear plastic covering on the front. This plastic pocket is handy for inserting your cover page and protecting it during use.

Use clear plastic sheet protectors for your samples. These are three-hole-punched and can be single or connected. See your local office supply store for various types of sheet protectors. You may also want to use tab dividers. Check out the several varieties at your local store with binder in hand. If using sheet protectors, you may need to use extra wide tabs. Whenever possible, affix a typed label to your tabs rather than writing them by hand. Other optional supplies include photo sheet protectors, pouches for videotapes or other bulky items, and disk or CD holders.

Assembly Steps

After purchasing the supply items, you are ready to put them all together. Following are a few easy steps to follow:

1. Create your sections with your tab dividers and label them.
2. Insert the appropriate materials in sheet protectors and place them in the binder according to the table of contents and tabs.
3. Insert other pages including the cover page, table of contents, section cover pages, and sample overviews.
4. Proofread the portfolio very carefully, page by page and tab by tab, and correct all errors.
5. Review your portfolio with a family member, friend, or colleague who can give it a useful critique.

TIPS FOR INCREASING YOUR PORTFOLIO'S IMPACT

Increase Visual Content

Experts in electronic graphic design recommend that visual information make up a good portion of the pages and screens in electronic media. Some documents may have up to half of the information in some sort of visual form, including blank or white space used around text and graphics.

Create a Visual Identity

Symbols, logos, lines, and other visual elements repeated throughout a document, or the entire portfolio itself, give your portfolio a visual identity. Visual identity ties the various pieces of your portfolio together, making it easier to follow and understand, and giving it a unique personality, while creating a finished, professional look.

Keep Formatting Consistent

Always use a consistent format for all visual elements throughout a document. For example, if you use certain dashes or lines to separate items on one page, you should use them as appropriate on other pages. This creates unity in your document.

Remember That Less Is More

Presenting too much information—whether it's too many samples, too many photos on one page, too much solid text, or too many lines and symbols—clutters your presentation and your message. It is better for a potential employer to remember a few key points and examples than to remember very little because there was too much to see.

Now, sit back and admire your work! You have put together a tool for your job search that is sure to impress any employer and may be just the edge you need to secure that job offer.

ELECTRONIC PORTFOLIOS

In this day and age of Web and Internet use by employers and job seekers alike, it might be useful to have an electronic portfolio as another marketing tool. What is an electronic portfolio? This is a personalized, career-oriented Website placed on the Web to be accessed by others. Electronic portfolios should not take the place of paper-based, hard copy portfolios, however. They are merely another dimension of self-marketing.

If you want to have an electronic portfolio, you must (a) be talented enough to do it yourself or (b) pay someone to do it for you. You must also have space with an Internet service provider to house your portfolio file and make it available to others.

Advantages

Some advantages of electronic portfolios are as follows:

1. It allows employers to look at your material at their convenience.
2. It allows employers to spend more time reviewing your qualifications outside the interview setting.
3. It allows employers to conveniently share your portfolio with others.
4. It is easy to update by deleting, adding, or changing electronic materials or links quickly. Here is where an electronic portfolio is more flexible than paper-based portfolios—changes are made in minutes.
5. It is a medium that is colourful, creative, and dynamic in its presentation and can include audio and video clips as well as hyperlinked information.

6. It shows that you are a computer savvy person who uses current technology in your job search.

7. It is fun to put together!

An electronic portfolio is a high-tech way to let people know who you are, what you can do, and that you are available for work. Physically, it doesn't have to look very different from a paper-based portfolio; the contents can essentially be the same. However, because electronic portfolios, through hyperlinks, have no limit on how much can be displayed, creators of such a tool have the freedom to place much more content online than is practical on paper. Hence a word of caution is appropriate here. Recruiters have limited time to assess portfolios. So, remember to select and include materials that are particularly relevant to the type of employment you are seeking.

Whether you are creating your own online portfolio or are having someone do it for you, you must follow some good formatting, design, and layout rules. The Tips for Increasing Your Portfolio's Impact (page 101) should be reviewed as you develop your online portfolio. In addition, the layout guidelines found on page 103 will help your Website look more attractive.

Steps to Create an Electronic Portfolio

Here are a few simple steps to follow while developing your own electronic marketing piece.

Step 1: Collect

Locate all samples and other documents that you want to include. Hopefully, most of your resources are already in easily converted electronic files. Other pieces that are not already in electronic files will need to be scanned. After scanning any materials, check them for accuracy and correct formatting.

Step 2: Organize

Using your paper-based portfolio as a guide, create a sketch or storyboard of your portfolio site on paper. Remember that a Website is not linear. Your sketch should include arrows to create a type of flowchart that shows how a viewer can get to where he or she wants to go from anywhere in the Webpage. Because you cannot control the order in which viewers look at your pages online, each page or section must stand alone.

Start with the "front page" of your Website or the home page. Create buttons, or links, on that page for the major sections of your online portfolio. To make navigating easier, use these same buttons on every page of the site. These are your master navigation tools that allow viewers to get where they want to go at all times. Align these buttons or links across the page top or along the left-hand side.

The portfolio sections come next. Make sure these are well defined. If a section contains a single item like a resumé or goal statement, link them directly to that item. If the section is something like a skill area with many samples, link them to an overview page that lists each sample and links to the sample from there.

Finally, your electronic portfolio will have pages for individual samples. In general, you should place only one sample on a page. However, several smaller or shorter items may be combined on one page. Remember to keep sample pages (as well as all others) relatively short. Most viewers are turned off by long, scrolling pages.

Step 3: Create Your Website

Use a software program to create your site (or use someone's services). Follow good principles for visual presentation by remembering these guidelines:

- Maintain a consistent look across all pages.
- Use short paragraphs.
- Avoid italic or other fancy type; these are hard to read on screen.
- Avoid unnecessary features like blinking buttons or animations with no valid purpose.
- Avoid patterned backgrounds that make the text hard to read.
- Keep most images small and simple for faster loading.
- Don't overload the page with graphics. This is distracting and increases loading time.
- Keep it simple. Strive for a site that is easy to read, easy to navigate, and quick to load.

Step 4: Test Your Site and Find a Host

Test your site on different browsers such as Internet Explorer, Netscape, and America Online. Show it to friends and ask for critical comments. Revise it as needed. Be sure to proof every element of your site, including text, graphics, headings, buttons, and links. You do not want your site to create a poor impression due to a lack of good proofing and quality assurance!

There are many free or inexpensive ways to set up a Website on the Internet. If you already have an Internet service provider (ISP), ask the company if they offer personal Webpage space as part of your regular Internet access fee. Once a host is found, upload your files and start using your impressive online portfolio.

Guidelines for Electronic Portfolio Layout

- Make sure your name and contact information are prominent on your Webpage. Some individuals are reluctant to post personal information such as an address and telephone number on the Internet. If you are not comfortable doing this, an e-mail address is an acceptable alternative means of contact.

- Put no more than one to three main ideas per screen.

- If you are using photos or other graphics, make sure these are crisp, clear, and easy to follow.

- If you are using colour, make sure it is not too bright or neon. Exceedingly bright colours tire the eyes and don't invite prolonged viewing. Select colours that are compatible and allow for easy reading. For example, light yellow lettering on a white background may combine two of your favorite colours, but this makes reading your text next to impossible! Also avoid using too much black as you might convey too sombre a tone with lots of dark colours.

USING YOUR PORTFOLIO

Your portfolio is one of the most powerful tools you have to market yourself during an interview. It provides evidence to back up what you say about yourself; it helps you respond to a variety of interview questions in a clear, organized, and impressive manner; and it even helps the occasional unskilled interviewer with interview conversation.

When to Mention It

As soon as you are comfortable in an interview discussion, mention that you brought some materials or samples of your work for review. In some types of interviews, you may have to wait until you approach the question-and-answer portion before referring to your portfolio materials. Use it to demonstrate the talents, accomplishments, and skills you are promoting. Don't use it to answer direct questions about your qualifications or skills. First describe what you have done or can do, and then demonstrate it with samples from your portfolio.

Structured versus Unstructured Interview

In a rather structured interview, you can use the portfolio to help answer specific questions. For example, suppose an interviewer asks you for an example of how well you work in teams. You can present a story that shows your teamwork skills and abilities, then follow it up with your samples as a demonstration. If you find yourself in an unstructured interview where the discussion is more casual and unfocused, use the portfolio to talk about yourself in general, giving the recruiter a detailed overview of your goals and accomplishments as they are presented in the portfolio.

Read the Situation

Portfolios can help you really score points during the interview; however, even though you know you have an outstanding marketing piece, not everyone may be as excited about it as you are. You may be in an interview with someone who is not familiar with professional portfolios, or someone who prefers verbal conversation to looking through a binder or at a CD. Although you should always let the interviewer know that you have a portfolio and look for opportunities to use it in an interview, never force it on anyone.

Leaving Samples

On the other hand, if you have a recruiter who is really impressed by your portfolio and wants to keep it for a week or so, be careful. You can leave it with her if you do not have any interviews scheduled or on the horizon during that time frame; however, be wary of letting people have your portfolio for an extended time during your job search. Make sure you set up a specific time that you will return to pick it up, not usually more than 24 hours. You don't want such an important marketing tool out of your possession for very long. What you can do to create a memorable impression is to offer to leave behind photocopies of appropriate samples that the recruiter may keep. This technique shows you are prepared and leaves a lasting impression of you long after the interview is over. You may keep extra copies of key documents behind the original in your page protectors or have an extra copy of several documents in a small folder to leave behind.

A good portfolio can help you during your job search and later in your career as well. After you begin your career, don't throw it away or bury it at the bottom of some drawer or closet! A portfolio can be the centrepiece of your ongoing career development. Continue to update it with information, material, samples, and letters from your current and future employment. Your professional portfolio can be especially useful during performance reviews, consideration for special projects, and interviews for promotions. By making your portfolio a part of your ongoing career development, you will be prepared to meet challenges and changes that are so much a part of the work world of today.

A professional portfolio is the epitome of marketing yourself!

MY Focus

Several of the benefits to developing a portfolio may not be as obvious as others. Clearly, a portfolio is useful for demonstrating personal skills, talents, and achievements. But did you know that developing this tool assists with your personal assessment and self-promotion from the moment you decide to do one?

BENEFITS

1. Portfolio development requires that you reflect on just how you intend to market yourself.

2. Portfolio development forces you to verbalize your past talents, skills, achievements, and future goals.

3. Portfolio development allows you to reflect back on some of your best work and shining moments and bring that positive history to today's job search.

4. Portfolios give you a chance to be creative in showing a prospective employer exactly who you are and what you can do.

FINDING YOUR FOCUS

1. Brainstorm for a few moments and come up with a list of five work samples you could use in your professional portfolio. For each sample, indicate the skills and abilities that are reflected.

2. List two of the five visual perception tips discussed in the chapter that you want to keep in mind when you develop your own portfolio.

3. What is another source of visual graphics that you can use in your portfolio besides standard clip art?

4. What are some advantages and disadvantages of the electronic portfolio?

5. Describe two interview scenarios where you could easily refer to your professional portfolio.

CHAPTER

Before the Interview

CHAPTER OBJECTIVES

After completing this chapter, you will be able to:

- Summarize the importance of researching companies and doing company research.

- Identify the three basic types of interviews.

- Describe the forms of interviews.

- Appreciate the importance of dressing for interview success and identify appropriate dress and grooming for formal interviews.

How Best to Prepare?

You can succeed if others do not believe in you. But you cannot succeed if you do not believe in yourself.

—DR. SIDNEY NEWTON BREMER

In addition to a well-crafted resumé, interviewing successfully is crucial to your job search. The resumé lets people know who you are and helps you set up an interview. However, the interview is the key to unlock the door to the job you want. An interview provides the opportunity to personally present your qualifications and experience to an interviewer. More important, though, is the interviewer's assessment of your personality, interpersonal and communication skills, and ability to fit into the organization. Therefore, it is critical that you convince the recruiter not only of your technical ability to do the job, but also of your personal abilities—you are a good person, you communicate well, and you can fit into and be an asset to the organization.

A recruiter is not merely interested in a list of your courses, degrees, previous or current work experience, or other resumé items. A prospective employer wants a qualified employee who is a team player, can communicate, can take advantage of opportunities, has a high energy level, keeps an upbeat attitude, and demonstrates high ethical standards. That's quite a list of desirable traits! Keep in mind, companies want only the best and will do all they can to hire the best candidate. Your challenge is to convince the recruiter that you are the very best person for the job. The setting for this persuasive discussion is, of course, the interview. The interview is one of the most important business meetings you will ever have.

So, how do you prepare for it? This chapter discusses company research and its benefits, the types and forms of interviews, an overview of the stages of an interview, and dressing for interview success.

COMPANY RESEARCH

How many job seekers do thorough company research as part of their interviewing preparation or as part of the preparation for their job search in general? Although it's hard to say what percentage of seekers do a good job researching,

it is safe to say that very few engage in this very important activity. Is researching a company really that important? You bet it is! Job search experts often mention the importance of researching a company before going to an interview, and they also recommend that the research be done before sending out resumés and cover letters. Companies should be researched as part of each job search process.

The Benefits of Company Research

What are the benefits of researching a company? Many job hunters select potential employers somewhat haphazardly. They may learn about openings through friends, the classified sections in newspapers, or on the Internet. These job seekers may do a bit of research on a company once an interview is secured, but they are missing out on many benefits by not focusing on a comprehensive plan to research important companies throughout the job search process. Researching companies helps you select which to pursue for employment, create good resumés and cover letters, conduct more effective interviews, and make informed employment decisions.

Research companies that you are interested in working for. These are companies that are prime candidates to receive your cover letters and resumés. Learn as much as you can about them including such things as reputation, organizational structure and operation, finances, locations, and personnel. Use this information to determine which are a good employment match for you and where you would fit in best.

After you receive a job offer, or even when you are comparing two companies for possible employment, reflect on what you have learned about these companies through the interview process and through your personal research. This information is valuable in helping to determine with whom you will accept employment. As you can see, company research offers benefits throughout the job search process, but the area that deserves the most focus here is how it relates to the job interview.

Company Research and Interviews

How can company research affect the outcome of an interview? Based on what you learn when you do your research, you will be able to:

- Respond to certain interview questions in a way that demonstrates the fit between your background and the company's needs.
- Skillfully interject a thought or idea about the company that you learned from a recent news story or an online review or evaluation of the firm.
- Ask intelligent questions about the company's corporate philosophy, marketing efforts, or future plans.
- Comment on the firm's mission statement or vision statement and discuss how that relates to the contributions you plan to make to the company.

Using company research in an interview demonstrates to the potential employer that you care enough about the interview and the position to do your homework. Also, when you ask questions about the organization as a whole and your role within it, you demonstrate to the recruiter that you can think beyond the open position and the typical questions about job duties, benefits, and so on. You are proving that you are a person with vision, and you are interested in helping the organization reach its goals. Using company information during an interview can only help you score points with the recruiter.

WHAT SHOULD BE INVESTIGATED?

Now, let's take a look at what should be investigated. Both traditional and electronic sources can supply a wealth of information. In fact, often it is difficult to distinguish between what may be valuable for you to learn and what may be interesting to know but not necessarily useful for your job search.

Certainly you'll want to learn about the company's products or services and their finances; however, it may not be essential for you to learn that the company was founded in a garage by two young entrepreneurs or that the company has had 12 acquisitions in its 50-year history. This may be interesting information but might not be critical during an interview discussion.

On the other hand, it may be useful to learn what percent of their profit is returned to the company to fund research or where the company stands on the list of top performers in the province. It also may be useful for you to demonstrate that you know about a new product or service or marketing plan that the company has just announced or make a comment about an Internet stock analyst who feels that this is the up and coming company in its field.

The exact type of information to be gathered and studied is up to you. Make a list of the information you feel is important. To assist you, the box below offers examples of useful company research information.

Company Research Information

- Products and/or services (current and future)

- Parent company and subsidiaries and their locations

- Number of employees

- Annual sales and/or profits for the last several years

- Potential for growth of the firm and of its industry as a whole

- Position in the industry; major competitors*

- Organizational structure and management style or philosophy

- Corporate mission or vision statement

- Philosophy on training, development, tuition assistance, and other employee programs

- Recent news stories about the firm (expansion, new contract, recent acquisition, new product line)

*Getting competitor information can help you find companies in the same field who may be potential employers.

GATHERING INFORMATION

One way to gather information is through traditional sources. These are paper-based sources that are most often found in libraries and learning resource centres. Whether you are searching through a business, college, or community library, there are a variety of sources in the reference section, including directories of company information with helpful geographical or industry indexes. Whatever resource books you choose to use, look first at the beginning of the books to familiarize yourself with how they are organized. Also look through the indexes; they can quickly tell you whether the information you want is there. Some examples of these resources are job almanacs, company directories, company annual reports, and employment guides. Also, if a company is small or regional, try going to the public library in the town or city where the company is located. That library may keep files on local companies that contain information not available elsewhere.

A more popular way to research companies is by using *electronic sources* through the Web. There is a wealth of information online including company Websites, company directories, and investment Webpages.

There are also many different approaches to doing company research online. If you are a current college student or have access to your neighbourhood library, you may be able to search selected databases that contain company information. For instance, some databases provide the full text of thousands of magazine, newspaper, and journal articles—a valuable unbiased source of information about companies. Some of these databases are CBCA Business, Canadian Newsstand and Canadian Reference Centre. They provide in-depth reports about public and private companies. Talk to your librarian to see which databases are available and how they can best be explored.

Another approach to researching companies online is searching the World Wide Web using popular search engines such as Yahoo! and Google. Keep in mind that when you do a general search like this, you are likely to get back much more than you expected. Unless you successfully limit your search terms, you will probably have more hits than you have time to review.

The World Wide Web is useful to look up a company's Website. Many companies today have a presence on the Web. It's possible to find these pages by entering the name of the company or an abbreviation of its name followed by a period and the term "com" into your browser's address space. If this doesn't work, go back to the search engine and try the name there as a search term. Remember, when you explore a company's Website you are finding only what the company wants you to learn about it. Typical Website information includes products and services offered, corporate mission statements, division or branch offices, financial information, listing of staff with e-mail addresses, and even current job openings! Although this is useful in your job search, it shouldn't be the only means to get company information.

Another very effective way to learn about companies is through other people or *personal sources*. Using your networking contacts, get the names of people who are employed with the companies you are interested in and make arrangements to talk to these people. Alert your family, friends, and acquaintances to the companies you are interested in and see if they know an employee or someone who has a connection to these companies.

Another excellent method of gathering research information through other people is scheduling informational interviews with persons employed by various companies. Personnel department staff members and hiring authorities as well as your various personal contacts can help set up these informational interviews. When participating in informational interviews, having a comprehensive list of questions is very useful.

Finally, if you are a soon-to-be college graduate, you have a very useful resource at your fingertips. This resource is your college career services department. In many schools, this department contains an extremely knowledgeable group of people who can assist you in everything from resumé advice, to interviewing, to information on job openings. Some departments may have useful information on national, regional, and local companies.

PREPARATION: THE KEY TO INTERVIEW SUCCESS

Like anything else that you want to become successful in, interviewing requires planning and preparation. Review the following points to help you prepare for a successful interview.

Find out as much as you can about the position. If you have applied for it, you already know the basics, but try to find out more. Call the company's human resources department and tell them you will be interviewing for a certain position. Ask them to give you a further description of the job and its requirements. After you have a good view of the position, relate your own background and abilities to it point by point in your own mind. This comparison will be quite useful later on in the interview.

Be aware of typical interview questions and practise your answers out loud. Study lists of interview questions and rehearse your responses out loud. Keep in mind how you want to answer these, but don't try to memorize any answers. Remember that talking always sounds better in your head but it is crucial to practise out loud so you become comfortable selling your qualifications and skills.

Prepare a list of questions for the employer to answer. After you've researched the company, you'll probably still have questions. (Questions about the job itself are addressed in the next chapter.)

Have an idea of what the competitive salary is for the position and know your own salary requirements. Sometimes it's not easy to learn about salaries. If you cannot get information on a particular position in a firm, at least have an idea of what the going rate is for someone who would have the amount of training and experience necessary to fill the position. Professional associations, professional periodicals, college career centres and other resources can be helpful for this information.

Arrange a mock interview. This is one of the most positive things you can do to prepare for your interview. Most college and university career centres offer mock interviews. Very few students actually take advantage of this service; however, when they do, it is a valuable experience for them. In most cases that candidates do not answer the first few questions well at all. Think about this: in a real interview you cannot afford a warm-up period. This gives you the opportunity to get constructive feedback on your interviewing and an opportunity to correct your errors, or at the very least make sure that you're on the right track.

The most important thing that will happen to you with all of your advance preparation is you will increase your level of confidence going into the interview. That alone is well worth the work you have done. If you can increase your confidence you will do a better job of selling yourself. Above all, remember: it is not always the most qualified candidate who secures the position but the candidate who does the best job of selling himself or herself.

TYPES OF INTERVIEWS

Interviews may be one of several types and take one of several forms. When you know what to expect—when you determine the nature of the interview—you'll be able to prepare properly for any interview. The three basic types of interviews are:

- referral interview
- screening interview
- selection interview

Referral Interview

A *referral interview* gives the employer a chance to look at you for future reference. This could be the result of networking, developing a meeting through common contacts, or even a chance meeting at a professional society event. Sometimes a referral interview may open the door to a job opportunity before it is advertised. In any case, a referral interview can put you in touch with valuable contacts. Although an informational interview is not by nature a referral interview, when you have an informational interview, the interviewer may keep you and your resumé in mind for any future openings.

Screening Interview

The purpose of a *screening interview* is for an employer to narrow the field of applicants. The interviewer reviews your qualifications to find reasons to accept or reject your candidacy. When this type of interview is scheduled, it is often conducted by human resource personnel. Your best approach during a screening interview is to follow the interviewer's lead. Keep your responses concise, but remember, this may be the only chance you have to sell yourself. The screening interview is typically the beginning of the path to a job offer. If, after the interview, the human resources person likes you and feels you are qualified for the position, then you may go on to the selection interview.

Selection Interview

The *selection interview* is the type of interview that a department head, supervisor, or other hiring authority conducts. This is when a candidate typically meets the person who will ultimately make the hiring decision. During this interview, the interviewer tries to determine from your answers, past experience, and attitudes whether you're right for the organization and the position. By noting how you listen, think, and express yourself, the interviewer can decide whether you are likely to get along with others in the organization. This interview process usually ends in a hiring decision.

Your best approach during a selection interview is to show interest in the job, relate your training and experience to the company's needs, listen attentively, and display enthusiasm. The stages of a typical selection interview are discussed later. Keep in mind that you must always sell yourself and your skills.

FORMS OF INTERVIEWS

Now, let's take a look at the various forms an interview can take. They are: directed, unstructured, stress, panel, group, telephone, and video conferencing.

Directed Interview

The *directed interview* form, generally used for the screening interview, is highly organized from start to finish. Often working from a checklist or script, the recruiter asks a series of questions within a specific time period. Your answers are noted in writing and often scored. The directed interview form also can be used during the selection interview. This type of interview can be conducted one-on-one or by a panel. It is interesting to note that some directed interviewing may be done over the telephone.

Unstructured Interview

By contrast, the less formal *unstructured interview* form has an open and relaxed feel. By posing broad questions, the interviewer encourages you to talk (careful, you don't want to get too relaxed and divulge more than you should). Used in some selection interview situations, this form of interviewing provides you with an opportunity to bring out your unique personality and demonstrate that you are the best person for the position. Ensure that you cover all of the reasons why you are the best person for the job. Some selection interviews may include both the directed and unstructured formats.

Stress Interview

The unstructured form is quite the opposite of the *stress interview* form. This approach intentionally puts you under stress to observe your reactions. For the unsuspecting applicant, the experience can be unsettling. Stress interviews consist of pointed questions designed to cause you difficulty when responding. This type of questioning is challenging and can lead to feeling defensive. The best way to handle this form of interview is to remain calm and try to concisely, but accurately, answer questions put to you. A stress interview may be conducted by one person or a group of people.

Panel Interview

The next format for an interview is the *panel interview* form, a most challenging interview situation. A panel interview usually will be conducted by two to five interviewers. Everyone there will ask questions. The problem some candidates have is they don't know with whom they should maintain eye contact when answering. Always start at the person who asked the question and then look at the others while giving your answer, but remember to return your attention to the person who posed the question before you finish your answer.

Group Interview

The *group interview* is another growing trend. Sometimes it consists of two candidates interviewing with one interviewer at the same time. Both of you hear the interviewer's questions and the other candidate's responses. You really need to concentrate on yourself and not get wrapped up in what the other candidate is saying. You are not just competing against the other candidate that you see but all the other candidates, just as in any other interview. Sometimes this sort of interview is even more of a group situation, where a number of candidates are present in a room and must solve some problems by working together. Often employers use this type of interview for selecting staff to work in a team environment. The employer is more often looking for team players, not necessarily for leaders. If this is the case, you and the other applicants must work together accordingly.

Telephone Interview

Another interview format is the *telephone interview* form. It has been reported that many recruiters are now using the telephone more than ever before. A recruiter or human resource professional may use a phone call to make the first contact with the candidate. Oftentimes, questions are asked to confirm the candidate's qualifications or to present additional details about the job before a regular, on-site interview is conducted. When receiving these calls, strive to be at your sharpest. This is challenging as you may not know when the calls will occur.

Here are some tips for successful telephone interviews. Remember, your goal is to pass this phone interview so you can make it to the face-to-face interview. When a call like this arrives, snap yourself into a professional interview mode and adopt a businesslike manner. Have an organized place where you can take career-related phone calls. Ideally, this is a room where you can close the door. In this area, you should have all of the necessary materials—resumé, company information, and a list of questions to ask the interviewer. When on the phone, remember: no eating, drinking, or smoking. These activities are magnified over telephone lines. Take notes and use your prepared questions. Avoid yes-or-no answers. Remember, you need to shine during the phone interview. So, take the opportunities to elaborate on your answers or add information that can help sell you. Finally, take surprise calls in stride. If you have prepared for phone interviews, unexpected ones won't be such a surprise. Try to improve with each one you complete.

Video Conferencing Interview

Video conferencing interviews will continue to gain in popularity. This type of interview can be more cost efficient for major companies when interviewing out-of-town candidates and has many of the benefits of a personal interview. Employers can get a good idea of your personality, body language, appearance, and conversation style. You can make the most of this type of interview by being prepared for it. Dress conservatively in solid colours. Be prepared to experience time lags and allow for the delay when speaking. Look straight at the camera as if it were a person. The camera will magnify movements you make so be careful not to use your hands to make a point. If there are problems with the sound or picture, make sure you advise the interviewer.

INTERVIEW STAGES

No one can say how long an interview will last. Certainly, a very short interview is not a good sign; conversely, a longer interview is more promising. Interviews can last from 15 minutes to most of the day if they are conducted by several people. A day-long or half-day interview really consists of several shorter interviews, but may feel like one huge one! The following interview stages are discussed in detail in the next chapter: pre-visit, greeting/small talk, presentation of company and position, resumé review, questions and answers (interviewer and applicant), answering final questions from applicant, closing, and follow-up.

DRESSING FOR INTERVIEW SUCCESS

A discussion of what happens before the interview is not complete without talking about dressing for interview success. In an interview, your attire plays a supporting role. Appropriate attire supports your image as a person who is a serious candidate, one who understands the nature of the industry in which he is trying to become employed. There is a specific level of dress appropriateness: not casual, not business casual, and not formal or dressy. It is a professional style that complements the wearer and is appropriate for greeting clients. Stay away from the temptation to dress down. Even if the employees at the firm dress quite casually, dress a notch above that.

Attire Guidelines

Here are some attire guidelines for both men and women. A two-piece, matched suit is always the best and safest choice. Stick with conservative colours such as navy, dark gray, and black. Solids or a subtle weave fabric is best, and stick with wools or wool blends for a professional yet comfortable look. Remember, both quality and fit are important. Choose a quality fabric, and make sure the suit fits you properly. Seek professional help at the store on the best style, colour, and fit for you. One good quality suit is sufficient; you don't need to buy two if you can't afford them. Remember, you can vary your look with different shirts and ties or blouses. Of course, everything you wear must be clean and pressed, with all tags and dangling threads removed.

There are exceptions: in interviews for student internships or for part-time employment, such professional attire may not be necessary and business casual may be acceptable. Your research may help you determine what is appropriate and, if in doubt, a more professional look will score more points than a casual one.

Specifics for Men

Remember to select quality silk ties. Stay away from trendy, picture ties; these don't contribute to a conservative look! Shirts should be long-sleeved, even in summer. White is the colour of choice. Some people believe that white conveys honesty and intelligence. Socks should be dark, complement the suit colour, and be mid-calf length. Shoes should be leather, with lace-up or wing tip being the most conservative. Your belt should match the shoe colour. Wear a conservative watch and very little other jewelry. Remove earrings before the interview.

Specifics for Women

There is some question as to the most appropriate type of suit for an interview: skirt or slacks. Some recruiters feel that skirts are more appropriate for interviews, while others say that slacks are fine. If you do choose to wear slacks, make sure they are creased or tailored and not tight or flowing. If you choose to wear a skirt, don't purchase that piece of clothing until you sit in it facing a mirror. That is what the interviewer will see. Remember to stay conservative in hemline and fit. Small slits in skirts are fine, large slits are inappropriate.

A tailored blouse should be worn underneath the suit jacket. The colour and print should coordinate with the suit colour. Blouses should not be cut lower than neckline. Shoes should match the suit colour. Choose closed-toe pumps and avoid extreme heels. Make sure your shoes are comfortable. Hosiery should be plain and sheer in neutral colours that complement the suit.

As with men, jewelry should be conservative and simple. Cosmetics should also be simple and appropriate. Nails should be well groomed. If you carry a purse, keep it small and simple. Purse colour should coordinate with shoes.

Grooming

Good grooming is important for both men and women. Hair should be clean, neat, and out of the face. Men choosing to have facial hair should make sure it is well groomed, too. Polish your shoes and make sure the heels are in good repair. Check your clothing for missing buttons, lint, and pet hair. Perfume or cologne should be used sparingly or not at all. Make sure you do not smell like smoke.

Remember, the proper image is important for your career. How you look is important. Image is critical to getting the job, and it is important in the workplace each and every day. For further advice on professional attire and image, there are books and magazine articles that discuss the current advice for working (and interviewing) professionals.

As you can see, there are many important issues to consider before the interview. The next chapter discusses the important points of the interview itself.

MY Focus

A very important part of marketing yourself successfully, whether during your job search or after you have gotten the job, is dressing appropriately. Although dress codes on the job tend to be more casual today and current trends in personal dress and style also tend to be casual, don't underestimate the power of a professional look. The adage "the clothes make the man (or woman)" really is very true. As you are getting ready to market yourself, walk into your closet, take a long, hard look, and assess the following:

- suits/dresses for interviewing
- coordinating shirts for business suits
- conservative ties
- socks or hose to be worn with suit/dress
- dress shoes that are in good repair
- formal winter or trench coat as appropriate
- appropriate watch and limited jewelry

Have at least two interview outfits. Also, before you purchase anything to supplement your interviewing clothing, seek professional advice:

- Go to a local, upscale department or clothing store that has a knowledgeable staff to assist with clothing selection.
- Indicate what you are looking for and ask for advice.
- Take a look at item samples.
- Make sure you purchase items of quality, because inexpensive clothing does not give you the professional look you need to make the very best impression.

FINDING YOUR FOCUS

1. Select one or two of your top companies and research them. Use print materials, electronic resources, and personal or telephone interviews. Collect the information in a file for use later.

2. Write a brief list of questions you believe might be part of both a directed interview and an unstructured interview.

3. Have a friend call you and role-play a telephone interview. Notice how your posture, facial expression, and environment influence your performance. Evaluate the best places to receive telephone interview calls and go to that place when you are called. (Tip: Although many people today take most of their calls on cell phones, be very careful about participating in telephone interviews in a setting that is not quiet and conducive to a professional business discussion!)

4. Discuss with a friend different forms of interviews you have each experienced. Share the positives and negatives of each form of interview.

During and After the Interview

Being the Strongest Candidate

In the middle of difficulty lies opportunity.

—Albert Einstein

Now that you are prepared for the interview, let's take a look at some important aspects of the interview itself. This chapter discusses the interview stages (mentioned briefly in the previous chapter), interview questions (both the ones you answer and the ones you should ask), portfolio use, etiquette, testing, negotiating, and thank-yous. It also explores some key points on following up after the interview and some ideas to keep in mind as you move into the decision-making process that occurs after the offer.

Let's look at each of the interview steps in detail. The following discussion uses a typical interview format as an example, but remember that there may be individuals who conduct their interviews in a different manner or different order.

STAGES OF THE INTERVIEW

Pre-Visit

This is a stage that actually happens before the day of the interview. Many interviews take candidates to unfamiliar cities, towns, or neighbourhoods. Because you don't want any surprises the day of your interview, it is recommended that you conduct a pre-visit to the location where the interview will take place. On the pre-visit, leave at the same time you plan to leave the morning of the interview to see how long it takes to arrive. Note any factors that could cause delays (e.g., railroad crossings or particularly heavy traffic areas). A pre-visit also ensures that you will know exactly how to get to the facility on interview day.

After arriving at the company, walk into the building and look around. If the lobby has a security presence, go up to the desk and let them know what you are doing. Some companies will not let outsiders into their facility without an approved identification or a security pass. Ask about security requirements when you are asked to come for the interview. Looking around the company's lobby or central area gives you a feel for things. Observe the employees as they come and go and note how they are dressed. If you are familiar with the location, you will be more comfortable on the interview day. So, whenever you can, try to make a pre-visit.

Greeting/Small Talk

The first stage of the interview day is the time for greeting/small talk. This stage and its first two activities happen shortly after you arrive. The greeting occurs when your interviewer arrives and greets you, oftentimes shaking your hand. First impressions are made by both parties during the greeting. These impressions are based on appearance and actions. You should make the strongest first impression possible. Be prepared to give a firm handshake and a great smile, and look the recruiter directly in the eyes. When shaking hands, a firm meeting of the hands with one or two shakes is appropriate. By custom, the interviewer should extend his hand first. If this doesn't happen, extend your hand. After you arrive at the location where the interview will take place, it's time for the small talk.

Everyone knows what small talk is, but why is there a stage in the interview dedicated to this? Actually, small talk is relatively important. During this time, first impressions continue to be made, the recruiter attempts to help the candidate feel at ease, and the candidate starts to relax and prepare for the next interview stage. Although you should not hesitate to be friendly and somewhat spontaneous during this phase, remember that you are being evaluated *all* of the time. Follow the recruiter's lead regarding topics for this light conversation. Sit in the middle of the chair (don't lean back in a more casual pose) and tilt your upper body slightly forward to indicate engagement and an interest in what is going on.

Presentation of Company/Position

It is quite common for recruiters (especially human resource personnel who may be conducting the initial, screening interview) to provide an overview of the company and the position at this point. Listen closely and ask questions when appropriate. This is often a good time to work into the conversation something you already know about the company from your previous research. When the job is discussed, ask a few questions now, but save other questions until after the particulars of the position have been described.

Resumé Review

At this point, the interviewer refreshes himself about your candidacy by scanning your resumé. Be keenly aware of what you said about yourself on your resumé. During this phase, or later during the question-and-answer phase, the interviewer may ask you questions about key information found in the resumé. It may take several minutes to reread your resumé, and this quiet time can be a bit unsettling. Avoid the temptation to start justifying or clarifying anything on your resumé. Simply wait for any questions about your resumé or for the next phase of the interview to begin.

Questions and Answers

This stage is when the meeting turns into an actual business situation. Now it is time to get down to business, the business of hiring. There are a variety of questions that will be asked of you and some that you will ask the interviewer. These questions are discussed in detail later in this chapter.

Closing

Signs that you are coming to the end of the interview include a slowing of the questioning or rhythm of the interview, a glance at a watch, a request for any additional questions, or a statement that the recruiter will contact you. As you

approach the interview end, remember, it's never too late to make a negative impression. Don't let your guard down. Keep a professional image, keep your energy level up, and look positive and eager.

The interview ends when loose ends are wrapped up. Is there anything you need clarification on? Anything you feel should have been mentioned and wasn't? (Be careful here with issues of salary. Don't talk about it unless the interviewer brings it up. More on salary issues in the negotiating discussion later in the chapter.)

Don't leave the interview without finding out (1) what happens next and (2) when it is expected to happen. If the recruiter says that he will call you, ask if he knows when. If the recruiter is not sure when, ask if you can call in a few days or a week to find out what decisions have been made. Ask for the recruiter's business card and make sure you make the call! Actively following up the interview puts more of your job search in your hands. If you leave the interview not knowing what the next step is and when it will occur, all you can do is wait for the phone to ring.

It is extremely important at this point, if you haven't done this already, to make sure that the interviewer is aware of your interest in the position. Make sure you thank him or her and restate your interest before leaving. This final sell on your part can make the difference in getting the job offer.

Now that you are familiar with the typical interview stages, the discussion turns to the question-and-answer session.

QUESTIONS ASKED DURING THE INTERVIEW

As mentioned briefly in an earlier chapter, you should be aware of and prepare for questions you will be asked during the interview. You also must consider what questions you want answered during the interview. Keep in mind that the question-and-answer stage is when the most information is exchanged, and first impressions give way to an overall impression and opinion of the candidate.

Let's look at the two basic interview question categories—standard questions and behaviour-based questions—and types of questions in each category. Let's examine the standard questions first.

Standard Questions

Although the actual questions asked will vary with the interviewer, the following questions are usually asked:

1. Can you tell me something about yourself?

_____

_____

_____

2. Why should I hire you?

_____

_____

_____

3. What are your strengths?

_____

4. What are your weaknesses?

5. Why are you applying for this position?

6. How are you qualified for this position?

7. Why are you interested in working for our firm?

8. What can you contribute to this company?

9. What are your short-term goals?

10. What are your long-term goals?

As you read the above questions, complete the best answers for your own situation. Here are a few tips to keep in mind when asked some of these questions.

Question 1: Can you tell me something about yourself? When asking this question, most interviewers are interested not only in *what* you tell them but also in *how* you respond to the question. The best advice for answering this question: do not give too much information. Keep your response to the point. The worst way to respond is to ramble on about your childhood, high school, previous jobs, and so on.

Focus your answer on the situation at hand. Start with information that qualifies you for the job. Mention skills and traits, employment and education that make you right for the position, prove that you are a good match for the job. By responding this way, you haven't missed out on an opportunity to sell yourself for the position. Thus, instead of going on about the paper route or high school sports achievement you are so proud of, you are starting off the interview by selling yourself. And after all, isn't that why you are there?

Questions 3 and 4: What are your strengths and weaknesses? Recruiters are just as interested in how you prepared to answer this question as they are in what you actually say. When preparing to respond, reflect on and write down just what your job-related strengths and weaknesses are. Then, reexamine your list and decide which ones you can talk about. Are you particularly good at working under stress? Can you multi-task well? Are you a good group leader or member?

Regarding your weaknesses, use some that are not too critical. For example, maybe you are a perfectionist and sometimes that causes you to take a little longer with a project than you should, or maybe public speaking is not your cup of tea. Whatever weakness you choose to discuss, it is imperative that you finish by saying something positive. For example, if you have these perfectionist tendencies, explain that you are working on not being so concerned with every minor detail so you can finish assignments on time.

Questions 9 and 10: What are your short-term and long-term goals? Here the interviewer is interested in your future professional goals. Interviewers want to learn if you are a person with vision, if you are someone who has plans and knows how to make those plans into realities. Typically, when asking about short-term goals, interviewers want to know where you see yourself professionally in five years. For long-term goals, they want to know about your professional plans 10 years down the road.

Sometimes answering these questions is difficult, especially for candidates who are seeking their first entry-level position and don't have experience in their chosen fields yet. In response, talk about the positions you'd like to hold in the future or the professional responsibilities you would like to have. Discuss the future training and education you plan to obtain. Entry-level candidate or not, you should put some thought into how you will respond.

Behaviour-Based Questions

Behaviour-based questions are now quite common and important in the interview process. These structured questions require the candidate to apply knowledge, skills, and abilities to specific situation-related questions. The questions probe a candidate's past behaviour in situations similar to those encountered in the job. A candidate's responses tell the interviewer something about the candidate's specific reactions to past circumstances. Typically, past behaviour is an accurate indicator of future behaviour.

Sample Behaviour-Based Questions

- Tell me about a difficult situation you dealt with when supervising others. What did you do and what were the results?

- Tell me about a time when you had to collect, manipulate, and analyze data.

- Describe a time when you had to use your best oral communication skills. What was the situation and what was the outcome?

- Describe a time you took an idea or concept and turned it into a program or project.

- Describe a time when you had to adjust to change. How did you cope or adjust to this change?

- Explain a role you filled as a group/team member.

- We all face disappointments in life. Tell me about a time when you had to handle disappointment or rejection.

- Describe a situation that required you to show initiative.

- Tell me about a time when someone made an unreasonable request of you. How did you react and what happened?

- Describe a time when you were most frustrated or discouraged in reaching your objectives or goals. How did it turn out?

- Describe the last time you did something that went beyond what was expected in work or school.

- Tell me about a difficult challenge/problem you've faced and how you handled it.

You will find additional behaviour-based questions organized according to various assessment traits on our Companion Website.

Some of the areas covered by behaviour-based questions include communication skills, supervision experience, analyzing data, dealing with change, self-management, and team building. The box above offers a list of behaviour-based questions. Look them over and think about how you might answer them. A more detailed list of behaviour-based questions can be found on the **Companion Website.**

Proof Stories

A very effective technique for dealing with all kinds of interview questions, including behaviour-based ones, is to tell brief stories. We are not referring here to fictional storytelling. Instead, we are referring to telling a story that helps prove the qualities you say you have.

Think about it for a moment. What do most of us like to hear and tend to remember? Stories. Stories are specific, entertaining, and often memorable. You want the interviewer to remember you and your qualifications. An organized, effective story does the job.

Consider this scenario: A campus interviewer just spent the day talking to 15 graduating seniors. All 15 have the same degree, similar qualifications, and similar grade point averages. But one student, Kathy, is remembered more than

the others. When discussing job qualifications, most students said they were dependable, flexible, and good problem solvers. Kathy also mentioned these traits, but she also told brief stories that proved or verified what she was saying about herself. These stories are called proof stories.

Proof stories help you demonstrate specific skills you possess and the employer wants. The skills can be technical (the ability to program in a specific computer language) or transferable (the ability to work independently). Whatever your traits or skills, use proof stories to establish their existence.

How to Create a Proof Story

A proof story takes only a few minutes to tell, relates directly to those traits sought for the position, and has three distinct parts. To develop these stories, review the actions and activities from your past and develop a list of the key traits, skills, and attributes you possess.

Once you've generated your list, identify situations and circumstances that required you to use those traits or skills. For example, if you work well under pressure, use as your proof story an occasion when you successfully worked a double shift during the holiday season. Another example may be a story about a time you used good communication and problem-solving skills to solve a computer problem over the telephone.

Remember, interviewers are more likely to listen to and recall specific stories about specific incidents. Therefore, instead of saying that you work at a hospital emergency room and usually work under pressure, think of a specific evening or time when things were extremely hectic or challenging and tell about that.

Situation/Task, Action, Result (S.T.A.R)

How do you format a story about a specific incident or situation? It's as simple as 1–2–3, or more precisely S-T-A-R. Proof stories are most effectively told in three parts: situation/task, action, and results. First, identify a trait you want a story to demonstrate; for example, working under pressure. Next, determine the situation or task in your story. Where were you? Who were you working for? What situation led you to do something? For example, where were you working and what was your job when you were required to work under pressure? It's not necessary to provide extensive details, just explain enough for the listener to understand the context of the action you will describe.

Next, describe the action you took. Make sure to use appropriate, powerful action words. Using the working under pressure example, perhaps you coordinated a group of people to handle an emergency, or maybe you worked hard and long to debug some code in a computer program that had to be used the next day.

The final part of developing a proof story is the results. This is when you make a strong impression on the interviewer by revealing the results that occurred when you took the action(s) you described earlier in your story. Continuing with the example of working under pressure, perhaps due to your quick actions and staff coordination, you saved the company thousands of dollars by protecting equipment that was at risk. Or due to your hard work and long hours debugging a program, the product was ready to be shipped to customers on schedule. Telling a simple, focused three- to four-minute proof story provides a specific, memorable demonstration of a skill or trait you profess to have.

Following are some proof story examples that show the level of detail and concreteness necessary for these stories to be effective.

Sample Proof Stories

STORY #1

Characteristics this story demonstrates: clear thinking, leadership skills

Situation/task: One evening when I was the supervisor in charge at an ABC Furniture warehouse, the sprinkler system malfunctioned and water began soaking all of the stock. The sprinklers had been operating for 10 minutes, so we had to move fast to salvage the inventory.

Action: I got on the intercom system and alerted all personnel in the front warehouse area and in the break room. When the workers arrived to help, I arranged them into teams and gave them various tasks: use the lift trucks, move the stock to unaffected areas, and clean up the affected area.

Results: Within three hours, $750,000 worth of furniture had been moved to dry areas and saved from severe water damage. The warehouse facilities were cleaned and the stock was returned to its normal storage area within five hours. The entire staff felt a sense of pride and accomplishment in their efforts.

Other characteristics demonstrated by this story are working well under stress and dedication.

STORY #2

Characteristics this story demonstrates: customer relations skills

Situation/task: I was working as a field service technician for YXZ Electronics company. My job was to troubleshoot and repair electronic copy machines and mail machines. One day, I was dispatched to a law firm where a copy machine was experiencing numerous problems. When I arrived, the office manager met me at the door and started shouting about the equipment's lack of reliability. He also said that he needed to get important documents copied within the hour or there would be serious ramifications.

Action: I listened patiently, then I asked questions about the nature of the problem and how long it had been occurring. I immediately ran some diagnostic tests, but was still uncertain as to the problem. With the manager huddling over my shoulder, I removed the back panel and discovered a broken program switch was causing the problem. I assured the office manager that the equipment would be up and running within the hour.

Results: After 30 minutes, the copier was operational. Although the copier was no longer under warranty, as a goodwill gesture I did not charge the customer for the service call. The office manager was impressed with my speedy repair, grateful for the billing break, and got his important document copied in time.

Additional characteristics demonstrated by this story are good communication skills and working well under pressure.

Tips for Creating Proof Stories

- Prepare several stories that relate to applicable skills or qualifications before you begin interviewing.

- Don't go into extensive detail in the background section. Reveal just enough detail so the listener can understand the basic story and you capture the attention of the interviewer.

- Don't lump your results statement in with your action discussion. Clearly describe the actions taken. Then, transition to the last part of the story, the results.

- Try to create a story that reflects one specific incident or setting. Stories that are too broad lose impact.

- When you finish your results statement, link the ending of your story back to the trait mentioned at the beginning.

- Use these stories to discuss how you meet various job requirements. Have the interviewer describe the ideal candidate for the position, then prove to her that you are the one using your proof story.

Proof Story Worksheet

Now that you have a basic understanding of proof stories, it's time to develop your own.

List below some technical, personal, and transferable skills or traits that would be useful for proof stories.

_____

_____

_____

Use the following format to set up your own proof stories.

Trait or characteristic this story demonstrates: _____

1. *Set up the background to the story.* Briefly describe the situation that called for you to use the skill. Where were you? What led to the situation?

2. *Describe the action that was taken or the response that was given.* Based on the situation above, what happened? What did you do? When and where did you do it? How and why did you do it? This description should contain action verbs that help create a powerful story.

3. *Reveal the results that occurred due to the action taken.* What was the end result? Try to quantify results whenever possible or measure what happened against a standard. Don't hesitate to brag about the results achieved: that's the purpose of the entire proof story.

In relating this story, you may have discovered that it displayed other traits. List them on the lines that follow.

ILLEGAL QUESTIONS

It is important to understand that not all questions employers ask in an interview are legal. It's also important to understand that, when you are asked these questions, there is often more than one way to handle them, but you can't choose the best alternative without some knowledge of illegal questions.

The Canadian Human Rights Act entitles all individuals to equal employment opportunities without regard to the following:

- Race or colour
- National or ethnic origin
- Religion
- Age
- Family/marital status
- Sex
- Pardoned conviction
- Disability
- Sexual orientation

What If You Get Asked an Inappropriate Question?

Most of the time the interviewer is not intentionally asking you an illegal question. Sometimes he or she is trying to put you at ease or trying to learn more about you as a person. Only you can decide at the time what you wish to reveal. While you have several options available to you, they are not all in your best interests, as you will see.

Look at the question behind the question. For example, if an interviewer asks if you are planning on starting a family in the near future, you have a variety of options:

a) You may wish to respond that if hired you will be committed to your position and will perform all the functions of the job. This is your best choice as you have not offended anyone and yet still not provided the illegal information requested.

b) You could say that while starting a family is not in your immediate plans, you haven't ruled it out. Answering this way, however, will likely not be in your best interest, and remember, the interviewer is not allowed to ask you this question.

c) You also have the choice of stating that you are not sure how this question is relevant to your ability to perform the job. Choosing this option will send the message to the interviewer that he or she has overstepped but will likely eliminate you from the selection process.

Illegal questions are not that common with large companies, but you still need to be aware of what your rights are. Remember that only you can ultimately decide how you wish to handle them. For more information you may wish to view the Website of the Canadian Human Rights Commission, at www.chrc-ccdp.ca/public/screen.pdf.

Illegal Questions

I haven't heard your name before—where are you from?

Where were you born?

Have you ever changed your name?

What was your maiden name?

What is your original language?

Are you a Canadian citizen?

Were you born in Canada?

What is your age?

What is your birth date?

May I see your birth certificate?

Are you married? Engaged? Divorced? Widowed? Married common-law?

Do you plan to have a family? When?

How many children do you have?

Is there a chance your spouse could be transferred?

What are your child care arrangements?

How tall are you?

How much do you weigh?

Questions about height and weight are not acceptable unless they are genuine occupational requirements.

Do you have any disabilities?

What is the name of your family doctor?

Have you ever received worker's compensation?

Is a counsellor or a therapist currently treating you?

Are you taking any prescribed or recreational drugs?

Do you drink alcohol?

What race are you?

Will you be able to work on [a religious holiday]?

What church do you belong to?

Have you ever been convicted of a crime?

Have you ever been arrested?

Legal Questions

What is your name?

Are you able to read, write, and understand English?

Testing of applicants for language proficiency is allowed where job-related only.

Are you legally entitled to work in Canada?

Do you meet legal age requirements?

Are you over the age of 18?

Would you be willing to relocate?

Are there any circumstances that would prevent you from:

- working overtime?
- overnight travel out of the area?

Are you able to lift 20 kilograms and transfer it 50 metres?

Do you have a condition that could affect your ability to do the job?

Do you have any condition we should consider in our selection?

Offers of employment can be conditional upon successful completion of a medical exam if the employee's condition is related to job duties.

This position requires weekend work. Does this pose a problem?

It is the employer's duty to accommodate employees' religious beliefs.

Are you bondable?

INTERVIEW QUESTIONS FOR YOU TO ASK

Not only is it important for you to answer questions well and provide proof stories whenever possible, it is also important that you ask pertinent questions. Remember that an interview should be a dialogue. You should get answers that will help you make sound employment decisions. One of the best ways to learn as much as you can about a company, position, or circumstance is to ask focused questions. Let's divide these questions into three categories: general, defining, and controlling.

General Questions

General questions are asked to obtain useful information for later decision making. Such questions include the following:

1. If I am hired, will there be a formal training program or on-the-job training?
2. What are the expectations of new employees?
3. Is there a probationary period? How long is it?
4. How is an employee evaluated and promoted?
5. If I am hired, who will be my immediate supervisor? Can you tell me about his or her management style?
6. What are the opportunities for personal growth in your company?
7. Describe a typical assignment I might receive.
8. What will I be doing on a daily basis? What is an average day like for someone in this position?
9. How much travel is normally expected with this position?
10. What characteristics does a successful person have in your company?

Defining Questions

Defining questions clarify hiring criteria, give the interviewer the opportunity to brag about the company, and set up your proof stories. Specific defining questions include the following:

1. What are your objectives for this position? What would you like to see accomplished by the person filling this position?
2. How does this position fit into the overall objectives or goals of your company?
3. What are you looking for this department/position to accomplish in the next year or so?
4. What principal skills are you looking for in the person selected for this position? What key technical, educational, or personal traits do you desire?

Controlling Questions

Controlling questions are a little trickier because they seek answers to those questions that are difficult to ask. When used effectively, controlling questions help you avoid ending up in a position where you might be unhappy or unsuccessful. Because of their potentially negative nature, use controlling questions selectively and sparingly, and only after there is a mutual conclusion that you are qualified for the job and you have a sincere interest. Some of these questions may be used after an offer is made. Controlling question examples include:

1. Why is this position currently open? What happened to the incumbent? How long has it been open?
2. What is a typical career path for someone in this position?
3. What is the chain of command for this position? Who must approve my actions or decisions?
4. In the past, what has been your organization's response to economic downtrends?
5. What is the company's policy toward tuition assistance, military obligations, and release time for family matters?
6. What management style do personnel in this company employ?

Interviewing is a hectic but exciting time. Prepare for it, anticipate some setbacks, and try to relax and enjoy it.

USING YOUR PORTFOLIO

Chapter 7 discussed creating and using a career portfolio. As soon as you are comfortable in an interview, mention that you brought some samples of your work for review. In a structured interview, you may be able to use the portfolio to help answer specific questions and provide proof of your skills and experience.

Let's say that you have asked the interviewer to describe his or her ideal candidate for the job, or perhaps you have asked the interviewer to discuss the top skills or traits desired for someone in the position. Once the recruiter has mentioned the desired skills or qualifications (which of course you have!) you can "make the sale" by proving that you have these characteristics, as demonstrated in your portfolio.

If you haven't had an opportunity during the actual interview to use the portfolio, don't worry. In such cases you can summarize why you are the best candidate for the position at the end of the interview and support this through the use of your portfolio. What a strong final impression that can make!

Next, we will discuss three important, but often overlooked, parts of an interview: etiquette, testing, and negotiating.

ETIQUETTE

Etiquette is worth mentioning here because during the interview process (particularly if the position sought has extensive client contact) a candidate may be taken out to lunch or dinner. And these dining events do not take place at McDonald's or Burger King. When a candidate is taken to lunch, she is being observed in a social setting. Your behaviour in this seemingly more casual environment is still part of the interview process. You are still proving yourself, just in a different setting. Follow your host's or hostess's lead on the price of the food ordered. Order something that is not too challenging to eat, avoid ribs or fried chicken. Also, do not smoke or drink alcohol during these meals.

Dining Etiquette

Although most people realize the importance of proper table manners, mastering them is a real art. Knowing the proper table manners is extremely important for job interviews and those social events you attend with a supervisor, client, or business associate. By being knowledgeable and practised, you will avoid embarrassment and possibly offending someone.

Before the Meal

Men precede women to the table. Remain standing until the host or hostess is seated. During social occasions, it is still considered polite behaviour for a gentleman to seat his female guest or companion. When being seated, enter your chair from the left and rise from the right.

Napkins

Unfold the napkin immediately or after everyone is seated, and place it on your lap. Large napkins are typically left folded in half, with the crease toward you. Small napkins are completely unfolded. If you must leave the table during the meal, rest the napkin on your chair. At the end of the meal, place the napkin semi-folded to the left of your place setting, not on your plate.

Dining Tips

Below are just a few tips to keep in mind.

Do

Sit up straight.

Keep your elbows in.

Wait until all are served before beginning to eat.

Use the silverware farthest from your plate first.

Pass to the right.

Cut only one or two small pieces of meat at a time.

Eat in small bites and slowly.

Place used silverware on the dish to which it belongs.

Replace your chair after the meal.

Don't

Place your elbows on the table while eating.

Wipe off your silverware before eating.

Reach in front of a person.

Help yourself from a dish first.

Bow down over the plate as you eat.

Blow on food to cool it.

Crunch your crackers in soup.

Dunk.

Leave your spoon in your coffee, tea, or soup.

Stir beverages too vigorously.

Stack your dishes.

Drink with food in your mouth.

Push your chair back after the meal and sit sideways or with legs crossed.

Many other particular details are involved in proper dining etiquette. Before you begin your job search, do a little reading on proper dining etiquette. You'll be glad you did.

TESTING

Do you expect to take tests as part of applying and interviewing for a job? The chances are quite good that you will be asked to take some. Although many firms do not test at all, others rely on testing as screening and decision-making tools. Some tests may be oral questions during the interview, while others are written aptitude or technical tests. Still other testing is physical, such as drug tests.

Employers go to a substantial amount of trouble and expense to administer tests to candidates. Why? They use tests as tools to help them hire the best people possible—technically, intellectually, emotionally, ethically, and physically. There is really no way to prepare for these tests. All you can do is make sure you understand why a test is being administered, the conditions under which the test will be given, and the test directions. If you know about the testing ahead of time, get a good night's sleep so you are as relaxed as possible during the test.

Types of Tests

What types of tests can you expect to take? The following discussion covers the most frequently given test types.

Aptitude tests. These are tests of your general knowledge in such areas as word analogies, verbal comprehension, abstract reasoning, mathematics, and number and letter series. Included in this category are technical aptitude tests given to assess technical or subject area competencies.

Personality tests. On occasion, some psychological testing is done. These tests usually have the candidate react to a variety of questions or scenarios designed to categorize characteristics or behaviour types.

Technical tests. These may be oral or written and are used to assess the candidate's knowledge in his or her field.

Drug tests. The most popular type of substance abuse testing is used to determine the amount of a substance or chemical in the body. (More details on this type of testing later.)

In addition more companies are also requesting:

- Security clearances
- Criminal background check
- Driver's abstract

Tests can be administered in several ways. A general aptitude test is often a pencil-and-paper (or computerized) test. A technical test can also be pencil and paper or verbal, such as technical questions asked during an interview. Personality tests are usually pencil-and-paper tests; however, some candidates report having interviews with company psychologists to determine personality types and related behaviours. Because it is relatively inexpensive, the urinalysis is the most common type of drug test.

Test-Taking Tips

Keep in mind that no one can force you to take any type of test. You have the right to refuse a test; however, if you do, expect the interview process to end or be severely curtailed.

Before taking a test, ask how it will be scored or how the results will be measured. Will incorrect answers be subtracted from correct ones? Is there any penalty for guessing? Is it a timed test? Are unanswered questions marked wrong? Also, make sure you are given a quiet, distraction-free environment for taking the test.

For pencil-and-paper tests, keep a few basic rules of test taking in mind:

- Read the directions carefully before starting.
- If you are unsure of an answer, skip it and return to it later.
- For timed tests, make sure you are aware of how much time has passed.
- Read questions deliberately; misread questions (or directions) can be disastrous.
- Your first answer is usually the correct one. Change test answers only when you are sure it is necessary.
- Dress appropriately. While you may not need to wear your interview suit, you don't want to call attention to yourself. This is still a component of the interview and you are being judged.

Some Thoughts on Drug Testing

Because employers want to employ individuals who will contribute to the company's productivity and profit, they do not want people with substance abuse problems. Employees with serious substance abuse problems may have more accidents, take more time off, and file more health insurance claims. Employers cannot afford these increased costs or the associated risks. Therefore, substance abuse testing, particularly drug testing, is a part of the employment scene.

As mentioned previously, urine tests are the most common type of drug test. Before you give a urine sample, report any prescription drugs you are taking. It is also a good idea to mention any over-the-counter drugs that may be in your system. In addition, many people are not aware of the retention time many drugs have in the body.

Alcohol may have a retention time of up to 12 hours, while traces of marijuana can exist in the system for up to five days. Be aware that a reluctance to take a drug test will severely hurt or destroy your chances of employment. All testing, including drug testing, is serious business to employers.

Try to keep a positive attitude about any testing that is part of your job search. Whether you face an aptitude test, a personality test, a drug test, or all three, you faced tests before and you survived just fine. Testing is just one more hurdle you must clear before you get the perfect job.

NEGOTIATING

The final, but certainly not the least important, aspect of interviewing is negotiating. There are many aspects and nuances to proper negotiating during the job search process. Although this topic cannot be extensively covered in this chapter, the following important points are discussed: the issue of money, determining a salary range, total compensation, considerations in negotiating salary and benefits, and when to negotiate.

The Issue of Money

For any job seeker, the issue of money is an important one. You want to sell your skills for the highest price or salary possible, and your potential employer wants to purchase your skills at a somewhat lower price. Remember, when the issue of money comes up, try to postpone it to a later time. Salary really isn't an appropriate topic for a first interview; you haven't decided if this is the position for you and the interviewer doesn't know yet if he is interested in employing you. Keep in mind, *whoever talks about money first loses.* If it's the employer, you have a more knowledgeable position to negotiate from. If you mention money first, you may mention a salary number or range that is either too high or too low. When you are in the interview, stress that you want to be a part of the firm so you can make a significant contribution. Let the interviewer bring up salary first.

If and when you are asked about your salary requirements, respond with a phrase like this: "Although salary is an important consideration, my primary interest is getting a career opportunity that benefits the company and gives me challenge and growth." If the interviewer is insistent about salary requirements, try asking "What is the salary range for the position?" Again, this deflects the mention of numbers back to him. If the range mentioned is acceptable to you, then tell the interviewer that it is in your range and continue the discussion.

Determining Your Salary

Determine your lowest acceptable salary before you get into a negotiating situation. If you do this, you can be more confident negotiating for a job you really want. Remember, a difference of a thousand dollars becomes negligible after it is divided by 26 pay periods, and taxes and benefit payments are taken out! In addition, with careful planning and successful work performance, you may be at a more desirable salary level within the first year or so.

Your salary expectations must be realistic. What is your desired salary or range and where did you get that figure? Are you basing it on the competitive rate that someone with your diploma, degree and experience demands in the field? If so, then your number is probably right on. If you are basing your number on what "sounds good," it will not get you anywhere.

Several resources can help you determine this number: professional association surveys and member advice, information from individuals already in your field, and college or university career service offices or alumni associations. Don't forget to factor in cost of living for whichever region of the country (or the world) you intend to work in.

Compensation

So what exactly goes into determining a salary or salary range? What is considered compensation? When you think about your salary, consider your entire compensation package: your base salary, any variable or incentive pay you may receive as a bonus or performance incentive, and benefits. Typical company benefits include health, retirement, and paid time off. Others may include stock, a company car, tuition reimbursement, and child or elder care. There really is more to determining your salary or compensation than just the money you receive in your regular paycheck.

Considerations in Negotiating Salary

Consider several issues when negotiating salary and remain open to the offered salary until you have a chance to look at the entire benefits package. If, however, the salary offered is too low in your informed opinion, then you must speak up. You may register your disappointment in the amount offered (after continuing to point out your enthusiasm for the job offered), or you may indicate that the salary offered is not in line with what you believe is competitive in the field. Use these responses only when there is a considerable distance between what you were realistically expecting and what has been offered.

Considerations in Negotiating Benefits

It is also possible, in some cases, to negotiate benefits. In addition to the possible offer of a bonus as part of the compensation package, it may be appropriate to discuss additional funds for professional and personal development, extra vacation or insurance, and other options. Remember, these items should

SAMPLE BENEFITS THAT MAY BE NEGOTIATED

Athletic club membership	Housing
Bonuses	Investment programs
Company car, gas allowance	Legal assistance
Consumer product discounts	Pension plan
Cost of living increases	Profit sharing
Country club membership	Relocation expenses
Day care	Retirement plan
Dental plan	Sales commission
Disability pay	Stock options
Educational fees	Travel
Flexible work hours	Vacation
Hospitalization	Vacation discounts
	Wholesale buying

become an issue if you feel the salary offer is somewhat below your established market value. However, if you try this kind of negotiating when a fair salary offer has been made, it just may backfire! Some examples of benefits that may be negotiated are listed on page 132.

When to Negotiate

In addition to knowing what to negotiate, it is important to know *when* to negotiate. First, do not attempt to negotiate until a firm, defined offer is made. When considering negotiating, be aware of the condition of the economy and the job market. In a flush economy with more money and opportunities, negotiating may not be as risky and may be more successful. However, in a down economy, employers may not be willing or able to do much negotiating at all.

Recent graduates should not assume that their degree entitles them to a higher salary. Having your degree (or advanced degree) qualifies you for consideration for the position, it does not do more. If you have relatively little work experience in your field, your degree may keep you in the running, but it won't entitle you to a higher salary. At the same time, don't automatically assume that your degree is all you have to offer an employer. If you have some related work experience in addition to your degree, this carries more weight with an employer than the degree alone. Diplomas and degrees equal job-performance potential, while past job performance indicates previous work experience and achievements.

Negotiating Tips

- Know your market value before negotiating—do your research.
- Develop a personal budget to determine net salary requirements (don't forget taxes).
- Consider the total compensation package when evaluating an offer.
- Negotiate money first and benefits or perks later.
- Keep it friendly, personable, and non-demanding.
- Focus on your value to the firm and your role in helping the company meet its strategic goals.
- If you can't get more money, negotiate for future opportunities, responsibilities, scope of position—things that later translate into more money.
- Don't accept an offer on the spot; take some time to think about it.
- Consider accepting a lower salary if the secondary benefits can help advance your career or are a priority for you.
- Be sincere, honest, and honourable.

THANK-YOUS

One final activity is necessary to complete the interview process: you need to thank your interviewer. Although you have been thanking your interviewers all along throughout your interview process, a formal, final thank-you is still warranted. Which format is best for thank-yous—handwritten note card, typed letter, or an e-mail? This depends on the recruiter. You need to read your situation and decide. Handwritten messages must be extremely legible and error free. Typed letters should be in a proper business writing format and error free. E-mails must be examples of good business writing and error free. Are you seeing a pattern here? Whichever method you choose for your thank-yous, make sure they are formal and professional in their look, tone, and style.

Now, you are finished with the interviews. The questions have been answered, the proof stories given, the tests taken, the salary negotiated, and the thank-yous sent. An offer (or two) is made! Now what?

Now is the time for contemplation. If you are fortunate enough to have two excellent prospects for employment, which one will you choose? What factors will be key in your decision? How will this decision affect you and your future? If you are thinking about a single offer, what is your gut feeling about accepting it? The next chapter discusses what you should do to make this all-important career decision.

MY *Focus*

The most obvious example of marketing yourself in the job search process is during the interview. What an important sales meeting that is! Following are some characteristics of outstanding interviewees. Do these describe you?

- a smile and good humour
- a businesslike and professional attitude
- eager and enthusiastic
- excellent appearance
- well-spoken, articulate
- relaxed and poised demeanour, confidence
- polite, ability to develop rapport
- sincerity and honesty
- good eye contact, attentiveness, good listening skills
- ease in answering questions

FINDING YOUR FOCUS

1. Why are behaviour-based questions the most difficult to answer well? What technique can you employ to structure and present effective answers to this type of interview question?

2. Go back to the section that discusses the questions you may ask in an interview. Select your top two standard, defining, and controlling questions. Why is each important to you?

3. How do you plan to respond to any illegal interview questions that are asked?

4. Work with a partner and ask each other behaviour-based interview questions. Assess each answer using the S.T.A.R. method. Was enough detail provided to demonstrate the proof?

10

After the Offer

After completing this chapter, you will be able to:

- Outline the basic realities of work.

- List four basic criteria for job evaluation.

- Apply criteria questions to your career decision making.

- Use both logic and emotion when deciding to accept a job offer.

Making the Right Decision

Opportunity is missed by most people because it comes dressed in overalls and looks like work.

—THOMAS EDISON

After being in the job market for several months, Carol was tired. She had just finished a gruelling set of interviews, and was thankful she had no more scheduled that week. Even though she was tired, Carol was also excited because she had received a generous job offer from her top company. Things were looking good. But there was also a downside. Even though she was thrilled to get the offer, the job was slightly different from the type of work she did before. In addition, although the benefits were good and the company offered flextime, her commute was farther, costing her time and money.

Steve called his brother to discuss his new job offer. He was enthusiastic about the position and the company, and he saw plenty of room for career growth in the department. The job seemed interesting and challenging, but the company's location was the best part of all. The firm was literally three miles from his home, and he would be able to work from home on occasion. The only downside to the offer was the salary. It wasn't quite what Steve had in mind, even though he was assured that he would get a salary review after the first year.

As you can tell from each scenario, job offers often have both positive and negative aspects. This is fairly typical. Some job offers bring out different, sometimes conflicting, emotions in a candidate. Serious thought is necessary to make the right decision.

No matter whether you are looking for your first full-time career position or are making a career change, you may need to evaluate more than one job offer. What's the best way to do this? As you read this section, you will learn that the criteria for evaluating a job are fairly straightforward. What makes evaluating job offers difficult is that you are often comparing two or more offers that are never completely alike. As in the previous scenarios, there can be internal conflict about an offer. When comparing offers, use your head or your ability to reason or logic as much as possible; however, ultimately, you may have to use your heart or gut, your emotions, to make that final decision.

WORK REALITIES

Here are a few common-sense, but sometimes overlooked, work realities.

1. We are all individuals who have our own values and preferences when it comes to work. What's right for one person may not be right for another.
2. The position you accept will to some extent affect your lifestyle, psychological well-being, and quality of life.
3. There is no such thing as a perfect job. Most jobs have less-than-perfect aspects.
4. Most positions today require 40 or more hours of work a week. In many cases, the 9-to-5 workday model is a thing of the past.
5. A large number of your waking hours per week are spent either at work or commuting to and from work.

With these realities in mind, let's examine some typical criteria for evaluating job offers. When you really think about it, there are four basic areas that should be examined when evaluating a job offer.

CRITERIA FOR EVALUATING A JOB OFFER

The following factors should be considered when you evaluate a job offer: the organization and its personnel; the scope of the job; salary and benefits; and the match between the job and your goals.

Let's take a closer look at how you can apply these criteria to your evaluation. To apply each criterion, several questions must be asked about the position.

The Organization and Its Personnel

- Is the company a reasonable distance from home?
- Are the physical facilities acceptable?
- Will I have the physical space and tools necessary for the job?
- Is the work environment formal or relaxed? What's my preference?
- Does the organization have a good reputation?
- Am I comfortable with the size of this organization?
- Am I in agreement with most company policies?
- Do people seem to remain with this company for a while?
- Will this position allow me to work as part of a team or individually? Which is more important to me?
- Do I see myself making friends with people in this company?

The Scope of the Job

- Does the position offer a variety of duties, or are there set duties that don't change? What is my preference?
- Will this position be challenging?
- What would a typical day, week, month be like?
- Will I use most of my skills and education?
- Does this position require travel? If so, what type and how much?
- What are the normal working hours? Is there flextime? Is there the possibility of telecommuting?
- Would I be happy getting up in the morning and coming to this job?

Salary and Benefits

- What is the salary for the job, and how does that compare with my needs and my analysis of the market?
- What size pay increase is typical?
- What intangibles should be considered along with salary?
- Does the firm offer competitive medical, dental, life, and other benefits?

- What are the company's profit sharing, pension or retirement plans, and stock offerings?
- What type of miscellaneous benefits come with this package (e.g., tuition reimbursement, day care, bonuses, recreational programs, credit union)?

The Match between the Job and Your Goals

- Is there an opportunity for me to meet my long-term goals?
- What is the potential for job growth? Lateral movement?
- What are the schedule and criteria for my performance evaluation?
- Will I have the opportunity to learn new job skills?
- Does the company encourage continued education?
- Will this position provide an opportunity to meet other professionals in my field?
- Does this company support professional association membership?

Using the questions from these categories will help you make a well-informed decision about which job offer to accept. Compare each company using the four criteria and focus on the questions under each criterion that are the most important to you. This systematic approach can help with your decision making, but you may still have to consult with something else—your heart. After all is said and done, how do you feel about the opportunity? What is that little voice inside saying? What does your gut tell you? If you apply the typical evaluation criteria to a job (or two) and you still feel a bit of uncertainty, ask your heart, or tune into what your gut is telling you.

The Simplified Method

Another, simpler method to analyze an offer or compare two positions is to ask yourself the following basic questions:

- Can I do the work?
- Will I enjoy the work?
- Are these my kind of people?
- Is the job what I want?
- Does the job pay what I'm worth?
- What kind of person would I be working for?
- What sort of future can I expect with this firm?

A useful company evaluation exercise can be found on our **Companion Website.** In this exercise, a brief case study involving two different fictional companies' benefits, you compare the benefits and come up with the best choice for you.

No matter what method you use to evaluate a job offer, make your decision and stick with it. If you give the choice enough study and consideration, you will make the best decision. Don't be tempted to second-guess yourself. Decide and then look forward to a rewarding position that will move you toward your ultimate career goals.

CONFIRMATION

Once you accept the position, confirm your acceptance in writing. If the firm has already sent you its offer in full detail in writing, you do not have to include all these terms in your letter. However, if you do not have anything in writing, you may wish to write an acceptance letter like the one in Chapter 6.

In such a letter, you spell out essentials such as the position title and responsibilities, salary, start date, and location. This allows you to confirm that the details of the offer are exactly as you understand them.

After the offer is accepted, it is time to celebrate with family and friends! Finding a good job in any economy is an accomplishment, so enjoy it. And don't forget to let those who helped with your job search, such as contacts and references, in on the good news. Thank them again for their help.

MY Focus

When trying to make a decision between two offers, try this exercise. Take an $8\frac{1}{2}$-×-11 piece of paper and fold it in half lengthwise. Write Company A's name on the top of one side and write Company B's name the same way on the reverse side.

To the left of the fold, write down all of the advantages you can think of for that position (and company). This is a brainstorming session, so don't hold back! Keep writing about positive things until you totally run out of ideas.

Once you have finished the positives, you are ready to consider the negatives. To the right of the fold, write down all of the disadvantages of the position. Again, keep the ideas rolling as nothing is insignificant at this point.

After listing as many positive and negative points as you can about each company, you can do one of two things to help with your analysis. First, simply observe which offer has the most positives in its column. Second, you can "cancel out" sets of positives and negatives. To do this, find a positive (good starting salary) and a negative (longer commute) of similar weight; for example:

Positive—great computer equipment / impressive office

Negative—no flextime or telecommuting

After doing this for each company, note what is left in the positive and negative columns. Considering that all other aspects have canceled each other out, what's left? After this analysis, which position looks the best?

Keep in mind these two techniques are merely suggestions for a rather systematic approach to decision making. As stated earlier, decisions on employment are made with both the head and the heart!

FINDING YOUR FOCUS

1. List the four criteria for evaluating a job offer in the order of your personal priority. Explain your choice.

2. One part of a job offer evaluation is to consider whether it contributes to your long-term career goal. In a sentence or two, write your personal long-term career goal.

3. What are the top three benefits that are important to you as part of your personal compensation? Why?

4. What basic information should be confirmed in a job acceptance letter?

CHAPTER

11

What to Know and Do

After completing this chapter, you will be able to:

- Realize the importance of answering the question "Why do I work?"

- Demonstrate appropriate performance during your probationary period.

- Keep a log of personal accomplishments to use in your formal self-assessment.

- Realize the importance of the annual review to your career advancement.

- Determine what employees should not do while working.

- Apply the Tips for New Employees to your personal employment situation.

Maximizing Job Performance

The biggest mistake we could ever make in our lives is to think we work for anybody but ourselves.

—BRIAN TRACY

That first day on the new job finally arrived. You finished your orientation with the human resources department, met with your manager, and were introduced to some of your colleagues. You were shown your office or workstation and are now ready to get down to business. You are hopeful, excited, stimulated, determined, and maybe just a little nervous. All of these feelings are very typical when starting a new job. This chapter discusses what you must know and do as a new employee to start yourself off on the right foot and continue to travel down your personal path to success.

FITTING IN

Fitting into an organization and working well with people takes some effort. There is a breaking-in period for anyone in a new position. Even people who have been in previous professional positions have to earn their wings in a new work environment. Take time to learn the corporate culture. Become familiar with rules, values, behaviours, and expectations. Watch others. Notice who is successful and the techniques these people use. Adopt them and make them work for you. Always give a solid performance in everything you do, from a major project to a written memo. Hard work and the right attitude pay off. Learning how to fit in well in an organization is an initial step toward job satisfaction and career development.

What you should know as you begin your new job includes some ideas on what's important to you, how you will be assessed or evaluated, and the value of a mentor. You should also be aware of some good things you should do and some other things you should not do, and of tips for new (and not so new) employees.

WHAT'S IMPORTANT

First, let's explore what is important to you and how you define success. For most of us, it is important to be employed—to be working. However, different people take different things from their work. Ask yourself, "Why do I work?" "What benefits do I get from what I do on the job?" What is your personal definition of success in your work and your life? Is it having a high salary and good benefits that provide for you and your family? Is it the professional pride you get from being respected for your work? Would you call success your ability to advance into higher positions of responsibility and compensation? How you see your reason for working and how you define your personal success have a lot to do with how you will approach your work and prepare for your future.

ASSESSMENT

One important thing to know about your job is how you will be assessed or evaluated. As a new employee, you may have a probationary period when you first start working.

Probationary Period

How long is this probationary period? In many companies, this is the first few months or so, when you may be learning the ropes of your job and establishing your typical work behaviours and practices. During this probationary time, you may be given some special assistance or help. Typically, you and your work are looked at more closely than after you become a seasoned employee.

Don't let this idea scare you. It is a very typical procedure. A probationary period is not a problem if an employee is working hard and doing his best to be a productive part of the department or company. However, if a new employee is not completing tasks on time, is spending work time on personal matters, is tardy or has excessive absenteeism, the firm may re-evaluate his position in the company. So, during your first several months of employment in particular, show them the best you've got. Be a model citizen of the organization.

Performance Review

Probationary period or not, you will have a formal evaluation of your work from time to time. In most organizations, this happens once a year and may be called a performance review. If you have had these reviews before, you already have an idea of how these written tools assess your work, and of the role they play in determining future pay raises and promotions.

Because this assessment usually happens only once a year, keep a record of the projects you did, the kudos you received, and the specific ways you contributed to the department and the company overall. Keep a log of these efforts and save samples of any notable written work you created or to which you contributed. This type of personal file is extremely valuable later on, particularly if you are asked to do any type of self-assessment or self-evaluation. These self-assessments are routinely asked for by managers to help them prepare their employees' annual performance reviews. So, as you begin performing in your new work environment, remember that you will eventually be evaluated. Be as prepared as possible to help your manager give you the glowing performance evaluation that you deserve!

THE VALUE OF A MENTOR

Another idea to consider as you begin your new employment is to seek out a mentor in the organization. A mentor is someone who can assist you when you have questions, guide you along in your new work environment, and serve as a type of role model. A mentor can be someone you admire and wish to emulate.

A mentor can be someone who has achieved success in the organization and can teach you some of the ways to be successful in that particular environment or field. Observe the people around you. Who seems to be successful and admirable? Who would you like to seek out for advice? Selecting and using a mentor in your career can bring you many great benefits.

Either through your immediate manager or perhaps your mentor, find out about your career path in the organization. What is the next position you could aspire to? What is a typical career path for someone in your position, and how long does it usually take to get to the next level? What type of training or education is necessary to get promoted? Who can help you prepare your career path? This is all very worthwhile information to gather.

GOOD THINGS TO DO IN A NEW JOB

Following are some good things to do in a new job.

- Understand your probationary period.
- Keep a log of your accomplishments and activities in preparation for your annual review.
- Find a mentor.
- Find out about your career path and how it can be achieved.

THINGS TO AVOID DOING IN A NEW JOB

It may seem strange to discuss some things you should *not* do. However, sometimes what seems to be common sense to us may not be quite that common. The qualities discussed below are surefire ways *not* to impress a new employer and can lead to serious problems.

Dishonesty and lying. If an employee lacks integrity, most all other qualities are meaningless.

Irresponsibility, goofing off, attending to personal business on company time. One who wastes the company's resources and is unreliable may not be trustworthy.

Arrogance, egotism, and excessive aggressiveness. There is nothing redeeming about someone who spends more time bragging or boasting than working, or one who feels she deserves special treatment or privileges.

Absenteeism and lateness. If employees are chronically late or absent, most employers feel they don't deserve to be paid for time they did not work and work they did not do.

Other undesirable traits include not following instructions, ignoring company policies, laziness, lack of enthusiasm, making ill-informed decisions, and taking credit for work done by others.

COMPUTERS: THE NEW PITFALL

In the last couple of years more people have lost their jobs for a specific reason—improper use of computers—than ever before. You need to understand that many companies are now developing zero-tolerance policies for misuse of computers. Among the behaviours that companies are not tolerating are these:

- Visiting inappropriate Internet sites
- Visiting any site not directly related to company business

- Downloading programs or software not authorized
- Installation of software not authorized
- Receiving or forwarding e-mails unrelated to company business
- Playing games on company computers

Recently in one medium-sized company, for instance, ten people within a seven-month period were fired for violation of the company computer policy.

Many companies can track the Websites you've visited, the length of time you've spent there, the programs you've downloaded or installed, and what you've received and forwarded in your e-mail. This is the new reality.

JOB SAFETY

A section on job success would not be complete without some information on job safety. It is important to realize that you have rights and you should never be exposed to an unsafe work environment. In Canada, occupational health and safety legislation protects you against hazards on the job. In addition, each province has its own legislation. You and your employer are jointly responsible for workplace health and safety.

Your Rights

- You have the right to refuse unsafe work.
- You have the right to safety training.
- You have the right to know actual and potential dangers in the workplace.

Your Responsibilities

- To work in compliance with regulations
- To use personal safety equipment and clothing as directed by the employer
- To report workplace hazards and dangers

The Canadian Centre for Occupational Health and Safety has a Website (at www.ccohs.ca) that provides a wealth of information on this topic as well as links to many other sites.

CLOSING ADVICE

The box on the following page offers tips for new (and not so new) employees. To some of you, this advice may seem like common sense. However, most of us can benefit from it.

In addition to these tips, there are some additional considerations: Set your own personal work goals, be willing to put in long days, make sure your dress is appropriate for your office and the dress code, limit personal calls and other communications, observe proper business meeting etiquette, learn how to handle stress and work overloads, foster positive business relationships, and seek a balance in your life. This advice is useful for all of us to keep in mind, whether we are new employees or experienced professionals!

Tips for New Employees

- Watch how things are done in the company. Observe the business culture and how people interact personally.

- Be sensitive to a diverse work culture. Because you will be working with people from different ethnic and cultural backgrounds, you must understand the different ways others think, communicate, and act.

- Be respectful of others' time. Use it wisely and don't assume it is owed to you. Time is precious to everyone, especially in today's fast-paced and demanding business world.

- Be careful with the way you use communication technology. It can be your best friend or your enemy. Electronic business communications should be professional, clear, concise, and correct.

- Understand that you will make mistakes, but realize that's how you learn. A wise person once said that mistakes are just lessons you haven't learned yet.

Obviously, there is a lot more to know and do as a new employee, but, hopefully, this chapter touches on some important considerations. Your work ethic, your personal and professional standards, and your treatment of others all combine to make you who you are on and off the job. You are working for a variety of reasons. Your work is a major part of your life. Work hard and enjoy the benefits. Work is an essential ingredient to success. In the words of Mark Twain, "The dictionary is the only place where success comes before work."

MY Focus

Following are ways you can implement some of the suggestions found in this chapter.

Make a list of traits you feel a good employee must have. You may use traits from the chapter and include your own original ones. After each trait, indicate the level (on a scale of 1 to 10, with 10 being the best or highest) that best reflects your level of that trait. If you rank a trait low for yourself, write a suggestion of how you could make yourself stronger in that trait.

Join a professional organization that relates to your field. (Many employers will pay for professional memberships for employees.) Get to know individuals in that organization who may serve as mentors or guides for your own career. Ask your potential mentor if you could shadow him or her sometime to see how he or she performs on the job.

The night before you start your new job, create a folder to bring to your office. This folder can have a descriptive title such as "Brag Folder" or "My Best Stuff" or even "What I've Done All Year." Place the folder in a convenient but discreet spot and remind yourself to place material in it when appropriate.

FINDING YOUR FOCUS

1. What is your personal definition of success and how will it guide you in your new job?

2. What is your impression of a probationary period for employees? Is it warranted? Unfair? Why?

3. If you have experienced performance reviews before, what is your opinion of them? How are they useful? How can they be damaging?

4. Review the Tips for New Employees in this chapter. Which do you consider to be the top two to keep in mind?

5. What are your three safety rights?

CHAPTER OBJECTIVES

After completing this chapter, you will be able to:

- List the basic career success skills necessary for top job performance and career success.

- Apply the top 10 traits employers seek to your personal profile of traits.

- Recognize the difference between employee skills and personal values and characteristics.

Being the Best You Can Be

Let us realize that the privilege to work is a gift, that power to work is a blessing, that love of work is success.

—DAVID O. McKAY

You finally made it through the process. You successfully assessed and marketed yourself, and assembled and used marketing tools to get the job you wanted. You interviewed well and convinced the employer that you were the best person for the job. You have a good idea of what to do on the job to maximize job performance. There is just one more thing to keep in mind: career success skills. These skills don't pertain just to new employees. They are relevant for new, experienced, and even senior-level employees. They are called career success skills because they are extremely important in the work setting. They can be considered life success skills as well.

So, what are some of these career success skills? There has been much written about the skills and traits that employers want today. Although no two lists of desirable skills or traits are the same, many share similar qualities. A couple of these lists appear later in this chapter, but for now let's examine some of the basic skills that are desirable in any work environment.

BASIC SKILLS

If you saw a list of the most basic career success skills the list would look something like this: reading, writing, speaking, listening, teamwork, and problem solving or creativity. You may have expected to see the first four skills, but might have been a little surprised by the last two. Let's take a look at each individually.

Reading

This seems pretty basic, doesn't it? Actually, this refers not only to the reading skills one uses on the job, but also to the ability to read and learn in general. With all of the information at our fingertips in today's technological world, how does one stay ahead? Employees must be able to read, skim, summarize, synthesize, and manipulate what they read. They must have a strong vocabulary, not

145

only in their own field, but in business, industry, technology, and even in science. Reading is essential to learning.

Writing

Writing has always been essential to conveying ideas or informing, persuading, and communicating on a personal basis. In today's culture of electronic written communications such as e-mail, writing has continued to be an important skill. From creating basic business correspondence (memos, letters, proposals, reports) to creating and sending electronic information, employees must have good writing skills. Of course, clear writing reflects clear thinking, so these two skills go hand in hand.

The three key features critical to successful writing on the job are clarity, conciseness, and correctness. Successful writers present their ideas clearly. They know how to communicate ideas carefully and accurately. Good writers are also concise. No one has time to read through unnecessary words or ideas. Although conciseness in writing has always been important, in today's fast-paced world, being able to communicate ideas in a streamlined yet complete manner is essential. Correctness is another factor of successful communication skills. Our image is reflected in how we communicate. If our writing is full of mechanical errors and awkward wording, our readers will not think much of our message or us.

Speaking

This skill goes beyond public speaking. Although public speaking can be key to your future career success in some instances, your general interpersonal communication skills are on display all the time. In addition to being able to compose and deliver a good speech to an audience, you must be skilled and confident when addressing smaller groups of people during a business meeting, business luncheon, or professional conference. Just as you may be judged by the clothes you wear, you are always being evaluated by your speech.

Listening

Not much is said or taught about the skill of listening. But consider this: you probably spend a large part of your day on the job listening to people—in meetings, personal conversations, on the telephone, and talking to clients. Listening is a skill—and an important one. Successful listeners give their complete attention to the speaker. At the same time, they mentally summarize what the speaker is saying, analyze the information, and formulate a clear response to the message. The ability to listen is a critical skill that all employees must have. Miscommunication in the workplace can be very costly on many levels.

Teamwork

Some time ago, the average worker was able to do her job alone. No one else was needed. The individual worker knew all that was necessary to get the job done. Fast forward to today. The world, and particularly the business world, is full of complexities and rapidly evolving innovation. One person alone doesn't have all of the knowledge and skills to get the job done. Increasingly, grouping workers into teams has been necessary to share knowledge and information as the team moves toward a common goal.

What does it take to work well in teams? It takes an understanding of different communication styles, particularly those of people from diverse cultures. It takes a willingness to share responsibility and accountability. It requires that you practice give-and-take, and sometimes conflict resolution, to solve problems and continue to move forward. Teamwork allows us to share one another's talents. Teamwork skills are highly sought after by today's employers.

Problem Solving and Creativity

In today's complex society and global marketplace, companies need employees who are equipped to solve problems efficiently and effectively. They need people who can take data/facts/information, draw conclusions, and make appropriate recommendations. They need people with fresh approaches to situations, people who can handle change and the challenges of a global marketplace. Thinking "outside of the box" is important in a society where creativity is required to solve challenging problems.

SPECIFIC SKILL SETS

The comments so far covered some of the basic career success skills that are important in any type of workplace and any field of endeavour. But what are some of the specific skill sets that employers say they want in employees? What skill sets will guarantee your personal success in your career?

Skills Needed to Get Ahead

The first list of skills needed to get ahead in the current work culture was mentioned in a presentation given by Dr. Phillip D. Gardner, Research Director at the Collegiate Employment Research Institute at Michigan State Universities. Following are some of the conclusions from that presentation:

- In today's workplace, everyone has to be professional.
- Learning is now a job requirement, and employees must have agility.
- The linear thinking of yesterday will not work with the abstract systems of today.
- Employees must be aware of and learn from the gurus in their fields.
- Employees need organizational savvy in order to get things done.
- Employees need to go well beyond their typical job descriptions to be successful.
- The more you know and can do successfully on the job, the more freedom, flexibility, and autonomy you are given.

Finally, Dr. Gardner indicates that in the workplace of today and the future, with our culture stuck in fast-forward, the prize is not what you know, rather how quickly you can innovate.

Another list of employee traits was found in an article published by a U.S. university system. The article summarizes 10 capabilities looked for by corporations in their new employees.*

Top 10 Traits Employers Seek

Excellent verbal and written skills. Employers emphasize the ability to communicate clearly to teammates, peers, superiors, and subordinates.

Ability to turn theory into practice. Higher-level thinking is always desirable; however, companies need personnel who can put into practice what they know, people who can get results.

Working well in groups. Companies want team players. Employers often want employees who can work well in teams of four to six people. Such teamwork also requires that team members be able to function well with those of different ethnic and social backgrounds.

Flexibility. Rapid advances in technology and customer needs combine to make constant demands on companies and their employees. Employees must be able to adapt to and use new structures, programs, and procedures. They should be flexible and willing to change as needed.

---

*Adapted from pamphlet *Survival of the Fittest*, published originally by DeVry University.

Problem solving. Critical-thinking skills and good communication skills are essential for today's employees. They must be able to recognize, define, and solve work-related problems efficiently and effectively.

Creativity. Employers value those who can go beyond currently accepted models to find original solutions. Realizing that each challenge requires a unique answer, individuals must have the confidence needed to take risks and try new and different ideas.

Living a balanced life. Today's world is full of stresses. How you deal with these stresses helps to determine who and what you are. Those who lead lives balanced with outside recreational and social activities are better adjusted and more productive workers.

Time management. Managing time and meeting schedules and deadlines are important. Competing responsibilities and multiple work tasks can often be challenging. Effective employees are those who handle their responsibilities dependably and in an efficient manner.

Fearlessness. Although employers do not want reckless behaviour in their employees, they do find that breakthrough successes require professionals who are not afraid of failure. Also, employees who do fail must learn from those failures, adapt, and try again.

Commitment. Being committed and dedicated to corporate or group goals is crucial. Loyalty and goal orientation are key traits. Employees possessing these traits are seen as cornerstones of the corporation. These are the individuals who are responsible for the company's long-range success.

Skills and Values Prized by Employers

A final list of skills and values prized by employers is presented in an article entitled "What Do Employers *Really* Want? Top Skills and Values Employers Seek from Job-Seekers" by Randall S. Hansen and Katharine Hansen.* Their discussion of skills and values prized by employers is summarized here.

Skills Mentioned Most Frequently

According to the Hansens, studies have identified several important employee skills, sometimes called soft skills due to their nontechnical nature. The following list includes those skills mentioned most frequently by employers.

1. *Communication skills (listening, verbal, written).* This was the one skill mentioned most often.
2. *Analytical/research skills.* Individuals must assess situations, seek different perspectives, and identify key issues.
3. *Computer/technical literary.* A basic understanding of software and hardware, such as word processing, spreadsheets and e-mail, is required.
4. *Flexibility/adaptability/managing multiple priorities.* This is the ability to handle multiple assignments, set priorities, and adapt to change.
5. *Interpersonal abilities.* The ability to relate to co-workers, inspire others, and manage conflict.
6. *Leadership/management skills.* This includes taking charge and managing workers.
7. *Multicultural sensitivity/awareness.* Some feel that there is no bigger

---

* Copyright by Quintessential Careers and found at QuintCareers.com, an online career development Webpage. Used with permission

issue in the workplace than diversity. Employees must show an awareness and sensitivity to other people and cultures.

8. *Planning/organizing.* The ability to design, plan, organize, and implement projects; includes goal setting.

9. *Problem solving/reasoning/creativity.* Solving problems with powers of creativity, reasoning, and past experiences in combination with available information and resources.

10. *Teamwork.* The ability to work with others in a professional manner while working toward a common goal.

Personal Values Employers Seek

In their article, the Hansens also present a list of personal values employers want in their employees. Although the specific skills already mentioned are critical to career success, what the employee is or values is as important as what he can do. Values, personality traits, and personal characteristics are also critically important to career success and satisfaction. Following are some values mentioned in the Hansens' article.

1. *Honesty/integrity/morality.* Employers probably respect personal integrity more than any other value.

2. *Adaptability/flexibility.* Being open to new ideas, working in teams or alone, multi-tasking.

3. *Dedication/hard work/work ethic/tenacity.* Employers want and value employees who love what they do and will stick with the job until it's done.

4. *Dependability/reliability/responsibility.* Punctual employees who have a keen sense of responsibility.

5. *Loyalty.* Devotion to the company under a variety of conditions.

6. *Positive attitude/motivation/energy/passion.* These are people with drive and passion, who show enthusiasm with their words and actions.

7. *Professionalism.* Acting in a responsible and fair way, signs of maturity and self-confidence, lack of pettiness.

8. *Self-confidence.* Obvious belief in what you can do and in your mix of skills, education, and abilities.

9. *Self-motivation/ability to work with little or no supervision.* Although teamwork is a coveted ability, so is the ability to work independently with minimal direction.

10. *Willingness to learn.* No matter the employee's age or experience, an open attitude to learning new skills or techniques is vital.

Being the best you can be on the job requires much of you. You must cultivate the skills and traits most prized by employers and personify the values and attitudes that lead to success on the job. With the right combination of these skills, traits, and personal values and attitudes, you will be successful in achieving long-term career growth and personal satisfaction.

MY Focus

Several lists of desirable skills and traits have been discussed in this chapter. Review the lists, and make your own list of the ones that were mentioned the most.

Next, circle the ones you feel you currently possess to a high degree. Next, take a look at the other skills and think about how you may work at developing these.

A variation on this activity is to involve a peer or co-worker who knows you and your work well. Ask this person to write down a list of your most prominent work traits, skills, and attitudes. Compare this list to the lists in this chapter and see which ones others believe you possess. Note which ones you still could use some work on.

FINGING YOUR FOCUS

1. Using the following skills discussed at the beginning of the chapter, rank them in order of importance according to your personal experience. Be able to justify your ranking.

   _____ reading

   _____ writing

   _____ speaking

   _____ listening

   _____ teamwork

   _____ problem solving/creativity

2. According to the Hansens' article, a fact in today's workplace is that "everyone has to be professional." What does it mean to you to be professional? Ask others and see if their definitions agree with yours.

3. Define agility. Why is that a necessary skill for today's employees?

4. Commitment to the company is a skill that is desired by employers today. Does this desire seem realistic considering the tendency of many employees to change jobs and companies rather frequently? Do you feel the value of commitment to a company is important? Why or why not?

abilities,
    creative, 16, 148, 149
    investigative, 16
    managerial, 17, 148
    persuasive, 16
    technical, 16, 148
    verbal, 16
ability assessment, 5, 20
aptitude tests, 130

business cards, 37, 44, 46

Canada Jobs, 31
Canadian Business and Current Affairs
    (CBCA) Business, 109
Canadian Centre for Occupational Health
    and Safety, 142
Canadian Human Rights Act, 125
Canadian Newsstand, 109
Canadian Reference Centre, 109
career (student) services, 26, 27
    for research, 110
career development, 2
career fairs, 30, 32, 43
    follow up, 45–46
    sample conversations, 44
    techniques for, 44–45
    technology trends, 46
career goals, 35, 36, 37, 94, 96, 120
    in portfolio, 96
    job offer and, 137
career move, 2, 5
career success,
    basic skills, 145–146, 147
    computers in, 141–142
    definition of, 140
    do's and don'ts, 141
    fitting in, 139
    new employee and, 142, 143
    problem solving for, 147
    specific skills for, 147
Chapman, Elwood N., 29
Collegiate Employment Research Institute,
    Michigan State Universities, 147
commitment, 148
communication skills, 10, 43, 93, 106,
    148
community service. *See* volunteering
    (community service)
cover letter, 2–3, 24, 30, 50, 78
    advice, 86
    characteristics of, 78–79
    electronic, 28
    guidelines, 80
    networking, 83
    prospecting, 82
    research and, 107
    sample, 79, 81, 82, 83
    writing, 79
creative abilities, 16, 148, 149

Department of Foreign Affairs and
International Trade, 47

DeVry University, Illinois, 147
drug testing, 130–131

education, 2, 120
    cooperative programs, 26
    in resumé, 54, 55, 56, 64
    portfolio, 96
employment,
    history, 5, 50, 120
    realities, 136
    skills employers want, 148, 149
    traits employers want, 147–148
    values employers want, 149
essential skills, 21–22

Fortune 500 companies, 51

Gardner, Dr. Phillip D., 147
Guerilla Tactics in the Job Market, 42

Hansen, Katherine, 21, 148, 149, 150
Hansen, Randall S., 21, 148, 149, 150
Human Resources and Social Development
    Canada, 21, 31
human resources department, 30, 110, 139

Internet, 43, 51
    as research tool, 31, 38
    e-mail etiquette, 27–28, 86
    job Websites, 24, 27–31, 46, 47, 53
    online job applications, 87
    resumé Websites, 76
    see also Websites
    service provider (ISP), 103
    Web research, 109
internships, 26
interviews, 3, 5, 9, 11, 12, 42, 43, 46, 53,
    73, 106
    characteristics of, 134
    closing stage, 117–118
    company position stage, 117
    directed, 111
    dressing guidelines for, 113, 114, 115
    etiquette, 128, 129
    follow up letter, 84
    forms of, 111, 112, 113
    greeting stage, 117
    grooming for, 114
    group, 112
    illegal questions during, 125, 126
    informational, 25–26, 30, 109
    length, 13
    mock, 110
    negotiating at, 131, 132, 133
    negotiating tips, 131–133
    on-the-spot, 45
    panel, 112
    portfolio at, 104, 128
    pre-visit stage, 116
    preparation for, 110
    proof stories at, 121–122
    questioning, 12, 25–26, 110,
        112–113, 116, 117, 118, 120,

121, 126, 127, 128
    referral, 111
    research and, 107
    resumé and, 106, 117
    screening, 111
    selection, 111, 112
    skills, 13
    stages, 113, 116
    stress, 112
    structured, 104
    telephone, 112–113
    testing at, 129, 130
    thank you stage of, 133–134
    types of, 111
    unstructured, 104, 112
    video conferencing, 113
investigative abilities, 16

Jackson, Tom, 42
job applications, 78, 87
    advice for, 87–88
    illegal questions, 88
    preparation, 87
    sample form, 88
job assessment, 140
    evaluation, 140
    probation, 140
Job Futures, 31
job market, 5
    advertised, 24, 25
    hidden, 24–25
job offer, 107, 135
    acceptance letter, 85
    accepting, 138
    analysis techniques of, 137, 138
    career goals and, 137
    evaluating, 136, 137
job safety, 142
job search, 4, 5, 78
    company approach plan, 29–30
    dress codes for, 115
    global, 46–47
    see also references; resumé

life preferences, 5, 19, 20
    inventory of, 19

managerial abilities, 17, 148
marketing, 1, 3, 5, 13
    approaches, 28
    electronic, 27
    face-to-face, 43
    global, 46–47
    personal, 24–25
    place, 1, 2
    plan, 24
    presentation, 1, 3
    price, 1, 2
    product, 1, 2–3, 5, 11
    promotion, 1, 2
    readiness categories, 14
    readiness quiz, 5, 6–9, 13, 20
    strategies, 1–2, 3, 29–30, 32

marketing (*Continued*)
  techniques, 32
  tools, 20
mentorship, 140–141
multicultural sensitivity, 148

negotiation, 10
networking, 2, 11, 21, 25, 26, 32
  at career fairs, 45
  business card, 37
  do's and don'ts, 38
  letter, 83
  methods, 32–33
  planning sheet, 33–35
  planning, 35–36
  questions, 36, 37
Networking, 37

O'Neil, Sharon Lund, 29
Ontario Human Rights Commission, 88

performance appraisal, 10
personality check, 5
personality tests, 130
portfolio, 2–3, 92, 104–105
  assembly, 100
  at interview, 128
  benefits of, 105
  certificates/diplomas, 94, 96
  electronic materials in, 95
  electronic, 101–102, 103
  format of, 98, 99, 101
  improving presentation of, 101
  leaving, 104
  organization of, 97
  planning, 95
  resumé, 94, 96
  sample goals statement for, 96
  sample message for, 95
  sample presentation, 99–100
  samples for, 94, 95
  skills assessment, 92, 93–94, 96
  structure, 96–97
  use of, 104
positive attitude, 29
problem solving, 148, 149
professional associations, 27, 110
professional journals, 26
proof stories, 121–122
  examples of, 123
  situation/task, action, result
    (S-T-A-R) format for, 122
  technique for, 121–122
  tips for, 124
  worksheet, 124

qualifications, 2, 21
  in resumé, 56, 64
questions,
  behaviour-based interview, 120–121
  illegal, 88, 125, 126,
  informational interview, 25–26
  interview, 110, 113, 116, 117, 118
  interviewee, 126, 127, 128
  legal interview, 126
  networking, 36, 37

planned interview, 12
  standard interview, 118–120
  telephone interview, 112–113
Quintessential Careers, 21, 31

recommendation letters, 95, 96
references, 3, 60
  advice, 75
  categories, 73
  content, 74
  format for, 73
  number of, 73
  sample questions, 75–76
  selecting, 73
research (company), 5, 9, 12, 16, 25,
    107–110
  benefits of, 107
  career fairs, 45
  career services for, 110
  electronic, 108, 109
  global, 46–47
  informational interviews for, 109
  Internet as tool, 31
  interviews and, 107
  personal sources, 109
  skills, 148
  traditional, 108
  type of information to, 108
resumé, 2, 3, 5, 11, 24, 26, 30, 37, 39, 42,
    43, 49, 87
  accuracy, 61
  advice, 62
  appearance, 63–64
  career objective, 64
  chronological, 50
  cover letter, 78, 79, 86
  drafting, 62
  education, 64
  electronic, 28, 46, 51, 52, 53
  for career fairs, 44
  functional, 50
  guidelines, 60–61
  interviews and, 106, 113
  length, 61
  personal summary, 64
  photographs, 62
  portfolio, 94, 96
  posting, 53
  preparation, 49
  proofreading, 63
  qualifications, 64
  references, 73–74, 75–76
  research and, 107
  samples, 50, 65
  sections, 53–54
  targeted, 50
  templates, 63
  types, 49–50
  Websites, 76
  work experience, 65
  writing style, 61, 62

salary, 2, 136–137
  negotiating, 131–132
scanning technology, 51, 52
self-assessment, 1, 5–6
  abilities, 15–17

self-promotion and, 20
  summary, 6, 20
  tools, 5
self-awareness,
  checklist, 5, 14–15
  student, 26–27
self-promotion, 1, 2
  aspects of, 20–21
  methods of, 26
  positive attitude in, 29
  strategic plan for, 29–30
  student, 26–27
  technology for, 27
skills,
  communication, 43, 93, 106, 148
  essential, 21–22
social abilities, 16
Student Work Abroad Programme
    (SWAP), 46, 47
Survival of the Fittest, 147

teamwork, 147, 149
technical abilities, 16, 148
technical tests, 130
telemarketing, 32, 38–39
  calling script, 40–41
  guidelines, 38, 39, 40
  planning for objections, 41–42, 43
  see also telephone calls
telephone calls, 30, 38, 46, 73
  advantages of, 39
  cold calls, 42–43
  do's and don'ts, 41
  interviews, 111, 112–113
  making first contact, 40
  model scripts, 40–41
  objection planning, 42, 43
  planning, 38, 39
  preparation, 39–40
  see also telemarketing
  techniques, 42
time management, 148
transferable skills checklist, 5, 17–18, 20

verbal/persuasive abilities, 16
volunteering (community service), 26
  portfolio, 94, 96

Websites, 102, 103
  company, 109
  creating, 103
  Internet service provider (ISP) for, 103
  search engines, 109
  testing, 103
Welch, Mary Scott, 37
"What Do Employers Really Want? Top
    Skills and Values Employers Seek from
    Job-Seekers", 21, 148
work environment preferences, 5, 19, 20
  inventory of, 19
work experience, 21
  exercise, 57, 60
  in resumé, 56, 57, 65
working with others, 16–17
workplace safety, 142

Your Attitude is Showing, 29